O FARAÓ NEGRO

Do Autor:

Séries

RAMSÉS

O Filho da Luz (Vol. 1)
O Templo de Milhões de Anos (Vol. 2)
A Batalha de Kadesh (Vol. 3)
A Dama de Abu-Simbel (Vol. 4)
Sob a Acácia do Ocidente (Vol. 5)

A PEDRA DA LUZ

Nefer, o Silencioso (Vol. 1)
A Mulher Sábia (Vol. 2)
Paneb, o Ardoroso (Vol. 3)
O Lugar da Verdade (Vol. 4)

A RAINHA LIBERDADE

O Império das Trevas (Vol. 1)
A Guerra das Coroas (Vol. 2)
A Espada Flamejante (Vol. 3)

MOZART

O Grande Mago (Vol. 1)
O Filho da Luz (Vol. 2)
O Irmão do Fogo (Vol. 3)
O Amado de Ísis (Vol. 4)

As Egípcias

A Rainha Sol

A Sabedoria Viva do Antigo Egito

Mundo Mágico do Antigo Egito

Nefertiti e Akhenaton

O Egito dos Grandes Faraós

Filae — O Último Templo Pagão

Tutancâmon — O Último Segredo

O Faraó Negro

CHRISTIAN JACQ

O FARAÓ NEGRO

romance

Tradução
Maria D. Alexandre

BERTRAND BRASIL

Título original: *Le Pharaon Noir*

Capa: Raul Fernandes
Imagem de capa: Instituto Ramsés

Editoração: DFL

Texto revisado segundo o novo
Acordo Ortográfico da Língua Portuguesa.

2010
Impresso no Brasil
Printed in Brazil

CIP-Brasil. Catalogação na fonte
Sindicato Nacional dos Editores de Livros, RJ

J19f Jacq, Christian, 1947-
O faraó negro: romance/Christian Jacq; tradução Maria D. Alexandre. – Rio de Janeiro: Bertrand Brasil, 2010.
434p.

Tradução de: Le pharaon noir
ISBN 978-85-286-0897-7

1. Romance francês. I. Alexandre, Maria D. II. Título.

CDD – 843
10-0040 CDU – 821.133.1-3

EDITORA BERTRAND BRASIL LTDA.
Rua Argentina, 171 – 2º andar – São Cristóvão
20921-380 – Rio de Janeiro – RJ
Tel.: (0xx21) 2585-2070 – Fax: (0xx21) 2585-2087

Atendimento e venda direto ao leitor:
mdireto@record.com.br ou (21) 2585-2002

E a Terra iluminou-se para um novo dia...

Estela de Piankhy

EGITO, NÚBIA E SUDÃO

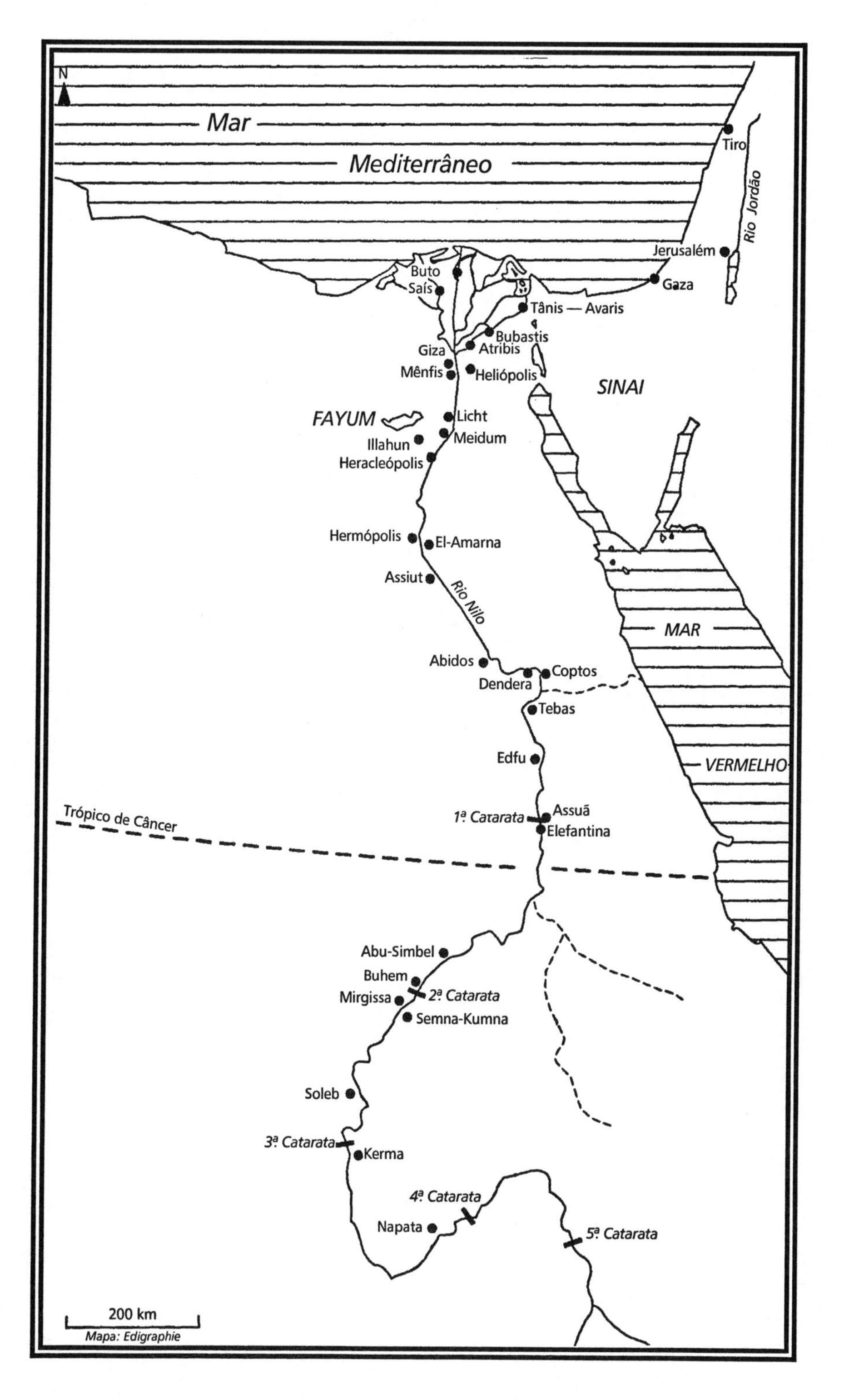

1

Ao ver o marido regressar do templo, a mulher do prefeito queria acreditar que ele trazia no ombro um saco de trigo. Na véspera, o casal de camponeses havia festejado o

aniversário da filha pequena, que estava encantada com o presente que recebera: uma boneca de pano feita pelo pai. Com as amigas da mesma idade, ela brincava no meio da estrada que atravessava a Colina dos Passarinhos, uma aldeia da província de Heracleópolis, no Médio Egito.

O homem jogou o saco vazio no chão.*

— Não há mais nada. Os próprios sacerdotes correm o risco de morrer de fome, e os deuses não tardarão a regressar ao céu, pois ninguém pensa em respeitar as leis dos nossos ancestrais. Mentira, corrupção, egoísmo: eis os nossos novos senhores.

— Fale com o vizir e depois com o faraó, se for preciso!

— Não há mais faraó, apenas chefes de clãs que lutam entre si e pretendem exercer o poder supremo. O Norte do país está sob o jugo dos príncipes líbios, que se comprazem na anarquia e nas brigas internas.*

— E o faraó negro?

— Nem me fale dele! Deixou um exército em Tebas para proteger a cidade santa do deus Amon, onde reina a irmã, a Divina Adoradora, e encerrou-se na sua capital, Napata, nos confins da Núbia, tão longe do Egito que já o esqueceu há muito tempo!

— Tenho a certeza de que ele nos ajudará!

— Não se engane, ele é incapaz disso. Embora se afirme rei do Alto e do Baixo Egito, apenas controla a sua província longínqua e o sul do vale do Nilo. O resto do país está entregue à desordem e à confusão.

— Era necessário preveni-lo que estamos à beira da miséria, que...

---

* Esses fatos ocorreram por volta do ano 730 a.C.

— É inútil — afirmou o prefeito. — O faraó negro contenta-se com o seu falso reino. Para ele, nós não existimos.

— Ainda tenho peixe seco, mas apenas para alguns dias...

— Vão considerar-me responsável pela fome. Se não encontrar uma solução, morreremos todos. Só me resta suplicar ao príncipe de Heracleópolis que nos socorra.

— Mas ele é fiel ao faraó negro!

— Se ele também não me atender, irei mais ao norte.

A mulher agarrou-se ao marido.

— Os caminhos não são seguros, as milícias líbias o prenderiam e o degolariam! Não, você não deve partir. Aqui, na Colina dos Passarinhos, estamos em segurança. Os nortistas nunca ousariam se aventurar tão longe.

— Então, vamos morrer de fome...

— Não, suspenda os impostos, vamos fazer um racionamento e compartilhar o que nos resta com as outras aldeias! Assim aguentaremos até a cheia.

— Se ela não for boa, estaremos condenados.

— Não se desespere, vamos implorar dia e noite à deusa das colheitas.

O prefeito examinou o horizonte.

— Que futuro nos resta? Os tempos felizes desapareceram para sempre e viver tornou-se um fardo. Como podemos acreditar nas promessas dos homens de poder? Só têm como objetivo o enriquecimento pessoal, e as suas belas palavras só seduzem a eles próprios.

As meninas brincavam com as bonecas, num universo maravilhoso cuja chave só elas possuíam. Ralhavam e tornavam a ralhar, porque as bonecas, birrentas, as desobedeciam o tempo todo.

A camponesa sorriu.

Sim, a esperança existia. Existia nos risos das crianças e na sua instintiva recusa da tristeza.

O vento do norte começou a soprar, arrastando uma nuvem de pó que cobriu a soleira das casas. Com o olhar triste, o prefeito sentou-se num banco de pedra colocado em frente ao muro da sua casa.

Mas no momento em que a mulher pegou uma vassoura, o chão tremeu.

Um ruído surdo, ainda distante, vinha da estrada de Mênfis, a cidade mais populosa do país e o seu principal centro econômico. Mênfis ignorava o medíocre reinado do faraó negro e adaptava-se cada dia mais à ocupação líbia.

Formando uma roda, as meninas explicavam às bonecas que tinham de ser muito obedientes para crescerem e usarem lindas roupas.

Uma nova nuvem de pó subiu até o céu, e o ruído surdo transformou-se num estrépito semelhante a um ataque de uma manada de touros enfurecidos.

A camponesa avançou, olhando para o norte, mas a sua visão ficou ofuscada. Os raios do sol refletiam-se em superfícies metálicas que os transformavam numa luz branca que cegava.

— Carros — constatou o prefeito, saindo do torpor. — Carros, soldados com capacetes e couraças, escudos, lanças...

Vindo do Delta, o exército nortista tomava a Colina dos Passarinhos de assalto.

A camponesa gritou, mas as meninas não a ouviram, porque o galope dos cavalos e o ranger das rodas dos carros cobriram a voz dela.

Com a curiosidade despertada, as crianças voltaram a cabeça na direção dos invasores, sem verem o prefeito e a mulher, que corriam para elas gritando-lhes que se refugiassem no palmeiral.

Fascinadas por aquela onda furiosa, irreal, elas apertaram as bonecas contra o peito.

E a onda passou, atropelando crianças e adultos, esmagados pelas rodas dos carros e pelos cascos dos cavalos, primeiras vítimas de Tefnakt, chefe da coligação líbia do norte, cujos soldados de infantaria massacraram o resto dos habitantes da Colina dos Passarinhos e queimaram as pequenas casas brancas.

O que importavam alguns cadáveres, quando se preparava para se tornar senhor das Duas Terras: o Baixo e o Alto Egito? Para o general Tefnakt, havia chegado a hora de derrubar o faraó negro.

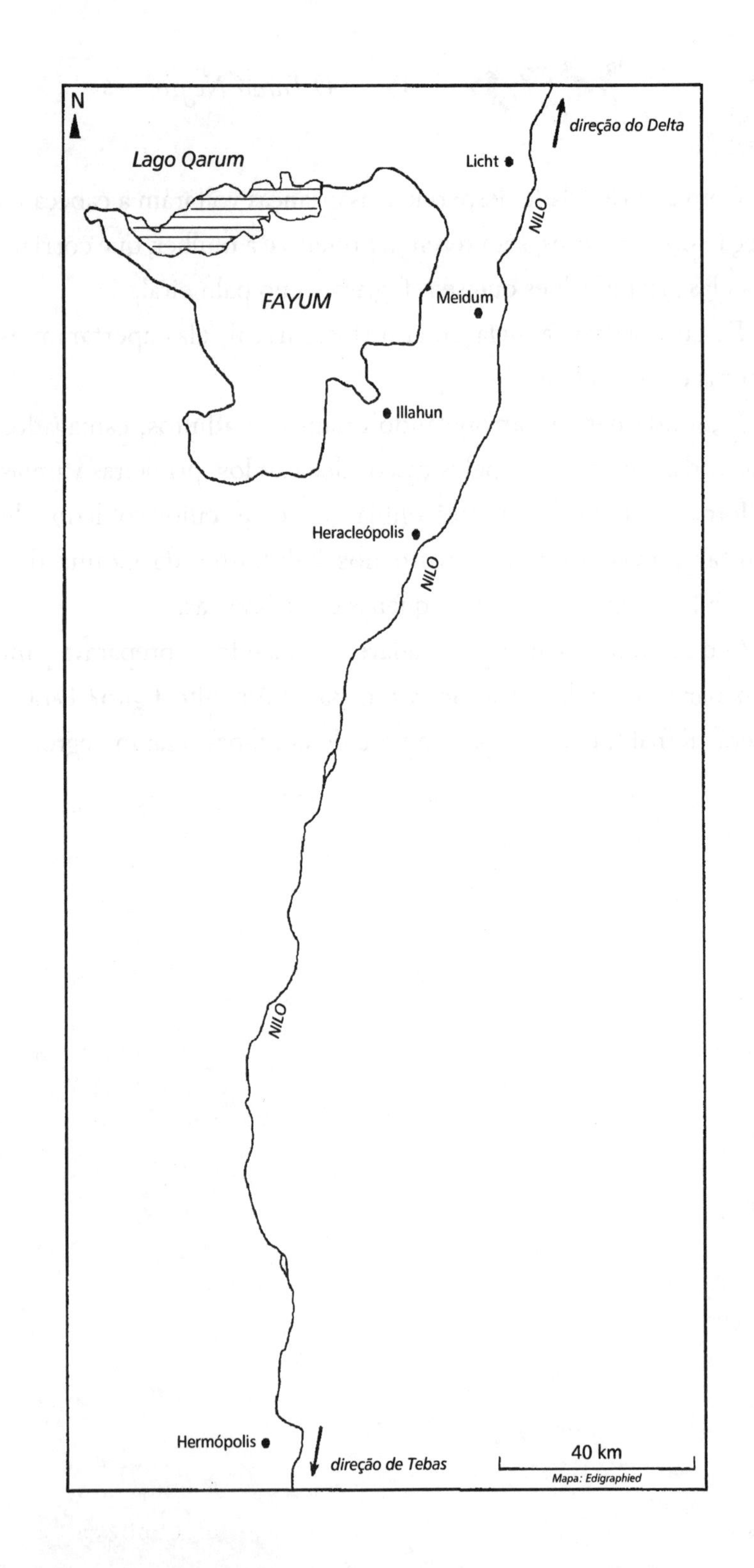
N
Lago Qarum
FAYUM
direção do Delta
Licht
NILO
Meidum
Illahun
Heracleópolis
NILO
NILO
Hermópolis
direção de Tebas
40 km
Mapa: Edigraphied

2

Tefnakt, reconhecido como o grande chefe dos líbios, soberano do oeste do Delta, administrador dos domínios do Baixo Egito, desdobrou o mapa do Médio Egito desenhado num papiro de primeira qualidade (ao lado).

— Mênfis é nossa — declarou ele perante a assembleia dos confederados do Norte. — Conquistamos Licht e nos aproximamos da cidade de Heracleópolis. Meus amigos, o nosso avanço foi fulminante! Não lhes tinha predito esta série de vitórias? Para ir mais longe, temos de reforçar a nossa aliança. É por isso que lhes peço que me nomeiem chefe de todo o país.

Originário de Saís, no Delta, Tefnakt era um homem robusto, de olhos negros muito vivos, profundamente enterrados nas órbitas. Pouco atraente e ossudo, o seu rosto traduzia uma vontade feroz; uma cicatriz profunda, recordação de um violento combate corpo a corpo, marcava-lhe a testa.

Tefnakt infundia medo desde a adolescência. Habituado a comandar, não suportava os indecisos nem os medrosos, mas fora obrigado a aprender a ser menos inflexível com os que pretendiam ser seus aliados. No entanto, não conseguia disfarçar a sua impaciência e tivera que mostrar-se ameaçador para arrastar os príncipes do Norte a uma guerra de reconquista do Sul.

Akanosh enfrentou Tefnakt como porta-voz dos chefes das tribos líbias que reinavam nas províncias do Delta depois de as terem invadido. Tal como os seus compatriotas, tinha os cabelos de comprimento médio, entrançados, com uma pluma de avestruz espetada, e o queixo era adornado por uma fina barba pontiaguda. Pulseiras nos punhos; tatuagens guerreiras representando arcos e punhais nos braços e no peito. Akanosh envergava um longo manto vermelho preso no ombro esquerdo, adornado com motivos florais, e cuidava da sua elegância. Com 60 anos, ele se teria contentado de bom grado com o poder que exercia sobre o seu território de Sebenitos, mas deixara-se convencer em participar da aventura militar defendida por Tefnakt.

— Nós o felicitamos por nos ter conduzido até aqui — disse Akanosh num tom calmo —, mas a cidade de Heracleópolis é fiel ao nosso inimigo, o núbio Piankhy, que se considera o verdadeiro soberano do Egito. Até agora ele não reagiu porque o nosso ataque o apanhou de surpresa.

— O faraó negro vegeta no seu longínquo Sudão, a centenas de quilômetros daqui!

— É verdade, mas as suas tropas estacionadas em Tebas não tardarão a intervir.

Tefnakt sorriu.

— Você me considera um simplório, meu amigo? É evidente que, mais cedo ou mais tarde, as tropas receberão ordem para contra-atacar. Mas não estamos preparados para enfrentá-las?

Akanosh fez uma careta.

— Alguns de nós consideram que a nossa aliança é frágil... Você é um verdadeiro cabo de guerra, Tefnakt, mas somos muitos a exercer uma forma de soberania que desejamos manter. Ir mais longe poderia conduzir-nos à ruína.

— Será o imobilismo que nos arruinará e privará de todo o poder! Será necessário descrever o caos em que nos encontrávamos antes de eu encabeçar esta coligação? Quatro pseudofaraós no Delta e uma boa dezena de pretendentes ao trono! O mais insignificante chefe de tribo julgava-se um monarca absoluto, e todos estavam satisfeitos com essa anarquia entrecortada por confrontos sangrentos.

— É verdade — reconheceu Akanosh — e você nos devolveu a noção da honra... Mas é preciso saber manter a razão. Visto que agora possuímos metade do país, não será conveniente dividirmos os territórios conquistados, em vez de corrermos riscos insensatos?

Tefnakt teve vontade de estrangular o covarde, mas conseguiu conter a sua fúria. Ainda não dispunha de forças armadas suficientes para agir sozinho e precisava fazer um acordo com aquele bando de bárbaros de visão limitada.

— Compreendo a sua prudência, Akanosh. Até hoje, nos mantínhamos no Norte do país e deixávamos o Sul para Piankhy, considerando o Médio Egito como uma zona neutra. Para gozar de felicidade e prosperidade, o Egito deve estar unido e ser governado por um autêntico faraó. Pensar que possamos continuar a viver divididos é um erro fatal. Perderemos o que possuímos! Não existe outra solução, a não ser a conquista do Sul e a eliminação das tropas do faraó negro.

— É essa a sua opinião e respeito-a, Tefnakt. Mas tem perante você diversos soberanos independentes que dirigem os seus principados como bem entendem.

— Por que hão de contestar a minha autoridade, quando estamos no caminho de uma grande vitória?

— Você nos uniu numa confederação — admitiu Akanosh —, mas não lhe foi concedido o poder supremo. Queríamos tentar uma experiência, sair do Delta, nos apoderarmos de Mênfis, que caiu nas nossas mãos como um fruto maduro, e conquistar algumas províncias do Médio Egito. Se conseguirmos o resultado esperado, não devemos nos contentar com ele?

Tefnakt ordenou ao empregado que servisse cerveja forte aos príncipes líbios. A maior parte deles apreciou a oferta, mas Akanosh recusou-se a beber.

— Vencemos sem combater — lembrou ele. — As aldeias que atravessamos não podiam nos opor a menor resistência. Heracleópolis é uma cidade fortificada que será defendida por uma guarnição formada por soldados experientes. Quantos homens somarão as nossas perdas, e estaremos todos de acordo em aceitar semelhante sacrifício?

— É esse o preço de uma conquista — declarou Tefnakt. — Negá-lo seria mentir, mas recuar, uma derrota.

— Queremos refletir e debater o assunto.

Tefnakt ocultou a sua decepção. As reuniões dos chefes líbios perdiam-se sempre em palavreados intermináveis que não conduziam a nenhuma decisão concreta.

— Nesse caso, respondam claramente à minha pergunta: concedem-me ou não plenos poderes para empreender a conquista de todo o Egito?

Akanosh ergueu-se e retirou-se para a sua tenda, seguido pelos outros chefes líbios. Iniciava-se para Tefnakt uma longa espera.

Enraivecido, ele quebrou o galho baixo de uma tamargueira, cujos pedaços atirou para longe. Depois, seguiu em passo apressado até à sua própria tenda, onde o esperavam os seus dois inseparáveis conselheiros, Yegeb e Nartreb, dois semitas que formavam um estranho par. Yegeb era alto, tinha braços intermináveis, o rosto longo e tornozelos inchados; Nartreb era baixo, barrigudo, os dedos das mãos e dos pés gordinhos como os de um bebê, o rosto redondo e o pescoço grosso.

Astuto e calculista, mais velho do que Nartreb, Yegeb dava-lhe os conselhos de que necessitava para agir, já que o seu cúmplice dispunha de uma energia inesgotável e não hesitava em usar de todos os meios para enriquecer. Embora tão corrupto como Nartreb,

Yegeb afirmava todo o tempo a sua perfeita honestidade; vestia-se com roupas velhas, comia pouco e dizia ser desprendido das coisas materiais. Uma única paixão o dominava: o gosto pela manipulação e pelo poder oculto. Com o apoio de Nartreb, incitava Tefnakt a tornar-se o soberano incontestado das Duas Terras, convencido de que ele os recompensaria se isso acontecesse.

— Está tudo bem? — perguntou Nartreb, ocupado em mastigar uma haste de papiro.

— Aqueles imbecis decidiram discutir — revelou Tefnakt.

— Não podia acontecer nada pior — reconheceu Yegeb, coçando o nariz. — O resultado das deliberações não oferece nenhuma dúvida: a ofensiva será interrompida e regressaremos ao Norte.

— Qual é a sua proposta?

— Há muitos anos que aprendemos a conhecer esses déspotas líbios medíocres e não nos faltam meios de ação.

— Utilizem-nos — ordenou Tefnakt.

3

O jovem núbio mergulhou no Nilo em perseguição aos búfalos que brincavam na corrente e corriam o risco de se afogar. Pelo menos era isso o que Puarma havia declarado, com convicção, para deslumbrar a três lindíssimas jovens de pele acobreada. Nuas, elas se preparavam para se deliciar numa piscina natural entre dois rochedos, quando os búfalos, cheios de calor, haviam galopado para o rio. Os animais pertenciam a um primo de Puarma, decidido a apanhar os fugitivos sob o olhar das moças fascinadas.

Musculoso, excelente nadador, o rapaz tinha a intenção de conquistar todas as três. Já que não fugiram, não tinham dado o seu consentimento de forma implícita?

No entanto, a rude região da Quarta Catarata do Nilo não fazia sonhar com o amor. Correndo surpreendentemente de nordeste para sudoeste, o rio exibia a sua força selvagem, abrindo passagem, com dificuldade, por entre os blocos de granito ou de basalto e as ilhotas inóspitas que tentavam travar o seu curso. Nas margens hostis, a areia e as pedras concediam apenas um pequeno espaço para culturas pobres; e os uédis* que penetravam no deserto continuavam secos. Vigorosas tamareiras agarravam-se a encostas abruptas que, aqui e ali, se transformavam em falésias escuras.

Para os viajantes que passavam pela região da Quarta Catarata, ela parecia a antecâmara do inferno. Mas Puarma vivera uma infância maravilhosa naquelas terras ermas e conhecia todos os recantos daquele labirinto rochoso.

Com perfeita maestria, atraiu os búfalos para uma espécie de canal onde poderiam refrescar-se em perfeita segurança.

— Venham — disse ele às três beldades. — Já não há perigo nenhum!

* Cursos de água temporários das regiões desérticas. (N.T.)

Elas se consultaram com o olhar, trocaram algumas frases, risonhas, e depois saltaram com agilidade de rocha em rocha para se juntarem ao rapaz.

A mais audaciosa saltou no dorso de um búfalo e estendeu um braço na direção de Puarma. Quando ele tentou agarrá-lo, ela o retirou e deixou-se cair para trás. Nadando por baixo da água, as duas companheiras agarraram o rapaz pelas pernas e puxaram-no para si antes de voltarem à superfície.

Encantado por se tornar prisioneiro delas, Puarma acariciou um seio admirável e beijou lábios ardentes. Nunca agradeceria suficientemente aos búfalos do seu primo por terem tido a vontade de fugir.

Entregar-se aos jogos do amor com uma jovem núbia flexível como um cipó era um momento de graça, mas tornar-se o brinquedo de três amantes ávidas e inventivas parecia um paraíso impossível... Na água, Puarma fingiu lutar para conservar uma relativa autonomia, mas, quando elas o arrastaram para a margem, cessou qualquer resistência e abandonou-se aos seus mais audaciosos beijos.

De repente, a que se estendera em cima dele soltou um grito de susto e levantou-se. As duas companheiras imitaram-na, e todas as três debandaram como gazelas.

— Mas o que é que aconteceu?... Voltem!

Contrariado, Puarma levantou-se por sua vez e olhou para trás.

De pé num rochedo que dominava o ninho de amor estava um colosso de 1,90m, com a pele de ébano que brilhava sob o sol ardente. Com os braços cruzados, usando uma tanga de linho branco imaculado, o pescoço adornado por um fino colar de ouro, o homem tinha um olhar de rara intensidade.

Puarma ajoelhou-se e tocou o solo com a testa.

— Sua Majestade... Não sabia que havíeis voltado.

— Levante-se, Capitão dos Arqueiros.

Puarma era valente, não hesitava em lutar, mesmo se fossem dez contra um, mas sustentar o olhar do faraó negro ia além das suas forças. Como os outros súditos de Piankhy, sabia que uma força sobrenatural movia o soberano e que só ela lhe permitia reinar.

— Majestade... Algum conflito está prestes a estourar?

— Não, fique tranquilo. A caçada foi excelente e decidi regressar mais cedo do que o previsto.

Piankhy tinha o costume de meditar naquele caos rochoso de onde contemplava o seu isolado país que tanto amava. Rude, hostil, secreta, aparentemente pobre, a Núbia longínqua, tão distante do Egito, formava almas fortes e corpos vigorosos. Ali se celebravam todos os dias as núpcias do sol e da água; ali soprava um vento violento, ora glacial, ora ardente, que modelava a vontade e tornava as pessoas capazes de enfrentar as provações quotidianas.

Embora tivesse o título de Rei do Alto e do Baixo Egito, Piankhy não saía da sua capital, Napata. Coroado aos 25 anos, o faraó negro reinava há 20, consciente das rupturas políticas e sociais que tornavam o Egito fraco como uma criança. Ao norte, os ocupantes, os guerreiros líbios, digladiavam-se constantemente para conseguir mais poder; ao sul, ficava a cidade santa de Tebas, onde estavam instaladas as tropas núbias, encarregadas de proteger os domínios do deus Amon contra qualquer agressão. Entre o Norte e o Sul, o Médio Egito, com dois fiéis aliados do faraó negro, os príncipes de Heracleópolis e de Hermópolis. Bastava a sua presença para dissuadir os nortistas de saírem da sua zona de influência.

É verdade que essa situação não agradava a Piankhy. Mas ele se restringia ao bem-estar de Tebas e ao embelezamento da sua própria capital, onde mandara construir um maravilhoso templo à glória de Amon, verdadeira réplica do santuário de Karnak. Ser um construtor, seguindo o exemplo dos grandes monarcas do passado, era a única ambição de Piankhy. E os deuses lhe haviam oferecido uma terra mágica, onde a voz de Maat, a deusa da justiça e da verdade, continuava a fazer-se ouvir. Ele se bateria até o limite das suas forças para preservar esse tesouro.

— Tem treinado os seus homens ultimamente?

— Sim, Majestade! Os meus arqueiros estão sempre em pé de guerra. Caso contrário, amolecem. Ordenai e lutaremos!

Piankhy apreciava a coragem de Puarma. E este último estava convencido que esse encontro nada tinha a ver com o acaso.

— Majestade... Devemos nos preparar para um conflito?

— Não... Ou, pelo menos, não na forma que você imagina. O inimigo nem sempre ataca onde esperamos. Na minha própria capital há quem deseje que eu me ocupe menos dos deuses e mais dos seus privilégios. Reúna os seus homens, Puarma, e ponha-os em estado de alerta.

O capitão dos arqueiros curvou-se perante o seu rei e saiu correndo para Napata, enquanto Piankhy continuava a contemplar a paisagem tormentosa da catarata. Da fúria das águas e da eternidade implacável das rochas, o faraó negro absorvia a energia indispensável para cumprir a sua missão.

A felicidade... Sim, Piankhy tinha a sorte inestimável de conhecer a felicidade. Uma família feliz, um povo que comia o que queria e também se nutria dos dias tranquilos que se escoavam ao ritmo

das festas e dos rituais. E ele, o faraó negro, tinha o dever de preservar essa serenidade.

A pureza do ar tornava perceptível o menor ruído. E Piankhy conhecia bem aquele: o choque regular dos cascos de um burro na estrada. Um burro que transportava Cabeça-Fria, escriba de elite e conselheiro de Piankhy. Um burro que se alegrava por ter um dono leve, pois Cabeça-Fria era um anão de rosto sério e tronco admiravelmente proporcionado.

O escriba habitualmente não se afastava da sua sala de trabalho, o centro administrativo da capital. Se tinha empreendido aquela viagem, a razão devia ser séria.

— Até que enfim vos encontro, Majestade!

— O que se passa?

— Houve um acidente no canteiro de obras, Majestade. Um acidente grave.

4

Dominando Napata, a capital do faraó negro, os mil metros da "Montanha Pura", o Gebel Barkal, abrigavam o poder invisível do deus Amon, "o Oculto", que estava na origem de toda a criação.

Situada quinze quilômetros abaixo da Quarta Catarata e rodeada de desertos, Napata encontrava-se, no entanto, no meio de uma planície fértil na qual terminavam diversas rotas de caravanas. Desta forma, os súditos de Piankhy não sentiam falta nem de produtos de primeira necessidade, nem de iguarias requintadas, nem mesmo de artigos de luxo.

Mas os caravaneiros não estavam autorizados a se instalarem em Napata, a não ser que mudassem de profissão. Apenas eram admitidos para uma breve estada, o tempo de vender as suas mercadorias e descansar um pouco. Todos sabiam que Piankhy dispunha de imensas riquezas, mas eram destinadas ao embelezamento dos templos e à manutenção do bem-estar da população. Os raros casos de corrupção haviam sofrido pesadas penas, indo até a condenação à morte. O faraó negro não tolerava as faltas graves à regra de Maat e bem poucos imprudentes se arriscavam a incorrer em sua cólera.

Montanha isolada em pleno deserto, o Gebel Barkal fascinara Piankhy desde a infância. Quantas horas havia passado ao pé das falésias abruptas que dominavam a margem direita do Nilo! Com o correr dos anos, instalara-se no seu coração um projeto insensato: fazer a Montanha Pura falar, talhar o pico isolado, num dos seus ângulos, para fazer dele o símbolo da monarquia faraônica.

O empreendimento prometia ser perigoso, e Piankhy dedicava-se a ele havia dois anos com a colaboração de voluntários. Como o pico estava separado da massa da montanha por uma ravina com doze metros de largura e sessenta de profundidade, fora necessário escavar buracos na rocha para enfiar traves e montar um gigantesco andaime com o auxílio de aparelhos de elevação rudimentares mas eficazes.

Seguindo as indicações do faraó mestre de obras, os escultores, sentados em plataformas estreitas, tinham talhado o pico do Gebel Barkal. Do leste, as pessoas julgavam ver um enorme *uraeus*,* a naja fêmea ereta e adornada com a coroa branca; do oeste, a coroa vermelha e o disco solar.

No extremo do cume havia sido gravada uma inscrição hieroglífica em honra de Amon. Um ourives fixara também um painel coberto de folhas de ouro para refletir a luz do amanhecer e evidenciar de forma deslumbrante, todas as manhãs, o triunfo da luz sobre as trevas. Por baixo do painel, um nicho guardava um *uraeus* de ouro.

Os trabalhos estavam chegando ao fim e haviam sido içados os últimos cestos de pedras e argamassa destinados a modelar a montanha para lhe dar o aspecto pretendido.

— Conte-me o que aconteceu — pediu Piankhy a Cabeça-Fria.

— Um escultor quis contemplar a sua obra de perto e não respeitou as regras de segurança. A meia altura, ele escorregou numa viga.

— Quer dizer...?

— Ele morreu, Majestade. E o assistente não é melhor do que ele: agindo de forma estúpida para ajudar o patrão, foi dominado por vertigens e não consegue se mover.

Piankhy ergueu os olhos e viu um rapaz encostado à parede, com as mãos agarradas a uma saliência e os pés apoiados num pedaço

* *Uraeus* — representação da naja, símbolo, para os egípcios, da divindade e da realeza, bem como das divisões do céu, Oriente e Ocidente. (N.T.)

de rocha friável. Para avançar mais depressa, o rapaz não tinha seguido pelo caminho formado por escadas e cordas, julgando-se capaz de escalar a parede com as próprias mãos nuas. Ao ver o escultor cair, havia sido tomado de pânico.

Impotentes, sem ação, os seus camaradas esperavam o desfecho fatal.

— Que idade tem esse rapaz? — perguntou Piankhy.

— Dezessete anos.

— Quanto pesa?

— Não sei exatamente — confessou Cabeça-Fria —, mas é magricela.

— Escolhe dois homens para me acompanharem.

— Majestade, não ides...

— Acima dele, as paredes se fecham. Se eu conseguir uma posição estável e agarrar-lhe a mão, ele tem uma chance de sobreviver.

Cabeça-Fria tremia.

— Majestade, em nome do reino, eu vos suplico que não correis esse risco!

— Considero-me responsável pela vida desse rapaz. Vamos. Não há um segundo a perder.

Dois talhadores de pedra de ombros fortes e pés firmes precederam Piankhy subindo a escada estreita que conduzia à primeira plataforma, formada por sólidas vigas de madeira de acácia.

— Segure firme — disse Piankhy com uma voz forte que ressoou por toda a montanha sagrada. — Já vamos!

O pé esquerdo do assistente de escultor deslizou e ficou por instantes suspenso no ar. Com um esforço de que já não se julgava capaz, o rapaz recuperou o equilíbrio e conseguiu encostar-se de novo à parede.

— Tenho de subir mais — considerou o rei.

— Deveis usar esta corda com nós, Majestade — disse um dos talhadores.

Piankhy escalou sem dificuldade e parou numa saliência, acima do infeliz cujos dedos começavam a ficar roxos de tanto se agarrar ao rochedo.

O monarca estendeu o braço direito, mas faltava-lhe ainda cerca de um metro para atingir aquele que pretendia salvar de uma morte horrível.

— Uma escada! — exigiu o soberano.

Os dois talhadores ergueram uma. Era tão pesada que todos os seus músculos se contraíram. O que Piankhy tencionava fazer exigiria uma força hercúlea: pôr a escada na posição horizontal e encaixá-la entre as duas paredes.

Lentamente, com uma concentração extrema, os dedos crispados no degrau central, o rei a girou. Quando uma das extremidades tocou na rocha, alguns fragmentos se soltaram, passando raspando pela cabeça do rapaz, que soltou um grito abafado.

— Firme, rapaz!

A escada estava encaixada.

Piankhy avançou pela passarela improvisada; a madeira gemeu. Um dos degraus estalou de maneira sinistra, mas suportou o peso do atleta negro. Com agilidade, ele estendeu-se na escada.

— Estou bem perto de você, meu rapaz. Vou estender o braço, você vai agarrar o meu pulso e vou erguê-lo para esta escada.

— Não... não aguento mais!

— Você tem de se virar para ver o meu braço.

— É impossível... Impossível!

— Respire calmamente, concentre-se na respiração, apenas na respiração, e vire!

— Vou me espatifar no chão, vou morrer!

— E não olhe para baixo, apenas para cima, para o meu braço estendido! Ele está bem acima da sua cabeça.

A escada gemeu de novo.

— Gire e se vire para cá! — ordenou Piankhy em tom imperioso.

Apavorado, sem respiração, o assistente do escultor obedeceu. Desajeitados e incertos, os pés se mexeram contra sua vontade.

Quando ia virar-se para o espaço vazio, o rapaz escorregou.

De olhos esbugalhados, oscilou no abismo.

Estendendo-se até quase deslocar o ombro, Piankhy conseguiu agarrar o pulso esquerdo do rapaz.

O choque foi violento, mas o rei conseguiu içá-lo para a escada.

— Majestade... — murmurou ele com dificuldade, desfazendo-se em lágrimas.

— Se você fosse mais pesado, meu filho, estaríamos os dois mortos. Condeno-o a trabalhar um mês com os lavadeiros por ter violado as regras de segurança.

No sopé da elevação, os companheiros do rapaz que acabara de ser salvo o abraçaram, depois de terem aclamado o rei.

Cabeça-Fria ainda parecia contrariado.

— O rapaz está vivo, não é o principal?

— Não disse tudo, Majestade.

— O que há mais?

— Os meus temores foram confirmados: alguns membros da corte, e não dos menos importantes, questionam a vossa legitimidade.

5

O faraó negro ergueu os olhos para o pico do Gebel Barkal.

— Como vê, Cabeça-Fria, esta obra sobreviverá a mim. Só o que está gravado numa pedra viva atravessa as gerações.

Convencido de que o rei não havia percebido a gravidade das suas informações, o escriba achou melhor insistir:

— Não se trata de recriminações comuns, Majestade, mas de um verdadeiro ataque contra a vossa pessoa. Permita-me ser franco, Majestade, mas acredito até que uma das suas esposas secundárias está envolvida nisso.

— Temos de nos preocupar com tanta mediocridade?

— O caso é sério, Majestade.

Cabeça-Fria merecia o seu nome. A sua perseverança provava que a investigação que fizera não havia sido superficial.

— Perder o meu trono... Será assim tão catastrófico?

— Para o vosso povo e para o vosso país, sim! Aquele que quer vos suceder não tem as mesmas preocupações que o vosso pai e que Vossa Majestade. Ele só quer apoderar-se do ouro da Núbia e gozar da sua fortuna.

O argumento impressionou Piankhy. Ele não se importava em afastar-se do poder, mas ver destruída a obra de várias gerações era-lhe insuportável.

— Vou ao templo. Amon, o meu pai vai me guiar.

Cabeça-Fria teria preferido que o monarca reunisse a corte o mais rapidamente possível e cortasse o mal pela raiz com a sua autoridade habitual. Mas sabia que o soberano não voltaria atrás na sua decisão.

Construído no sopé da Montanha Pura e sob a sua proteção, o templo de Amon era o orgulho do faraó negro. Longe de Tebas, havia reconstituído o domínio do Senhor dos Deuses: uma aleia de carneiros, encarnação de Amon na Terra, os primeiros pilonos que simbolizavam o Ocidente e o Oriente, o primeiro pátio com colunas, onde eram recebidos os dignitários nas festas, o segundo pilono, o segundo pátio com colunas, depois o templo coberto, rodeado por capelas e terminando com o santuário, onde apenas o faraó podia entrar, para abrir, ainda de madrugada, as portas do *naos* que continha a estátua divina, expressão concreta do seu poder invisível. Piankhy saudava a estátua, perfumava-a, renovava os tecidos que a cobriam, oferecia-lhe a essência dos alimentos e tornava a colocá-la no interior da pedra primordial, no centro do mistério da origem.

Durante a tarde, o templo mergulhava em silêncio. Os ritualistas limpavam os objetos de culto nas oficinas que lhes eram reservados, e as figuras divinas gravadas nas paredes dialogavam entre si.

Um sacerdote de Karnak teria se sentido à vontade se entrasse no domínio sagrado pacientemente construído por Piankhy e que ele constantemente embelezava, a fim de honrar a memória dos prestigiosos faraós que haviam trabalhado ali, em Napata, para fazer brilhar a mensagem de Amon. No interior do templo eram mantidas as estelas de Tutmés III, modelo do faraó negro, e de dois outros reis do Egito que ele venerava, Sethi I e Ramsés II. Para ele, estes três monarcas encarnavam a grandeza das Duas Terras, em harmonia com a vontade divina, e haviam exercido a função suprema com um rigor e um amor incomparáveis. E o pequeno santuário de Tutancâmon havia sido piedosamente conservado, bem como as estátuas dos deuses, cuja presença era a garantia da transmissão do espírito.

À medida que se avançava para o interior do templo, o espaço estreitava-se e a luz diminuía, até se concentrar no *naos,* cuja claridade secreta só era visível para os olhos do coração. O mistério da vida nunca seria explicado, mas podia ser vivido e partilhado.

Piankhy parou em frente a um enorme leão de calcário, cujos traços eram de uma extrema delicadeza. Na Núbia, Amon gostava de tomar a forma dessa fera, porque o nome do leão, em hieróglifos,

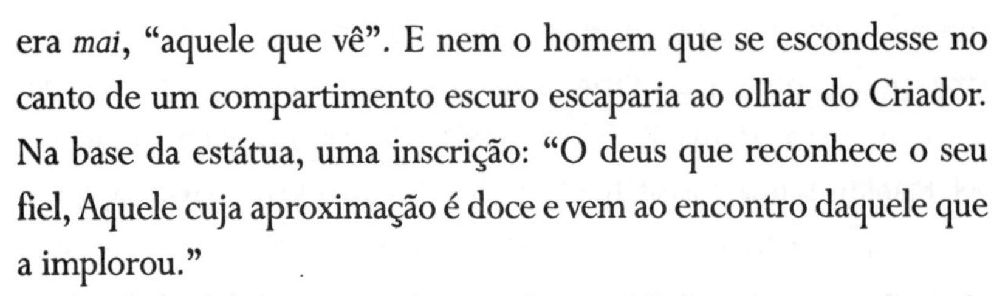

era *mai*, "aquele que vê". E nem o homem que se escondesse no canto de um compartimento escuro escaparia ao olhar do Criador. Na base da estátua, uma inscrição: "O deus que reconhece o seu fiel, Aquele cuja aproximação é doce e vem ao encontro daquele que a implorou."

Em cima da fera de pedra, um baixo-relevo evocava a oferenda do arco.

O mestre divino abrira o caminho: era preciso continuar a lutar.

O fim da tarde tinha uma inefável doçura. Era o momento em que os pastores tocavam flauta, em que os escribas pousavam os pincéis, em que as donas de casa concediam finalmente repouso a si próprias, contemplando o sol poente. A faina terminava, as fadigas do dia eram esquecidas durante esses instantes mágicos que os velhos sábios consideravam como a expressão da plenitude.

Quando Piankhy penetrou no aposento da esposa principal, mergulhado na penumbra, julgou a princípio que ela não estava presente; depois a viu na varanda, absorta pelo espetáculo único e sempre renovado que lhe ofereciam os últimos clarões do astro da vida.

Com 35 anos, Abilé estava no auge do seu esplendor. Alta, esguia, de rosto ovalado semelhante ao de Nefertiti e pele acobreada, tinha um porte real. Piankhy afastara as pretendentes oficiais para desposar a filha de um sacerdote sem fortuna, mas especialista nos rituais egípcios e que soubera transmitir-lhe os seus conhecimentos.

O tempo não afetara em nada a deslumbrante núbia. Pelo contrário, a maturidade embelezara-a e aperfeiçoara-a, e as mais belas sedutoras de Napata haviam desistido de desafiá-la.

Como única indumentária, Abilé envergava uma longa túnica de linho transparente. Havia soltado os cabelos perfumados e deixava que os últimos fulgores do poente dançassem sobre o seu corpo de deusa.

Quando a noite se estendeu sobre o reino de Piankhy, ela se virou para vestir mais alguma coisa. Foi então que o viu.

— Está aqui há muito tempo?

— Não ousei interromper a sua meditação.

Ele a tomou apaixonadamente nos braços, como se estivessem separados havia muitos meses. Mesmo que ficasse furiosa com ele, Abilé não conseguia resistir à sua magia. Sentir-se protegida, amada por aquele rei ao mesmo tempo forte e sensível, a enchia de uma alegria que as palavras não poderiam descrever.

— A caçada foi boa?

— Não faltará carne na corte... Mas isso não a impedirá de reclamar.

— Você a teme?

— Quem despreza uma conspiração não merece reinar.

Abilé pousou a face no ombro de Piankhy.

— Uma conspiração... É assim tão grave?

— A rainha do Egito não está bem informada?

— Julgava que esses rumores não tinham fundamento.

— Não é a opinião de Cabeça-Fria.

— Cabeça-Fria... Você sempre dá ouvidos aos conselhos desse escriba?

— Censura-me por isso?

Abilé afastou-se de Piankhy.

— Tem razão, meu amor. Cabeça-Fria não o trairá. Uma das suas esposas secundárias, alguns sacerdotes invejosos, uma dezena

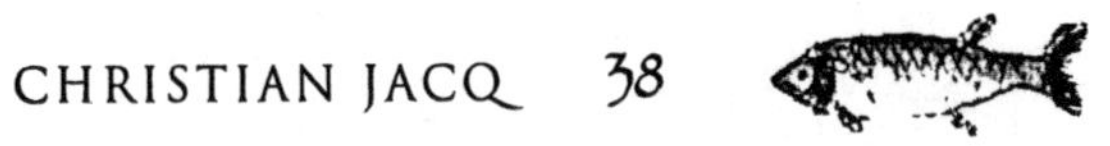

de cortesãos estúpidos e um ministro ambicioso demais... Como levá-los a sério, quando você reina há vinte anos e o mais humilde dos seus súditos daria a vida por você!

— A vaidade é um veneno mortal, Abilé. Ela conduz à pior das mortes, à morte da consciência.

— O que pretende fazer?

— Implorei a Amon que iluminasse o meu caminho e ele me respondeu.

6

A noite estava amena e Tranan, o diretor do Tesouro, desfrutava a sua boa sorte. Sentado embaixo da palmeira mais alta do seu jardim, via o triunfo aproximar-se. Aos 54 anos, ocupava um dos postos mais em evidência do governo de Piankhy e morava numa magnífica vila no centro da cidade, que um tebano rico e nobre não teria desdenhado. Marido feliz, pai de cinco filhos, havia feito toda a sua carreira na administração de Napata e deveria satisfazer-se com a confortável situação.

Mas ele era um dos poucos dignitários que conhecia os verdadeiros recursos do reino de Piankhy, cuja pobreza era apenas aparente. Modestas culturas ao longo do Nilo, produtos da pesca e da caça, tâmaras... O inventário das riquezas naturais era feito rapidamente e podia-se concluir que Napata era a capital de uma região miserável.

Mas isso seria esquecer a maravilha que o país núbio oferecia ao seu soberano: o ouro. Um ouro abundante e de boa qualidade. Se, outrora, os reis do Egito haviam colonizado a Núbia, fora com a intenção de se apoderarem do precioso metal.

Atualmente, era o rei negro que exercia a sua soberania sobre a exploração das minas e que ficava com toda a produção: assim, as rivalidades e a cobiça eram suprimidas. Mas como Piankhy usava essa fortuna colossal? Ele a dava ao templo de Amon e servia-se dela para consolidar o bem-estar da população.

O diretor do Tesouro não suportava mais essa política. Um soberano que se esquecia de enriquecer era um fraco, que, mais cedo ou mais tarde, merecia ser eliminado. No lugar dele, Tranan daria ao povo o mínimo necessário e levaria uma boa vida na companhia da corte. Como a sua mulher começava a envelhecer, teria ao seu lado jovens cortesãs e viajaria muito para ser admirado por príncipes estrangeiros, por ocasião dos faustosos banquetes.

Com Piankhy, o futuro estava bloqueado. Aferrado à Montanha Pura, ao templo de Amon e à capital, o faraó negro não tinha espírito empreendedor nem qualquer tino comercial. Chegara a hora de fazer uma mudança radical de política.

O camareiro de Tranan trouxe-lhe uma taça de vinho fresco e bolos de mel.

— A sua esposa o aguarda para o jantar, senhor.

— Ela que jante com as crianças e não me aborreça. Quando a minha visita chegar, leve-a para a sala de massagens e que ninguém nos perturbe.

Tranan não podia agir sozinho. É verdade que tinha o apoio de alguns cortesãos, mas todos se prostrariam diante de Piankhy, se este elevasse a voz. Em contrapartida, uma das esposas secundárias, preterida pelo real marido, sonhava vingar-se e estava suficientemente enraivecida para querer saciar a sua paixão destruidora. E Tranan dispunha de um apoio ainda mais precioso: o do obeso personagem que acabara de entrar na sala de massagens.

Coberto de colares e de anéis de ouro maciço, Otoku pesava 160 quilos, e até mais depois das suas orgias de carnes, molhos espessos e doces cremosos. Até a sua túnica era bordada de ouro, e ninguém tinha o direito de tocá-lo, sob pena de receber uma pancada fatal da sua clava de ouro. É que Otoku era o chefe da mais longínqua tribo da Núbia, da qual a maior parte dos membros se encarregava de extrair o ouro de primeira qualidade de uma gigantesca mina. Havia muitos anos ele jurara fidelidade ao faraó negro. Com o passar do tempo, o seu juramento esmorecera.

Diante do caráter irritadiço de Otoku, o diretor do Tesouro se havia aproximado aos poucos, com a mais extrema prudência, para conquistar progressivamente a sua confiança. Por sorte, o obeso apreciava presentes, sobretudo os cofres de madeira de ébano e as echarpes de lã que enrolava no pescoço de touro quando as noites esfriavam

A verdadeira avidez de Otoku era por massagens. Várias horas por dia, entregava o corpo roliço a mãos hábeis que o faziam estremecer de contentamento. Quando Tranan lhe contara que havia contratado uma massagista de notável talento, o obeso não descansara enquanto não fora conhecê-la.

O costume da sua tribo exigia que Otoku não pusesse o pé no chão na presença de um inferior. Como o seu único superior era o faraó negro, o obeso foi levado à propriedade de Tranan numa liteira de madeira dourada transportada com dificuldade por quatro jovens robustos.

— A sua visita honra-me ao mais alto ponto, senhor Otoku — declarou Tranan, que sabia a importância que o seu visitante dava às manifestações de consideração.

— Ainda bem, ainda bem... Estou com dor nas costas. Tratem de mim imediatamente.

Era preciso subir três degraus, o que exigiu um grande esforço dos transportadores. Foi com uma certa graça, comparável à de um elefante ajoelhando-se, que o patrão conseguiu deitar-se de barriga para baixo, enquanto um servo lhe colocava uma almofada dourada embaixo da barriga.

— Onde está a massagista que me prometeu?

— Está aqui, senhor.

Uma síria frágil, de cabelos curtos alourados, subiu nas costas do obeso e, com mão ágil, espalhou sobre a massa de carne um óleo morno e perfumado.

— O que é esta delícia? — perguntou Otoku, agradavelmente surpreso.

— Um óleo fino proveniente de Tebas, ó senhor. Disseram-me que aliviou as dores do próprio Ramsés, o Grande.

Ágeis e precisas, as pequenas mãos da massagista desfizeram uma a uma as contrações musculares do obeso, que grunhiu de contentamento.

Tranan evitou interromper o tratamento. Otoku não passava a lhe dever um favor?

— Perfeito, menina, perfeito. Vamos lhe dar um saquinho de ouro em pó.

Enquanto a síria desaparecia, o chefe de tribo retomou o seu lugar na liteira.

— Então, meu amigo Tranan, por que me fez vir à capital?

— Essa pequena massagista...

— A sua síria é muito hábil, mas falemos de coisas sérias. Sabe que tenho horror às viagens e que detesto afastar-me da minha aldeia.

Nervoso, Tranan andava de um lado para outro.

— O caso é grave, senhor. Como principal produtor de ouro do reino e eu, como diretor do Tesouro, juntamente com Piankhy, somos os únicos a saber a extensão da fortuna que a Núbia oferece. Devo ser-lhe sincero: na minha opinião, Piankhy faz mau uso dela.

— Está acusando o faraó de desonestidade?

— Não, mas de conformismo! A nossa capital adormece na sua riqueza porque Piankhy teima em respeitar tradições ultrapassadas. Muitos dignitários pensam como eu... Há vinte anos que ele reina e esquece exigências do futuro. Se o senhor e eu não interviermos, Napata caminhará a passos largos para a ruína.

Os olhos de Otoku tornaram-se minúsculos.

— E de que forma interviremos?

— Uma parte da corte está decidida a questionar a legitimidade de Piankhy. Os mesmos que o elegeram pensam num sucessor.

— Um sucessor que se chamaria... Tranan?

— Só se o senhor Otoku aceitar tornar-se o novo diretor do Tesouro e ser honrado como merece.

— Receberei uma parte maior do ouro que a minha tribo extrai das entranhas da terra?

— É evidente!

O obeso personagem ronronou, o que nele era um sinal de profunda satisfação.

Tranan sabia que teria sucesso: nunca se aposta em vão sobre a cupidez. Daquele momento em diante, Piankhy estaria com os dias contados.

Otoku esticou-se como um felino e agarrou Tranan pela nuca.

— Já há muito tempo que o considero um pequeno crápula, indigno da função que o faraó lhe confiou. Você se esqueceu de um detalhe, Tranan: Piankhy e eu somos amigos há mais de vinte anos, e os verdadeiros amigos nunca traem um ao outro.

7

Tranan nunca mais sairia da mina de ouro, onde ficaria trabalhando até o fim dos seus dias. Mas Otoku não se sentia tranquilo com isso; havia apenas esmagado uma vespa com o

apetite maior do que o ferrão, sendo que uma séria ameaça pesava sobre Piankhy.

Formado por Amigos e Apoios do rei, por Anciãos e Ritualistas, o grande conselho que elegera Piankhy, por unanimidade, vinte anos antes, parecia decidido a fazer graves restrições a respeito do comportamento do faraó negro.

Elas eram baseadas nos relatórios errôneos de Tranan, em boatos espalhados por uma das esposas secundárias de Piankhy, em palavras insidiosas de sacerdotes acusando, sem razão, o faraó negro de falta de devoção por Amon. Se Otoku tivesse compreendido a tempo o perigo, teria, de bom grado, estrangulado com as suas próprias mãos todos aqueles mentirosos; mas o grande conselho, com o seu rigor habitual, montara um mecanismo que ninguém podia mais deter.

É evidente que Piankhy não teria nenhuma dificuldade em refutar aquelas ignomínias, mas o seu bom nome seria afetado e, sobretudo, ele era capaz de renunciar à coroa para se retirar no templo de Amon! Otoku conhecia bem o amigo e sabia que ele não se agarraria ao poder se as circunstâncias lhe oferecessem uma ocasião para se afastar. Mas, da mesma forma, sabia que ninguém estava preparado para substituir Piankhy e que a abdicação seria uma catástrofe para Napata, para a Núbia e para o Egito.

Em vez de preparar a sua defesa, o rei galopava no deserto para proporcionar a Valente, o seu cavalo preferido, os grandes espaços que o soberbo animal gostava de conquistar. E o homem e a sua montaria provavelmente não estariam de volta antes da reunião do grande conselho.

* * *

A mais jovem das esposas secundárias de Piankhy, de dezessete anos, não conseguia acalmar-se. É verdade que, quando o pai a conduzira à corte de Napata, ele lhe havia explicado bem que nunca veria o faraó e que aquele casamento diplomático era indispensável para selar a união do monarca com a tribo do sul da Quarta Catarata, da qual ela era herdeira.

Mas a jovem não entendia assim as coisas: pois não era a mais bela do palácio, não merecia partilhar o leito do soberano e expulsar dele as suas rivais?

Impulsivamente, tentara abrir à força as portas que a teriam levado a Piankhy, mas as suas tentativas desordenadas haviam resultado em fracassos. As pessoas próximas ao rei e, particularmente, o maldito escriba anão, impediam todos os importunos de perturbar a tranquilidade dele.

Ela, filha de chefe de clã, esposa secundária, considerada como uma importuna! Furiosa por ter de suportar tal afronta, ela havia decidido vingar-se daquele déspota incapaz de apreciar a sua beleza, revelando ao grande conselho que Piankhy era corrupto e que desviava riquezas em proveito próprio.

Quando um novo faraó fosse nomeado, ele não deixaria de notá-la e de lhe conceder o seu verdadeiro lugar.

Naquele momento, ela experimentava um colar de contas azuis, de jaspe vermelho e cornalina, separados por finos discos de ouro.

— Coloque-o em mim — ordenou à serva.

— Este colar é digno de uma rainha... E você não o é.

Irritada, a jovem virou-se e deu de frente com Abilé, a esposa principal de Piankhy!

— Este palácio a recebeu, minha jovem, e você traiu a sua confiança. Pior ainda, caluniou o faraó e tentou tornar-se a alma de uma conspiração.

Confusa, a filha do chefe de clã ergueu-se e só conseguiu balbuciar um fraco protesto.

— Semelhante falta é passível de uma longa pena de prisão, mas você não passa de uma criança, já de coração amargo... Não pense mais em sujar o nome de Piankhy, caso contrário a minha indulgência desaparecerá e me tornarei mais feroz do que uma tigresa.

— O que... O que vai fazer comigo?

— Você vai voltar para a sua tribo, onde as mulheres a ensinarão a trabalhar e a cuidar de uma casa. Dê-se por muito feliz.

Aos 97 anos, Kapa, o decano do grande conselho, mantinha o olhar vivo e a palavra clara. Muito magro, fizera apenas uma refeição frugal por dia durante toda a vida, não bebia aguardente de tâmaras e se obrigava a dar um passeio quotidiano. Os que o rodeavam temiam o seu caráter rabugento, acentuado pela idade.

O contraste com Otoku, amante da boa carne, era surpreendente. O obeso não sabia como se aproximar daquele velho ranzinza que recusava até um copo de cerveja fresca.

— À sua saúde...

— Não se preocupe com a minha saúde, Otoku, assim como eu não me preocupo com a sua. Onde se esconde o rei, seu amigo?

— Foi para longe, a cavalo.

— Os membros do grande conselho comunicaram-me as suas conclusões, e eu as examinei com atenção.

— Constatou então que não passavam de disparates!

— Você se atreve a criticar o trabalho de personalidades dignas de respeito?

— As informações que receberam são aberrantes e mentirosas! É evidente que alguns invejosos quiseram prejudicar Piankhy e convém castigá-los como merecem!

— Segundo ouvi dizer, você se ocupou pessoalmente de Tranan, o ex-ministro das Finanças.

— Eu o mandei para trabalhos forçados... Piankhy é, por vezes, indulgente demais. Compete aos seus amigos livrá-lo das ovelhas negras.

— Sou o superior do grande conselho e não me deixarei influenciar. Quer agrade ou não ao rei, ele tem de comparecer diante de nós o mais depressa possível.

Com cinco anos, em plena força, capaz de lançar os seus quinhentos quilos de músculos em longas corridas, sem se cansar, Valente era o melhor cavalo que Piankhy já tivera oportunidade de treinar. Entre o homem e o animal, a amizade brotara desde o primeiro olhar, e o rei não tivera que fazer quaisquer esforços para se fazer compreender pelo corcel, altivo, até mesmo selvagem, mas desejoso de satisfazer aquele a quem havia concedido a sua total confiança.

Valente era um cavalo baio de crina fulva, brilhante e sedosa, longas pernas, boca risonha, olhar direto e porte altivo. Os cavaleiros do exército de Piankhy olhavam-no com admiração e inveja, evitando aproximar-se demais. Todos sabiam que Valente só obedecia a Piankhy e que se tornava selvagem quando qualquer outro tentava montá-lo.

O rei levara-o a descobrir grande quantidade de pistas partindo de Napata, e o cavalo as memorizara de forma surpreendente, sem nunca hesitar. Para regressar à sua cocheira particular, onde o próprio Piankhy tratava dele, Valente seguia sempre pelo caminho mais curto. À força e à resistência, o cavalo aliava uma aguda inteligência.

Do cimo de uma alta duna, o faraó negro contemplava as vastidões desérticas.

— Está vendo, Valente, nenhum imperador ia querer um país como este. Mas é a ele que você e eu amamos porque ele nunca mente, porque nos obriga a sermos implacáveis com nós mesmos e a venerar a luz todo-poderosa. O deserto e a terra cultivada são estranhos um ao outro, eles não combinam e, no entanto, um faz compreender a necessidade do outro.

Grous coroados sobrevoaram o cavaleiro e a sua montaria. Ao longe, no alto de outra duna, um órix de longos chifres os observava, imóvel. Se Piankhy precisasse de uma nascente de água, bastaria segui-lo.

— Esperam-me na capital, Valente, e os que querem me ver são hostis. Se eu perder tudo, dois seres me seguirão até o fundo do abismo: a minha esposa e você. Não sou o mais feliz dos homens?

O cavalo apontou a cabeça para Napata e lançou-se num veloz galope. Tal como o seu dono, ele não receava a provação.

8

Tefnakt sabia que só a guerra lhe permitiria alcançar o poder supremo, mas não gostava de lutar nem de manejar as armas. Deixava para outros o treinamento intensivo do arco e flecha e do arremesso de lança. Todos os chefes líbios se orgulhavam da própria força física; Tefnakt não se preocupava com isso.

Para tornar a angústia mais suportável, Tefnakt refizera cem vezes o plano de batalha e de reunificação das Duas Terras. Haviam lhe trazido mulheres da vida, que recusara, e ele não tocava nem na jarra de vinho nem na de cerveja. Esses prazeres lenificantes o desviavam do seu único objetivo: ser reconhecido como chefe supremo da coligação líbia, aniquilar as tropas de Piankhy, reduzir o núbio à impotência e ser coroado faraó em Tebas, ao Sul, e depois em Mênfis, ao Norte.

A vitória estava ao alcance das suas mãos, desde que agisse depressa, antes de o faraó negro tomar consciência da determinação de Tefnakt e da sua verdadeira ambição. Até então, ele o considerava apenas um príncipe líbio mais poderoso do que os seus pares, é verdade, mas tão medíocre e venal como eles.

Piankhy estava enganado.

De pai líbio, mas de mãe egípcia, Tefnakt estudara o glorioso passado do Egito e chegara a uma certeza: o país só recuperaria a sua grandeza quando as Duas Terras, o Alto e o Baixo Egito, estivessem de novo reunidas. Um plano grandioso que Piankhy era incapaz de concretizar e que era ridicularizado pelos reizinhos líbios. Tefnakt sentia-se capaz de ir até o fim desse difícil caminho e de reacender a chama que os sucessores de Ramsés, o Grande, haviam deixado apagar.

Infelizmente, dependia da boa vontade de uma súcia de pequenos tiranos de visão limitada, agarrados aos seus medíocres privilégios. Quando tivesse alcançado o poder supremo, Tefnakt poria fim à anarquia que arruinava o país. Todas as províncias, quer fossem do Norte ou do Sul, ficariam sob a autoridade suprema do faraó.

Tefnakt não agia para sua glória pessoal, mas para devolver ao Egito o esplendor de outrora e, melhor ainda, fazer dele o centro do novo mundo mediterrâneo que, sob a influência da Grécia e da Ásia Menor, começava a tomar forma.

Ninguém podia compreender essa ideia, e o peso da solidão era difícil de suportar. Tivera até de recorrer aos serviços de Yegeb e de Nartreb, duas pessoas sem rei nem lei, para atingir os seus fins. Mas se Tefnakt vencesse, esses períodos de dúvidas e de sofrimento seriam rapidamente esquecidos.

Ele desenrolou um papiro de contabilidade, que datava da XIX dinastia, a de Ramsés, e lembrava as riquezas de Mênfis naquela época: campos luxuriantes, canais cheios de peixes, armazéns regurgitando de mercadorias, visitas incessantes de numerosos embaixadores... Hoje, a grande cidade estava adormecida, na expectativa de um autêntico monarca que lhe devolvesse as forças necessárias para assumir o seu papel de "Balança das Duas Terras", isto é, o polo de equilíbrio entre o Norte, aberto ao exterior, e o Sul, tradicionalista.

— Posso falar-lhe, senhor? — perguntou Nartreb com uma voz onde se detectava a excitação.

— Boas notícias?

— Excelentes... Mas estou morrendo de sede.

Com as mãos gorduchas, o semita serviu-se de uma taça de vinho branco mantido fresco num jarro que apenas os oleiros do Médio Egito sabiam fabricar.

— Os chefes de província votaram a meu favor?

— A situação é um pouco mais complicada, senhor... Para dizer a verdade, nesses últimos dias, ela evoluía no mau sentido e só tinha opositores. Se eu e Yegeb não tivéssemos intervindo, o voto teria sido contra e o senhor seria forçado a regressar ao seu principado de Saís.

— Como os convenceu a mudar de opinião?

— Não foi fácil... Mas soubemos encontrar os argumentos certos.

— Quero saber quais foram, Nartreb.

— Isso é necessário, senhor? Pagou-nos para fazermos um trabalho e nós o fizemos. Os detalhes não importam.

— Não é essa a minha opinião!

Sentindo crescer a raiva de Tefnakt, Nartreb convenceu-se.

— Há vários anos que Yegeb e eu reunimos mil e uma informações sobre os chefes das províncias do Norte, graças à cumplicidade de funcionários locais que vendem de bom grado as suas confidências, desde que o nome deles não seja citado. Hoje, nós nos beneficiamos desse trabalho de formiga. Como esses reizinhos são todos mais ou menos corruptos e cometeram, contra os próprios aliados, faltas mais ou menos graves que todos desejavam ver mergulhadas num profundo esquecimento, não tivemos muita dificuldade em negociar a aprovação deles. Só subsiste um pequeno problema...

— Akanosh?

— Não, esse é um medroso... Ele se juntou à opinião da maioria. Falo do velho chefe que reina nos pântanos do Delta e controla a zona da pesca. Um imbecil e teimoso... Ele não aceita entrar em nenhum conflito com o faraó negro. Infelizmente, a palavra dele ainda tem muito peso e impede o fim das conversações. Poderia até mesmo pôr a nossa vitória em dúvida.

Com o estômago vazio, Nartreb engoliu algumas tâmaras.

— Como tenciona resolver esse problema?

— Yegeb encarregou-se disso... Justamente, ele está chegando.

O rosto alongado de Yegeb parecia marcado por uma profunda satisfação.

— Posso sentar-me, senhor? Minhas pernas não aguentam mais.

— Conseguiu?

— O destino lhe é favorável. O velho chefe dos pântanos acaba de morrer.

Tefnakt empalideceu.

— Você...?

— O seu irredutível adversário morreu durante a sesta... Uma morte perfeitamente natural que prova a sua sorte.

— A verdade, Yegeb!

— A verdade é que vai ser realizado um cortejo fúnebre e que em seguida os chefes líbios lhe concederão plenos poderes.

Quando Akanosh voltou à sua tenda, a esposa, bem conservada para os seus cinquenta anos, notou imediatamente que ele estava contrariado. Depois de trinta anos de casamento, decifrava os sentimentos do marido sem que ele pronunciasse uma palavra.

— É... a guerra?

— Todos mudaram de opinião, e o nosso decano não está mais aqui para convencê-los de que cometem um erro fatal ao escolherem Tefnakt como chefe supremo. Sim, é a guerra. Estamos nos preparando para atacar Heracleópolis.

— Tem medo por mim, não é verdade?

Akanosh apertou as mãos da mulher entre as suas.

— Nós dois somos os únicos a saber que você é de origem núbia... E ninguém se atreverá a atacar a minha esposa

Embora tivesse a pele branca das egípcias do Norte, bronzeada pelo sol, a mulher de Akanosh tinha pai núbio. Por muito tempo, o príncipe líbio sonhara com uma aliança com Piankhy, que teria feito dele um negociador por excelência com os seus compatriotas do Delta.

— É Tefnakt que me inquieta — confessou Akanosh. — É inteligente, manhoso e persistente... Para realizar o seu sonho, porá o Egito a ferro e fogo.

— Mas tem de obedecer-lhe, como os outros, e ordenar aos seus soldados que o sigam.

— Não tenho outra alternativa, de fato. A minha consciência me obriga, no entanto, a prevenir Piankhy.

— Tenha cuidado, meu querido! Se você for acusado de traição...

— Tefnakt me matará com as próprias mãos, eu sei. Fique tranquila: sei como fazer as coisas permanecendo incógnito.

9

Sob a presidência do decano Kapa, o grande conselho reunira-se em frente ao primeiro pilono do templo de Amon de Napata, no lugar onde se "dizia Maat", a verdade e a justiça.

Sentados de um lado e do outro do decano, os Amigos do rei e os seus Apoios, os Anciãos e os Ritualistas revelavam o semblante sério.

O faraó negro chegou a cavalo e desmontou a poucos metros de Kapa, que permaneceu impassível. Piankhy usava a coroa característica dos reis núbios, uma espécie de touca que se ajustava ao formato da cabeça, rodeada por um diadema de ouro de onde surgiam duas najas eretas, em posição de ataque. Nos pulsos e ao redor dos bíceps, pulseiras de ouro com o seu nome. No saiote dourado, uma minúscula cabeça de pantera de onde brotavam raios de luz.

À vista do monarca, cuja força física era assustadora, a maior parte dos membros do grande conselho queria sair dali. Mas limitaram-se a se inclinar respeitosamente, a exemplo do velho Kapa, que tomou imediatamente a palavra para evitar uma debandada:

— Majestade, o grande conselho vos elegeu faraó do Alto e do Baixo Egito há vinte anos. Nenhum dos seus membros teve razão de queixa das vossas ações, mas dolorosos acontecimentos vieram perturbar a serenidade da corte. Examinamos as queixas que nos foram transmitidas por vias mais ou menos indiretas e...

— Por que os meus acusadores não se mostram de rosto descoberto?

— Aprovamos a condenação do diretor do Tesouro, Majestade, e a expulsão da esposa secundária, que tentava fomentar uma conspiração. Da minha parte, considero essas medidas até indulgentes demais.

— Nesse caso, o que me censuram ainda?

A maioria do grande conselho esperava que Kapa se limitasse a esse breve confronto, mas o velho núbio tinha um sentido agudo da magia dos seres, dos lugares e dos momentos. Para ele, tratava-se de uma forma de governo mais importante do que a escolha dos ministros ou de uma política. Quem não estava em sintonia com a afinação secreta do mundo não tinha nenhuma chance de dirigir corretamente um país.

— Durante vinte anos — lembrou o decano —, o vosso poder permaneceu intacto. Se indivíduos ignóbeis tentaram sujar o vosso nome, não existirá uma razão grave, como, por exemplo, o enfraquecimento da capacidade de reinar?

Diversos membros do grande conselho acharam que o velho Kapa estava indo longe demais e recearam a cólera de Piankhy. Mas o faraó negro não perdeu a calma.

— A luz divina colocou o rei na terra dos vivos para julgar os seres humanos e satisfazer os deuses — disse o rei com voz grave, citando o texto da coroação —, para estabelecer a harmonia de Maat no lugar da desordem, da mentira e da injustiça, proteger o fraco do forte, fazer oferendas ao invisível e venerar as almas dos mortos. Foi para essa tarefa que Amon me designou. "Seja coroado", ele ordenou, pois foi Amon que decidiu o meu destino. O deus faz o rei, o povo proclama-o. E eu adotei os nomes de coroação do meu glorioso ancestral Tutmés III:* "o pacificador dos dois países", "o unificador das Duas Terras", "Poderosa é a harmonia da luz divina". Como ele, o filho de Toth, eu busco a sabedoria e o conhecimento. Não está escrito no *Livro para sair à luz do dia* que é o conhecimento que afasta o mal e as trevas, vê o futuro e organiza o país? Mas tem razão, Kapa: talvez a minha capacidade de reinar tenha enfraquecido. Talvez tenha chegado o momento de me retirar. Não compete a mim responder e sim a Amon. E ele se manifestará por um sinal.

---

* Faraó da XVIII dinastia, Tutmés III reinou de 1504 a 1450, ou seja, sete séculos antes de Piankhy.

* * *

Do terraço do seu palácio, rodeado de palmeiras, hibiscos e louros-rosa, Piankhy contemplava a sua cidade e, ao longe, o deserto. Como lhe parecia sereno na doçura da noite, sendo que ali rondava uma multidão de demônios prontos a devorar o viajante imprudente! Por diversas vezes, o faraó negro tivera de enfrentar os perigos do deserto, as suas cintilações enganadoras, as suas pistas ilusórias que não conduziam a parte alguma, as suas dunas tentadoras, das quais o olhar nunca se saciava.

Deitada de encontro a ele, Abilé acariciou-lhe a face. Como amava essa mulher que, por si só, encarnava a beleza e a nobreza da Núbia! Envergando uma túnica de malha fina, semelhante à rede de um pescador e que deixava a maior parte do corpo à vista, com o pescoço adornado por um colar de ouro com contas de turquesa, Abilé era a própria sedução. Ela dera um filho e uma filha a Piankhy, e essas maternidades tinham realçado ainda mais o brilho da sua feminilidade.

— Estamos vivendo as nossas últimas noites neste palácio? — perguntou ela com voz clara, desprovida de apreensão.

— Sim, se o deus Amon me retirar a sua confiança.

Abilé abraçou o marido.

— Se eu só desse ouvidos ao meu amor por você, suplicaria a Amon que permanecesse silencioso. Poderíamos nos retirar para um palmeiral e ali viver calmamente com os nossos filhos. Mas não lhe dirigirei essa prece, porque você é a única garantia da felicidade de todo um povo. Sacrificá-lo à nossa própria felicidade seria uma traição imperdoável.

— Não está me dando importância demais?

— Pode duvidar do seu poder, mas, a mim, compete reconhecê-lo como tal. Não é o primeiro dever de uma rainha do Egito?

— Amon enviou-me a mensagem do arco.

— A Núbia não é "a terra do arco"? Ele revelou, assim, que você deve continuar a reinar.

— O arco é, também, o símbolo da guerra... Mas não há nenhum conflito iminente.

— Não receia as turbulências provocadas pelos homens do Norte?

— Eles estão muito ocupados em se destruir mutuamente, e nenhum príncipe líbio é capaz de se impor aos outros.

Havia muito tempo que o velho Kapa não dormia mais de duas ou três horas por noite. A vida escoara rápido demais, na opinião dele, e, antes de reunir-se à deusa do Belo Ocidente, que adornava a morte com um sorriso encantador, ele queria aproveitar cada momento.

Kapa nunca saíra do seu país natal, aquela terra ardente e áspera cujos atrativos conhecia melhor do que ninguém. Ela só se oferecia a amantes apaixonados, de desejo inesgotável: por isso Piankhy era um excelente soberano. Mas o velho agira de acordo com a sua consciência e não o lamentava. Privado de magia, mesmo um colosso se tornava uma presa fácil para as forças das trevas.

Se os deuses desaprovassem Piankhy, a Núbia e o Sul do Egito sofreriam uma crise grave, de desfecho incerto. Só medíocres sonhavam sucedê-lo e transformariam em desastre uma situação difícil.

No coração da noite, num céu de lápis-lazúli, as estrelas exibiam os seus fulgores. Portas que se abriam para deixar passar a luz que

nascia a cada instante nos confins do universo ensinavam ao homem que o olhar criador é o que se eleva e não o que se abaixa.

De repente, uma estrela abandonou as companheiras e atravessou o céu à velocidade de um galgo em plena corrida. Como se fosse irresistivelmente atraída pela Terra, precipitava-se para ela, seguida de uma cauda de fogo

Não, Kapa não era vítima de uma alucinação! A estrela dirigia-se para a Núbia, para a capital, para o palácio real, que desapareceu num clarão

10

Os insones tinham visto uma bola de fogo cair no terraço do palácio real, e todos pensaram que a cólera do céu havia destruído o faraó negro. A resposta de Amon tinha sido terrível.

Tão depressa quanto lhe permitiam suas velhas pernas, Kapa dirigiu-se para o local da tragédia em torno do qual começava a agrupar-se a população da capital, despertada pelos gritos das testemunhas da catástrofe.

O capitão dos arqueiros, Puarma, ordenara à guarda pessoal do rei que proibisse o acesso aos seus aposentos.

— Não é preciso socorrer Sua Majestade? — inquietou-se Kapa.

— Não sei — confessou o oficial, incapaz de tomar uma decisão, tão abalado ele estava.

— Eu vou lá — afirmou Cabeça-Fria, com os olhos ainda inchados de sono.

— Eu o acompanho — decidiu o decano do grande conselho.

A um sinal de Puarma, os arqueiros deixaram passar o anão e o velho, que subiram uma escadaria decorada com ornamentos florais e se aventuraram nos domínios privados de Piankhy.

— Majestade... Sou eu, Cabeça-Fria! Pode falar?

Ninguém respondeu.

O quarto, a ampla sala de banhos, a sala de massagens, o escritório, a sala de recepção para os convidados especiais, a biblioteca... Quantos aposentos vazios!

— Falta o terraço — observou Kapa.

Cabeça-Fria sentiu vontade de chorar. No interior, Piankhy poderia ter escapado dos efeitos devastadores da estrela caída do céu. Mas no terraço...

— As minhas velhas pernas já não me aguentam — confessou o decano do grande conselho.

— Descanse, eu vou lá sozinho.

Com o coração apertado, o anão subiu lentamente o lance de degraus que iam dar no terraço. Ele os viu à luz da lua.

Piankhy e a esposa estavam deitados lado a lado, e Abilé pousara a cabeça no peito do marido.

Tinham, portanto, morrido no mesmo instante, unidos no seu amor.

— O que faz aqui, Cabeça-Fria?

O anão assustou-se, pernas e braços tremendo. Era a voz grave do deus Amon, a voz celeste que ia castigar a sua audácia!

— Algum acontecimento grave ocorreu na minha capital? — perguntou Piankhy, erguendo-se.

Cabeça-Fria julgou contemplar um fantasma.

— Sois vós, Majestade?... Sois mesmo vós?

— Terei mudado tanto assim?

— A estrela caída do céu, a bola de fogo...

— Onde vê vestígios de incêndio?

A rainha acordou.

— Sonhei com um fogo celeste... Rodeava-nos como um halo protetor. Estávamos no centro de um sol que brilhava na noite.

— Milagre! — gritou Cabeça-Fria precipitando-se pela escada. — Milagre, o deus Amon transformou em luz o casal real!

A decisão do grande conselho, a opinião dos sacerdotes e o sentimento do povo eram unânimes: fora Amon que escolhera manifestar-se sob a forma do fogo celeste, Amon que habitava a Montanha Pura e reconhecia Piankhy como seu filho e faraó legítimo.

Quando o sol se ergueu no Gebel Barkal, cujo pico tinha a forma de uma coroa, os Amigos do rei, os seus Apoios, os Ritualistas e os Anciãos, pela voz do seu decano, confirmaram Piankhy na sua função de chefe de Estado.

— Somos vossos servidores — declarou o velho Kapa. — Ordenai e obedeceremos, pois é o pensamento do Criador que guia o vosso.

O rosto de Otoku exibia um grande sorriso. O obeso personagem já pensava no faustoso banquete que havia organizado para celebrar a segunda coroação do faraó negro. Devido à abundância e à qualidade dos pratos, ele seria uma data marcante na história da gastronomia núbia.

— Não há nada mais urgente do que honrar os ancestrais — decretou Piankhy. — Sem eles, não existiríamos. Não estão atrás de nós, mas à nossa frente, pois conhecem simultaneamente a vida e a morte.

Piankhy subiu na barca real, cuja proa tinha a forma de uma cabeça de carneiro, o animal sagrado de Amon. Sentou-se no seu trono, a rainha Abilé tomou lugar a seu lado, e o faraó deu o sinal de partida em direção a el-Kurru, abaixo de Napata. Seguiu-o uma imponente frota, na qual não faltava um único dignitário.

El-Kurru era o cemitério dos soberanos núbios, onde repousava o pai de Piankhy. Túmulos modestos, dotados de um nicho de oferendas, ladeavam os poços funerários e sepulturas semelhantes às moradas eternas do Antigo Império, com as paredes de um belo calcário brilhante e a capela aberta para a face leste, o que permitia aos vivos dialogar com os mortos por intermédio da oferenda.

Piankhy, cujo nome significava "o Vivo", constatou que a sua própria tumba estava quase terminada. Ele havia escolhido a forma de pirâmide, no interior da qual fora construída uma galeria descendente que levava a uma câmara funerária coberta por uma cúpula em corbelha. Bem perto, a última morada da sua esposa, que continuaria a ser a sua companheira no Além.

Na pirâmide de Piankhy já estavam dois amigos fiéis: os seus dois primeiros cavalos, que haviam sido mumificados e colocados de pé, em fossas profundas, depois de se terem beneficiado dos rituais de abertura da boca, dos olhos e dos ouvidos, e da substituição do seu coração mortal por um coração imperecível.

Piankhy ofereceu flores, perfumes, pão fresco, vinho, leite, cerveja, óleo fino, tecidos e colares de ouro aos ancestrais.

— Os seus nomes estão gravados na pedra — declarou — e nunca serão esquecidos. Eu lhes devolvo a vida, e assim fará o filho do meu filho. Na verdade, é um homem digno desse nome aquele que perpetua a memória dos ancestrais e guarnece as suas mesas de oferendas.

Abilé estava deslumbrante. Como o seu esposo, achava que os egípcios das Duas Terras esqueciam cada vez mais a tradição e se desviavam da lei de Maat. Em breve, até mesmo a cidade santa de Tebas negligenciaria os seus deveres sagrados para se deixar enfeitiçar pelas miragens do lucro e da ambição individual.

Era ali, em Napata, nessa terra longínqua e selvagem, que o faraó negro continuaria a fazer viver os rituais autênticos, a ler os textos antigos, a prolongar a sabedoria do tempo das pirâmides e as obras de Tutmés III, de Sethi I e de Ramsés II.

Um dos participantes na cerimônia sentia um grande orgulho: Cabeça-Fria, o escriba rigoroso que defendia a utilização de uma escrita hieroglífica conforme os modelos das primeiras eras e exigia a prática de uma língua clássica, desprovida de qualquer barbarismo e de palavras estrangeiras, que invadiam a linguagem degenerada dos homens do Norte. Ver ressuscitar a forma piramidal, raio de luz inscrito na pedra, recordava-lhe a idade de ouro dos faraós.

Piankhy plantou uma tamargueira no jardim que precedia a capela funerária do seu pai. E nesse instante de comunhão com o invisível, uma visão continuava a assaltá-lo: a do arco que Amon lhe indicara. De que ameaças seria portador?

11

Tefnakt havia lançado todas as suas tropas contra a cidade de Heracleópolis, "a cidade do filho real", a muito antiga aglomeração fiel ao faraó negro. O novo general em chefe do exército nortista ficara surpreso com a obediência dos chefes de clã, que haviam executado o seu plano sem protestar.

Os líbios haviam atacado em quatro pontos ao mesmo tempo, provocando surpresa e pânico entre os defensores. O príncipe Peftau, um escriba sexagenário herdeiro de uma grande família local e rico proprietário de terras, não soubera reagir diante de tanta violência. Apesar de bem treinados, os seus soldados não estavam habituados a travar um combate de tamanha amplitude.

Meia hora havia sido suficiente para o exército nortista se apoderar de uma poterna, abrir uma porta fortificada e penetrar no interior da cidade. Do alto das muralhas, os arqueiros de Peftau haviam tentado impedir o fluxo devastador, mas os manejadores de fundas líbios haviam nos exterminado rapidamente.

Alguns civis se haviam lançado corajosamente na batalha, mas os nortistas, superexcitados pela sensação de triunfo, aniquilaram-nos.

Temendo que o prosseguimento da luta se traduzisse por um massacre da população Peftau saiu do palácio, rodeado da sua guarda pessoal, e pediu aos seus homens que depusessem no chão espadas e escudos.

Tefnakt avançou na direção do vencido.

— Aceita render-se de modo incondicional?

— Somos seus prisioneiros, mas poupe os habitantes desta cidade!

— Concordo, se todas as armas, sem nenhuma exceção, forem depostas na praça principal.

— Tem a minha palavra.

Pouco a pouco, a violência arrefeceu. Heracleópolis obedeceu ao seu príncipe, as mulheres e as crianças se espremiam umas às outras, assustadas com os olhares cruéis dos vencedores. Um soldado que tentou fugir foi apanhado por quatro membros da infantaria, que o pisotearam antes de lhe cravarem a lança nas costas.

A cena, de uma inaudita brutalidade, desfez as últimas veleidades dos defensores de Heracleópolis. As armas foram depostas em todos os bairros.

— Você não é o príncipe de Saís? — perguntou Peftau, estupefato.

— Hoje sou o chefe da coligação do Norte. Amanhã, reunificarei as Duas Terras — afirmou Tefnakt.

— Não sabe que o único faraó legítimo é Piankhy e que esta cidade pertence a ele?

— A opção é sua, Peftau: ou se torna meu vassalo ou morre.

O príncipe de Heracleópolis compreendeu que Tefnakt não estava brincando. O seu olhar era o de um conquistador implacável.

Peftau curvou-se.

— Reconheço-o como soberano.

— Renuncia a servir Piankhy?

— Renuncio... Mas quais são os seus planos?

— Heracleópolis não passou de uma etapa.

— Uma etapa... Está pensando em ir mais longe, em direção ao sul?

Tefnakt olhou ao seu redor.

— Um terço dos seus soldados foi morto ou ferido... Portanto, restam dois terços de combatentes experientes que se vão juntar às minhas tropas para atacar e conquistar outra cidade controlada por Piankhy.

— Heracleópolis é uma magnífica conquista — reconheceu Peftau —, e a sua nova fama bastará para aterrorizar os núbios... Por que quer mais?

— Você não passa de um medíocre, Peftau, e não enxerga nada além das muralhas da sua cidade. Limite-se a obedecer-me cegamente e manterá os seus privilégios.

Tefnakt abandonou o vencido e reuniu os chefes de clã líbios na sala de audiências do palácio. Alguns já estavam bêbados, outros cobertos do sangue das suas vítimas, e todos gritavam o nome do general que os conduzira a uma vitória brilhante e rápida, quando a maior parte havia receado uma resistência feroz da parte da milícia de Heracleópolis e da população. Tefnakt demonstrara a sua capacidade de chefe guerreiro e havia aberto o caminho para um futuro inesperado. Despertara neles o desejo de lutar e exterminar os egípcios, inimigos hereditários que, durante séculos, haviam humilhado a Líbia.

Tefnakt pretendia tirar as conclusões daquela primeira intervenção militar, mas o estado dos seus subordinados dissuadiu-o.

Aborrecido com tanta mediocridade, o general abandonou os chefes de clã à sua embriaguez. Ao sair do palácio, esbarrou com Akanosh, que envergava uma longa túnica vermelha de listras.

— Por que não participou do ataque? — perguntou Tefnakt.

— Sou o porta-voz das tribos e não um soldado encarregado de romper as linhas inimigas.

— Desaprova a minha ação?

— Você conseguiu uma brilhante vitória, Tefnakt, e a sua autoridade não pode ser contestada. Transmitirei as suas ordens com o maior rigor.

— Aqui tem uma, Akanosh: mande reforçar as fortificações de Heracleópolis e organizar turnos da guarda.

Tefnakt partiu em busca de Nartreb e Yegeb. Encontrou este último entre os saqueadores da casa do capitão dos arqueiros de

Heracleópolis, morto durante a refrega. Apesar da dor nos tornozelos e da dificuldade em se locomover, o semita era o mais ativo de todos e enchia um grande saco com taças de ouro.

Ele se assustou ao ver Tefnakt.

— Senhor... Estou vigiando esta gente, não se preocupe! Só levarão o que lhes é devido.

— Confio em você. Onde está Nartreb?

— Lá em cima — respondeu Yegeb com um estranho sorriso. — Mas creio que está ocupado...

Tefnakt subiu a escada. Do andar de cima chegavam os gritos de uma mulher que Nartreb violentava com crueldade, esbofeteando-a ao mesmo tempo.

— Basta, Nartreb!

O bruto continuou:

— Ela é apenas a filha de um oficial pago por Piankhy e estou convencido de que nunca conheceu um homem como eu!

Tefnakt deu um pontapé nas costelas de Nartreb.

— O senhor me machucou!

— Vá se juntar a Yegeb e informe-se sobre Peftau, o príncipe de Heracleópolis.

Nartreb amarrou a tanga, indiferente à jovem que o fitava com um olhar de ódio.

— Duvida da fidelidade dele, senhor?

— Quero saber tudo a seu respeito, e depressa.

O violador voltou-se para a sua vítima e, antes de descer a escada, disse:

— Voltaremos a nos encontrar, querida.

A egípcia tapou o ventre e os seios com os farrapos da túnica.

— Como se chama? — perguntou Tefnakt.

— Aurora. Você é o general líbio?

— Sou o novo senhor desta cidade.

— Você matou o meu pai, e eu vou matá-lo.

12

Próximo ao templo de Amon, o palácio do faraó negro havia sido construído sobre uma base de dois metros de altura e era cercado por um muro. Os batentes da grande porta de acesso haviam sido abertos para deixar entrar a alta sociedade de Napata, convidada para um banquete oferecido em honra de Piankhy. Como o mestre de cerimônias era Otoku, *gourmet*, glutão e apreciador da boa mesa, todos esperavam uma noite extraordinária.

Para Puarma, o capitão dos arqueiros, o mais difícil havia sido escolher uma acompanhante entre a dezena de moças maravilhosas que lhe suplicaram que as levasse. Só um sorteio e longas e confusas explicações, acompanhadas de presentes que aumentavam as suas dívidas, lhe permitiram sair daquele impasse.

Por sorte, era a menos tagarela que se pendurava no seu braço e devorava com os olhos o espetáculo que ia descobrindo. Tochas espetadas nos jardins iluminavam as palmeiras, as tamargueiras e os sicômoros, bem como os espelhos d'água onde desabrochavam lótus brancos e azuis que as luzes faziam cintilar. Servos ofereciam aos convidados toalhas perfumadas e uma taça de vinho branco fresco, enquanto eles admiravam as colunas do palácio em forma de haste de papiro.

O casal subiu a escada de honra de granito rosa, cujos lados eram decorados com figuras de inimigos deitados e vencidos. A grande sala de recepções com colunas, já invadida por numerosos cortesãos, era um novo deslumbramento: placas de cerâmica esmaltadas de amarelo, verde, azul e violeta, cornijas de estuque dourado, baixos-relevos representando touros selvagens, panteras e elefantes.

No fundo da sala, havia um dossel ladeado por dois leões de calcário. Protegia dois tronos de madeira dourada, nos quais se instalavam Piankhy e Abilé nas audiências oficiais. Vendo o espanto da companheira, estupefata por tantas maravilhas, o capitão dos arqueiros não lhe revelou que, embaixo da parte central do palácio, havia sido embutido um gigantesco bloco de ouro nativo, símbolo da luz oculta nas trevas.

Alguém empurrou Puarma.

— Mas quem... Ah, é você, Cabeça-Fria! Mas você não vestiu o seu traje de festa!

— Tenho preocupações demais — replicou o escriba, visivelmente à beira de uma crise de nervos.

— O que está acontecendo?

— É o escoamento das águas usadas! Apesar das instruções que lhes dei, os operários fizeram as coisas de qualquer jeito. E, no entanto, é simples... É preciso forrar com cobre as bacias de pedra, cavar uma abertura suficientemente grande que se fecha com um tampão metálico e calcular corretamente o diâmetro dos canos feitos com folhas de cobre malhado e enroladas em forma de cilindro. De nada adiantou mostrar-lhes as plantas e dar as medidas corretas, a rede que serve a ala esquerda do palácio está outra vez entupida... Resultado: não há festa para mim e tenho de acordar um bando de incapazes!

O anão desapareceu resmungando, ao mesmo tempo que os músicos entravam na grande sala. Duas harpistas dedilharam uma melodia encantadora, acompanhadas depois por um flautista, dois tocadores de oboé e um clarinetista.

No fim do concerto, um mordomo pediu aos convidados que passassem à sala do banquete. A companheira do capitão dos arqueiros quase desmaiou diante das magníficas mesas baixas de madeira de ébano, das passadeiras com acianos e mandrágoras, das lamparinas de óleo colocadas nos altos pilares de madeira dourada, mas, sobretudo, diante da louça... Travessas, copos, pratos, taças, lavanda, era tudo de ouro!

Grandes leques, uns em forma de lótus e feitos de junco e outros de plumas de avestruz, proporcionavam um agradável frescor aos convivas, confortavelmente sentados na ampla sala onde pairavam perfumes sutis.

Com os seus colares de seis voltas de ouro e pedras semipreciosas, as belas mulheres rivalizavam em elegância. A amante de Puarma nunca vira semelhante exibição de cornalinas, jaspes, turquesas e lápis-lazúlis. E o que dizer dos brincos de ouro a que os ourives tinham dado as mais variadas formas?

— Estou bem enfeitada? — inquietou-se a jovem.

— Está perfeita — afirmou o capitão dos arqueiros, que não possuía meios para cobrir de joias aquela companheira de uma noite.

Quando Piankhy e Abilé apareceram, todos sentiram um nó na garganta de admiração. Aliança do poder e da beleza, o casal real eclipsava aqueles e aquelas que haviam esperado rivalizar com ele. O contraste entre o brilho do ouro dos colares e das pulseiras, a pele negra de Piankhy e a acobreada de Abilé traduzia uma harmonia quase sobrenatural. As joias que os soberanos haviam escolhido eram de tamanha perfeição que poderiam ser oferecidas aos deuses. Todos ficaram novamente impressionados com a força colossal que emanava de Piankhy e com a nobreza inata de sua esposa. Ela também devia ter força para ficar à altura de um monarca tão imponente!

Piankhy ergueu uma enorme pérola sobre a qual se concentraram os olhares dos convidados.

— Contemplem esta obra-prima da natureza. Não é o símbolo visível da esfera da criação, do ventre transparente da mãe celeste na qual renasce todas as manhãs um novo sol? Venerem esta luz que se oferece em profusão, esta vida generosa que assume por vezes o aspecto da morte para melhor nos despertar para a eternidade.

O rei pegou uma taça de ouro, cujas gravações representavam um lótus com as pontas das pétalas arredondadas. Assim era ilustrado o processo da ressurreição, o renascimento da alma inscrita no lótus que surgia do oceano primordial. E o vinho contido na taça não era uma homenagem a Hathor, a deusa das estrelas e do amor criador, a que fazia dançar de alegria as constelações quando a embriaguez divina enchia o coração das pessoas?

Piankhy bebeu um gole, e a rainha imitou-o.

A festa podia começar.

Ficar de guarda numa noite daquelas era deprimente. Mas o oficial e os seus homens, encarregados de garantir a segurança da capital, não haviam sido esquecidos pelo faraó: soldo e rações dobrados e, a partir do dia seguinte, um cântaro de vinho tinto como prêmio.

Mesmo sendo conveniente queixar-se a intervalos regulares para conseguir uma promoção e diminuir o tempo de trabalho, era preciso reconhecer que a profissão de soldado, em Napata, não era demasiado exigente. Cidade rica e bem administrada, população feliz e serena, nenhum conflito interno, nenhuma guerra no horizonte... Antigamente, quando os núbios eram alistados no exército do faraó para combater os líbios e os sírios em perigosas expedições, era preferível trazer consigo vários amuletos protetores e estar bem preparado para a luta.

Se fizesse o que desejava, o oficial se teria deixado mergulhar num sono reparador, sob a proteção da abóbada estrelada onde brilhavam as almas dos faraós reconhecidos "justos de voz" por toda a eternidade. Mas uma das sentinelas não deixaria de notar e de o denunciar a um superior.

O oficial umedeceu os lábios e a testa com água morna e retomou a ronda, com os olhos fixos na estrada do norte que terminava no primeiro posto de guarda fortificado da capital. Ali eram rigorosamente controlados os viajantes que desejavam entrar.

Graças a um primo cozinheiro no palácio, o oficial saborearia no dia seguinte alguns dos pratos que os convidados de Piankhy não houvessem consumido completamente. Falava-se, entre outras coisas, de uma "delícia de Ramsés", uma receita de marinada que atravessara os séculos.

Uma luz no deserto.

A princípio, o oficial achou que se tratasse do cintilar de uma estrela, mas, rapidamente, ele percebeu o óbvio: tratava-se do sinal de alarme de um vigia.

Um sinal que ele repetiu várias vezes, insistindo na iminência do perigo.

13

O oficial hesitava.

Devia acordar o rei ou esperar o amanhecer? Arrancar Piankhy do sono poderia provocar a sua cólera, mas não preveni-lo imediatamente poderia ser ainda pior. Na dúvida, decidiu consultar Cabeça-Fria.

O escriba, que havia acabado de adormecer depois de ter conseguido mandar consertar o sistema de escoamento das águas usadas, soltou uma longa série de resmungos antes de se erguer na cama.

— O que quer?

— Um incidente grave... Talvez seja melhor prevenir Vossa Majestade.

— Não me diga que tentaram invadir Napata!

— Bem...

Desta vez, Cabeça-Fria acordou por completo.

— A situação está controlada?

— Sim, o homem foi detido.

O anão franziu as sobrancelhas.

— O homem... Está querendo dizer que Napata foi atacada por um único homem?

— Alguém que viaja de noite é necessariamente suspeito! O nosso dispositivo de segurança revelou-se muito eficaz e espero que os meus méritos...

— Falarei sobre isso com o rei.

Piankhy não conseguia dormir.

Durante horas haviam sido alvo das lisonjas dos cortesãos que rivalizavam em entusiasmo na expressão dos seus louvores. Todos haviam elogiado a qualidade das iguarias e dos vinhos, e Otoku, à guisa de agradecimento pelos seus talentos de organizador, recebera o equivalente ao seu peso em jarras de cerveja forte.

Nem por um instante o faraó negro havia apreciado o fausto daquela noite. Obcecava-o uma angústia que o impedia de desfrutar os prazeres de um banquete, do qual a corte falaria durante meses. Abilé percebera a perturbação do marido, mas evitara interromper a sua meditação.

Do terraço do palácio, Piankhy contemplava o céu. Só as estrelas possuíam a grande sabedoria, pois transmitiam o verdadeiro poder, o poder da origem da vida.

No terraço, um leve ruído de passos.

— Cabeça-Fria... Você outra vez!

— Perdão por importunar-vos, Majestade, mas como estais acordado...

— A esta hora, habitualmente, você dorme a sono solto.

— Um homem tentou entrar na cidade, e os arqueiros prenderam-no. O oficial que estava de serviço gostaria de ver os seus méritos reconhecidos e ter o benefício de uma promoção.

— Ele deve ficar encarregado da segurança noturna no próximo mês. Depois veremos. Esse homem disse como se chama?

— Segundo o oficial, ele faz afirmações incoerentes. Diz ser um servo de Amon e ter uma mensagem confidencial para o faraó legítimo.

— Você o interrogou?

— Não, Majestade. Pensei que desejaríeis encontrar-vos o mais depressa possível com esse estranho viajante.

— Leve-o à sala de audiências.

No primeiro dia do primeiro mês da estação da cheia, no vigésimo primeiro ano do reinado de Piankhy, a alvorada criou uma paleta colorida de excepcional intensidade. A luz surgiu da Montanha do Oriente sob a forma de um disco solar, imagem viva do Criador, de quem o faraó era o representante na Terra.

A sala de audiências do palácio de Napata estava banhada pela claridade do nascente quando o viajante se apresentou diante de Piankhy, com os pulsos presos por algemas de madeira e ladeado por dois soldados.

— Libertem-no e deixem-nos a sós — ordenou o rei.

Durante longos instantes, a visão do colosso com a pele negra brilhante fez o visitante perder a voz.

— Majestade...

— Quem é você?

— Um sacerdote de Amon.

— Qual é o seu grau na hierarquia?

— Sou ritualista, encarregado da purificação dos vasos para o ritual da tarde.

— De que templo você vem?

— De Karnak, do templo de Amon-Rá, o senhor dos deuses.

— Como viajou?

— Consegui um mapa e mudei diversas vezes de embarcação antes de fazer a pé a última etapa.

— Caminhar à noite é perigoso... Poderia ter sido mordido por uma serpente.

— Tinha de correr esse risco para evitar a picada de um réptil mais perigoso do que todas as cobras da Núbia, um réptil que se enrola em torno do Egito, que não deixa os seus habitantes respirarem e em breve os privará do sopro da vida.

— As suas palavras são bem enigmáticas!

— O nome de Akanosh lhe é familiar?

— É um príncipe líbio do Delta.

— Com risco da própria vida, Akanosh fez chegar uma mensagem a Karnak. Fui escolhido para transmiti-la.

— Dê-me o papiro de que é portador.

— A mensagem é oral.

— Então, fale.

— Tefnakt, o príncipe de Saís, foi nomeado general em chefe de uma coligação que agrupa os outros chefes de tribo líbios. Primeiro, ele tomou o oeste do Delta, depois todo o Delta. Graças a um exército numeroso, assumiu o controle de Mênfis e avançou para o sul. Os príncipes locais, os prefeitos, os administradores parecem cães amarrados aos pés dele, e ninguém discute suas ordens. Até Heracleópolis, todas as cidades lhe abriram as portas, e ele se tornou o senhor de todas elas.

— Mas o príncipe Peftau, meu fiel súdito, resistiu-lhe e impediu-o de avançar. Esse fanfarrão do Tefnakt voltou atrás e a coligação se desfez.

— Lamento decepcionar-vos, Majestade... Tefnakt tomou de assalto a cidade de Heracleópolis, e Peftau não foi capaz de resistir.

— Ele foi morto?

— Não, rendeu-se.

— E a população?

— Foi poupada. Mas os soldados de Peftau ficaram sob o comando de Tefnakt.

— Não houve qualquer movimento de revolta da parte deles?

— Ou obedeciam ou seriam massacrados. Agora, são vossos inimigos.

— Está dizendo que Tefnakt controla Heracleópolis?

— Sim, Majestade, e deveis aceitar que ele está à frente de um verdadeiro exército que avança de vitória em vitória.

— Você possui informações sobre a estratégia que Tefnakt pretende seguir?

— Ele está pronto para combater todos os dias e avançar mais para o sul.

— Até Tebas?

— Com toda a certeza, Majestade.

O faraó negro ficou em silêncio por alguns segundos, como se estivesse aterrorizado com as revelações.

Depois, desatou a rir.

14

A reação de Piankhy deixou o sacerdote de Amon desconcertado.

— Majestade... Não acreditais em mim?

— Você é um homem de oração e de meditação e não entende nada da guerra.

— Mas, Akanosh...

— Será que ele é capaz de ter uma visão objetiva da situação? Akanosh é um chefe guerreiro líbio, dominado por esse fanfarrão do Tefnakt. Esses acontecimentos não apresentam nenhum caráter de gravidade.

— Mas, Majestade, todo o Médio Egito estará em breve sob o controle de Tefnakt!

— Hermópolis, a cidade do deus Toth, permanecerá fiel a mim. Tefnakt não ousará atacá-la.

O sacerdote de Amon estava consternado.

— Não ireis reagir?

— Vou reunir o meu conselho de guerra. Fique tranquilo: você ficará bem alojado e alimentado. O templo de Amon está aberto para você e poderá, assim, cumprir os seus deveres sagrados.

— Tenho um pedido a fazer-vos, Majestade.

— Diga.

— Tenho a vossa autorização para residir na vossa capital? Afirmam que aqui é possível encontrar as mais antigas tradições.

— Se é essa a sua escolha, será respeitada.

O conselho de guerra do faraó negro era composto pela sua esposa principal, Abilé, pelo escriba Cabeça-Fria, pelo capitão dos arqueiros Puarma e pelo chefe da exploração das minas de ouro, Otoku. Piankhy confiava neles, sabendo que as suas palavras não seriam nem enganadoras nem mentirosas.

Ministros e cortesãos só eram bons para discorrer interminavelmente, tendo como única preocupação a salvaguarda dos seus interesses pessoais. Assim, mais valia tomar as decisões fundamentais em assembleia restrita e, em seguida, anunciá-las à corte.

Piankhy reunira o seu círculo mais próximo na parte mais sombreada do jardim. No centro, um lago no qual o rei nadava muitas vezes. O calor do fim de julho, sufocante mesmo para os núbios, alegrava Piankhy. Ele não libertava a força da terra, submetendo os organismos à rude prova? Dominá-lo fazia parte da condição humana.

Não era essa a opinião de Otoku, com os pés numa bacia de água fresca e a testa coberta por um pano úmido perfumado com mirra. Quanto a Cabeça-Fria, bebia litros de cerveja doce para lutar contra a canícula com a qual não parecia sofrer a rainha Abilé, abrigada por um guarda-sol e simplesmente vestida com uma rede que nada ocultava das suas formas admiráveis. Puarma, o capitão dos arqueiros, estava nu, sem pressa para cobrir-se com a couraça de treinamento.

— Esclareci uma dúvida, Majestade — disse Otoku, que esfregava o corpo com um unguento à base de olíbano e de junça odorífica. — Esta reunião é puramente amigável, não é verdade?

— Não se iluda. Como adivinhou, trata-se realmente de um conselho de guerra.

O obeso enxugou a testa.

— Alguma tribo se revoltou?

— O incidente parece mais sério. Um príncipe líbio, Tefnakt, teria conseguido reunir os seus aliados para formar um exército.

— Isso é ridículo — considerou Puarma. — Não há pior inimigo de um líbio do que outro líbio! Nunca conseguirão escolher um chefe.

— Pois Tefnakt conseguiu que lhe dessem ouvidos, e as províncias do Norte nomearam-no general em chefe. A partir de agora, estão submetidas à autoridade dele.

— Isto tinha de acontecer — admitiu Cabeça-Fria. — O Norte passa por condições econômicas terríveis: milhares de pessoas não encontram trabalho, o preço dos alimentos aumenta sem parar, os deuses não são mais venerados, a injustiça e a corrupção reinam como soberanas incontestadas... Não havia senão uma saída possível: o aparecimento de um tirano, suficientemente hábil para se apoiar num exército bem equipado.

— Bem equipado? É impossível! — protestou o chefe dos arqueiros. — O Norte tornou-se demasiado pobre para recrutar tropas capazes de combater.

— Tefnakt controla Mênfis — revelou Piankhy — e apoderou-se de Heracleópolis.

As palavras do faraó negro mergulharam os seus interlocutores em profundo desespero.

— Onde conseguistes essas informações, Majestade? — perguntou Otoku.

— Com um sacerdote de Amon, que fez uma longa viagem para nos avisar.

— Mas, não o levou a sério — observou a rainha Abilé.

— É verdade — admitiu Piankhy. — Na minha opinião, esse Tefnakt queria realizar uma proeza para solidificar o seu poder sobre os chefes das províncias do Norte. Ter se apoderado de Heracleópolis já é uma grande façanha e não ousará ir mais longe, porque não tem capacidade para isso. Um chefe de bando não se transforma de um dia para outro num senhor da guerra.

O chefe dos arqueiros aprovou com um aceno de cabeça.

— No entanto, há que considerar represálias — avançou Otoku. — Deixar esse causador de distúrbios agir impunemente seria encorajá-lo!

— Sou mais pessimista do que você — confessou Cabeça-Fria.

A intervenção do anão foi um balde de água fria na assembleia. Todos apreciavam a sua notável inteligência e levavam a sério as suas opiniões.

— O que receia? — perguntou Otoku, preocupado.

— Uma mudança radical na atitude dos nortistas. Até agora, as rivalidades os deixavam impotentes. Não vivemos a mesma anarquia na Núbia? A partir do momento em que aceitaram a soberania de um chefe e a sua estratégia, já não são os seus defeitos que se somam, mas as suas qualidades. Não é na provação que um líder de homens se revela? Apesar da sua importância, Mênfis está há muito tempo privada de uma cabeça pensante e não podia exibir nenhuma veleidade de resistência perante um conquistador, mesmo medíocre. Heracleópolis, em contrapartida, era um ferrolho, uma praça-forte dotada de uma guarnição experiente e comandada por Peftau, um dignitário fiel a Piankhy. Apoderar-se dela não era tarefa fácil, e Tefnakt pode orgulhar-se de um formidável êxito que reforça o seu prestígio.

— Procura afligir-nos ou provocar-nos? — perguntou Piankhy.

— Nem uma coisa nem outra, Majestade. É este o meu pensamento.

— Não consigo acreditar que esse Tefnakt ouse desafiar-nos! — insurgiu-se Puarma. — Essa vitória, se realmente ocorreu, não terá seguimento. Como ousaria um simples chefe de bando provocar a cólera do faraó Piankhy?

— Ao ouvir o relato das suas façanhas, desatei a rir — confessou o monarca —, mas as conclusões de Cabeça-Fria fazem-me pensar que talvez estivesse errado.

— Um aventureiro que sabe utilizar a miséria do povo pode arrastá-lo para qualquer loucura — declarou a rainha. — Se

Tefnakt se embriagar com o sucesso, perderá o controle de si próprio e não se preocupará com os cadáveres que deixará pelo caminho. Como Cabeça-Fria, acredito que esta tentativa de invasão do Sul não deva ser levada na brincadeira.

— É impossível que ataque Hermópolis! — objetou Puarma. — O seu príncipe, Nemrod, jurou fidelidade a Piankhy, e as suas tropas são capazes de repelir qualquer assalto.

— Era o que pensávamos de Heracleópolis — lembrou o anão. — Se Tefnakt se tornar senhor de todo o Médio Egito, o caminho para Tebas estará aberto. E depois, quem sabe...

— Inacreditável! — considerou Otoku. — Ignora que os nossos regimentos baseados em Tebas são uma perfeita força de dissuasão?

— É o que esperamos.

De olhos baixos, o chefe dos arqueiros dirigiu-se a Piankhy:

— O que decidis, Majestade?

— Preciso refletir.

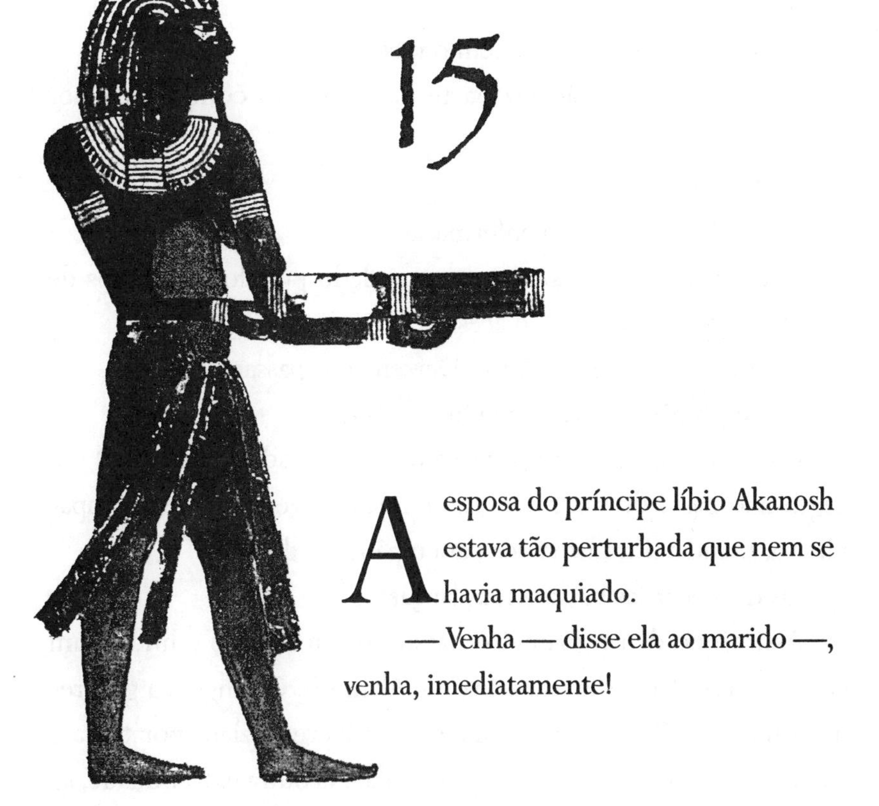

15

A esposa do príncipe líbio Akanosh estava tão perturbada que nem se havia maquiado.

— Venha — disse ela ao marido —, venha, imediatamente!

— Ainda não terminei o desjejum, não me barbeei, não...

— Anda!

Akanosh espetou uma pluma de guerreiro nos cabelos trançados e amarrou, às pressas, um longo manto no ombro esquerdo. Apesar de tudo, não podia sair pelas ruas de Heracleópolis sem os atributos do seu poder.

— Aonde me leva?

— À enfermaria onde são tratados os civis feridos durante o assalto.

— Lá não é o seu lugar, nem o meu!

— Você faz ou não faz parte da coligação comandada por Tefnakt?

— Sim, mas...

— Então, entre nessa enfermaria!

O edifício de tijolos crus era guardado por dois soldados de infantaria, que impediram o acesso cruzando as lanças.

— Sou o príncipe Akanosh. Deixem-nos passar.

— Yegeb não autorizou nenhuma visita.

— Como se atreve a opor-se à minha vontade, soldado? O seu Yegeb não passa de um inseto! Se teimarem, você e o seu companheiro, mandarei transferi-los para o pântano do Delta!

Os dois guardas baixaram as lanças.

Assim que deu o primeiro passo no interior do edifício, um cheiro horrível agrediu as narinas de Akanosh. O sangue, a gangrena, a morte... Dezenas de homens e mulheres jaziam por terra e elevavam-se lamentos no princípio da fila. Na outra extremidade, só havia cadáveres.

Dois soldados puxavam um outro pelos pés.

— Aonde o levam? — interrogou Akanosh.

— Vamos lançá-lo numa vala que Yegeb mandou que cavássemos. Haverá mais um lugar livre... Quando tivermos tirado os mortos todos, traremos os feridos. E isto continuará até que não haja mais...

— Que cuidados são prestados a estes infelizes?

— Nenhum. O melhor para eles é morrer depressa.

O príncipe Peftau pusera à disposição de Tefnakt o primeiro andar do palácio de Heracleópolis, onde o vencedor conferenciava com os aliados, um a um, para convencê-los da precisão da sua estratégia e da dimensão que era necessário dar à ofensiva.

Em frente à sala de audiências, ficava o escritório de Yegeb, que filtrava os visitantes.

— Quero ver Tefnakt imediatamente — declarou Akanosh.

Yegeb consultou um velho pedaço de papiro no qual escrevera a data daquele dia e os nomes.

— Você não foi convocado. Solicite uma audiência e espere pela resposta do general.

A raiva de Akanosh explodiu, ele agarrou o semita pelo pescoço e, embora fosse mais baixo do que ele, levantou-o do chão.

— Não se meta no meu caminho, verme! Você é um criminoso e um carrasco, e tenho que informar o seu senhor a respeito dos seus atos. E eu mesmo vou aplicar o castigo que ele decretar.

Akanosh largou Yegeb, que retomou o fôlego com dificuldade, enquanto o príncipe líbio entrava na sala de audiências de Tefnakt.

O general escrevia numa tabuinha de escriba o relatório oficial da sua primeira grande vitória sobre o faraó negro. Ele seria copiado, distribuído aos oficiais superiores e lido em voz alta e inteligível aos soldados. E a notícia se espalharia por todo o Médio Egito e

depois até Tebas. Ele semearia o medo entre os partidários de Piankhy e os incitaria a render-se.

Os olhos negros de Tefnakt fitaram o intruso.

— Eu não o havia convocado, é o que parece.

— Devo informá-lo sobre o que se passa nesta cidade!

— Está tudo tranquilo, o nosso exército controla a situação, o príncipe Peftau tornou-se meu vassalo; do que nos queixaríamos?

— Sabe que a enfermaria reservada aos civis é a antecâmara da morte e que não lhes são dispensados nenhum cuidado? Os mumificadores limitam-se a esperar que morram e lançam os cadáveres numa vala comum, sem o menor ritual! E esses horrores são cometidos por ordem do seu dedicado Yegeb. Exijo que esses infelizes sejam bem tratados e que esse torturador seja castigado.

Tefnakt atirou a tabuinha de escriba de encontro à parede.

— Você não tem que exigir nada, Akanosh! Esqueceu que me deve obediência total?

— Mas aqueles civis...

— Por acaso o chefe de clã líbio tornou-se sensível como uma viúva abandonada? Bem sabe que o Norte é pobre e o nosso exército tem falta de remédios e de unguentos. Tudo o que encontramos em Heracleópolis deve ser reservado para as nossas tropas. São essas as minhas ordens e quem as infringir será considerado traidor.

— Vamos deixar esses feridos morrerem...

— Estamos em guerra, Akanosh, e temos de fazer certas opções. Não serão os bons sentimentos que vencerão os guerreiros de Piankhy.

— Você havia prometido que a população desta cidade seria poupada!

— Não concorda com a minha maneira de agir?

Akanosh gostaria de protestar mais, porém as palavras ficaram presas no fundo da sua garganta.

— Acalme-se, meu amigo, e esqueça esses detalhes sem importância. Como todos nós, concentre o seu espírito num único objetivo: a reconquista do Egito. A nossa vitória trará a felicidade ao povo, pode ter a certeza.

— Esse Yegeb...

— Ele me é dedicado e não discute as minhas ordens. Se o imitar, Akanosh, terá uma velhice feliz.

O chefe de clã retirou-se e passou diante de Yegeb sem o olhar.

— Quando os médicos virão tratar os doentes e os feridos? — perguntou a esposa de Akanosh ao marido.

O chefe de clã deixou-se cair nas almofadas.

— Não virão.

— Você... você não falou com Tefnakt?

— Falei.

— Ele... recusou?

— Temos de compreender, minha querida... É a guerra. Nem você, nem eu, nem Tefnakt podemos fazer nada.

— Tefnakt é o chefe do nosso exército e mente ao afirmar que poupa a população!

— Tem razão, mas...

A núbia fitou o marido com tristeza.

— Você não quer mais lutar, Akanosh.

— Sinto-me velho e incapaz de resistir a Tefnakt. Se me opuser a ele, mandará matar-me, e você será arrastada na tormenta. Eu,

como os outros chefes de clã, não passo de um fantoche nas mãos dele e sou o único a ter consciência disso. Tefnakt está disposto a tudo para conquistar o Egito e é um verdadeiro guerreiro... Se Piankhy não reagir bem depressa, Tefnakt terá sucesso e imporá uma ditadura da qual o país não vai se recuperar.

16

Com a cabeça raspada, envergando uma túnica de linho branco de primeira qualidade, descalço, o sacerdote vindo de Tebas desceu lentamente a escada que conduzia ao lago sagrado, situado na proximidade do grande templo, e encheu de água santa um vaso de ouro.

Essa água procedia do *Nun*, o oceano de energia primordial onde havia surgido a criação e no qual ela continuava a banhar-se. A Terra não passava de uma ilha emersa desde "a primeira vez", desde aquele instante em que o pensamento divino tomara forma e se manifestara; e se o faraó não ressuscitasse mais aquela primeira vez por meio dos rituais, a ilha da Terra seria submersa pelas vagas da origem. Como estava escrito, o destino da humanidade se cumpriria: ela havia nascido das lágrimas de um deus e acabaria por desaparecer sob o peso das suas próprias torpezas.

O papel dos servos das divindades consistia em retardar o fim oferecendo-lhes uma morada e venerando a sua presença para que ela iluminasse o coração dos seres que tentavam seguir a via de Maat, preferindo a verdade à mentira e a justiça à injustiça.

Napata deslumbrava o sacerdote tebano. Ele reencontrava um fervor que julgava perdido para sempre e um rigor na celebração dos rituais que já não se usava em alguns santuários de Karnak. Ali, perto da Quarta Catarata, Amon era honrado como devia ser.

Transportando o precioso vaso cheio de água pura, o sacerdote seguiu para a sala de oferendas. Um colosso surgiu à sua passagem.

— Está satisfeito com a sua estada entre nós?

— Majestade... Vivo dias de encantamento!

— Você me surpreende... Não tem saudades de Karnak?

— Como traduzir-vos a minha admiração...

— Termine o seu serviço e venha se encontrar comigo na biblioteca do templo.

* * *

Textos das Pirâmides, *Livro dos Mortos*, *Rituais de abertura da boca*, *Cerimonial do Ano-Novo*, *Lista dos dias fastos e nefastos*, e todos os outros escritos concebidos e transmitidos desde a idade das pirâmides... O sacerdote tebano estava perplexo com a riqueza da biblioteca de Napata. O faraó negro dispunha de todos os elementos da ciência sagrada.

— Quando compreendi que o Norte se afastava cada vez mais das nossas tradições — explicou Piankhy —, decidi reunir aqui os escritos que permitiram à nossa civilização desenvolver-se.

O sacerdote tebano ia de uma estante para outra, acariciando com a mão, emocionada, as arcas de papiros arrumadas com cuidado.

— Será que Karnak já não honra Amon como convém? — perguntou o rei.

— Os sacerdotes permanentes estão meio entorpecidos; os temporários, por vezes encaram os seus deveres com leviandade... E a Divina Adoradora, encarregada por vós de reinar nos templos de Tebas e de zelar pelo seu bom funcionamento, está cansada e doente. Surgiram facções, alguns sacerdotes pensam mais em enriquecer do que em celebrar os rituais.

— As suas palavras refletem bem a realidade?

O olhar do faraó negro trespassou a alma do tebano. Para convencer o monarca, só lhe restava uma solução: o juramento.

— Pela vida do faraó — declarou ele, solene —, juro que digo a verdade. Se eu estiver mentindo, que a minha alma seja destruída e que as portas da vida eterna me sejam vedadas.

Tebas, a cidade sagrada, Tebas, a capital de Amon, Tebas, das cem portas, povoada de templos grandiosos, de santuários e de capelas, Tebas onde fora revelado o segredo da criação... Uma profunda

tristeza apertou o coração do faraó negro. Tendo vindo ao templo para meditar e pedir a Amon que orientasse a sua ação, descobria que o seu modelo estava decrépito.

— Quem redigiu esta tabuinha? — perguntou Cabeça-Fria, furioso, aos seus vinte alunos sentados de maneira correta como escribas, uma perna dobrada e a outra cruzada por cima.

Usavam uma tanga curta, tinham um pincel preso atrás da orelha e baixavam a cabeça, assustados com a cólera do seu mestre.

Uma vez por semana, o anão dava uma aula de formação superior àqueles que, no futuro, ocupariam os postos-chave da administração. Entre os felizes beneficiários desses ensinamentos, havia quatro mulheres jovens.

— Repito a minha pergunta: quem redigiu este texto?

Cabeça-Fria brandiu a tabuinha. Os estudantes de ambos os sexos fitaram os joelhos.

— Não há um delator entre vocês... Melhor assim! Se alguém houvesse denunciado o colega, eu o teria expulsado imediatamente. E não preciso de ninguém para identificar quem escreveu.

O anão avançou pela passagem central e parou diante de um rapaz que fechava os olhos.

Arrancou-lhe o pincel e partiu-o.

— Levante-se, tratante!

O aluno era o filho de um ministro que possuía várias casas na capital e dois palmeirais. Mas Cabeça-Fria não se importava com isso.

— Eu o admiti nesta escola porque você me parecia dotado para a profissão de escriba, mas vejo agora que me enganei redondamente!

— Mestre, mas eu tive cuidado...

— Cale-se, pretensioso! Ah, os seus hieróglifos estão desenhados com perfeição, não há um único erro de gramática e cada termo foi rigorosamente escolhido... Mas você redigiu um imposto de propriedade sem pensar por um instante em visitar a área cultivada em questão e encontrar o seu proprietário para lhe perguntar se tinha dificuldades familiares ou profissionais. Continue assim, meu rapaz, e você se tornará o pior dos funcionários: uma máquina desumana, apenas preocupado em aplicar um regulamento, sem qualquer contato com os seus administrados. Mais um erro deste calibre e o expulsarei definitivamente do meu curso! No dia em que os funcionários se confinarem em suas salas e não assumirem qualquer responsabilidade, este país ficará ingovernável!

Subitamente, a cólera do anão se desfez, e a atmosfera mudou.

Ninguém tinha visto Piankhy entrar na sala de aula, mas a sua simples presença era sentida. Cabeça-Fria ergueu a cabeça e descobriu o faraó negro com os braços cruzados.

— Acabou por hoje — disse o escriba. — Para a próxima vez, preparem um modelo de carta destinada a um prefeito. Não desperdicem papiro, usem pedaços de calcário e tinta velha.

Os alunos saíram em silêncio.

— Está satisfeito com os seus alunos, Cabeça-Fria?

— Não serão piores ministros do que aqueles que compõem o seu governo atual.

O escriba lavou os pincéis e raspou a tabuinha para obter novamente uma superfície lisa, própria para a escrita. Maníaco, Cabeça-Fria não gostava de desperdiçar. Tinham lhe confiado um material de Estado e devia ter com ele o maior cuidado.

— Tem notícias recentes de Tebas?

— Relatórios redigidos pelo escriba da administração.

— Que informações lhe deram?

— Nada de novo, Majestade. Tebas é uma cidade calma que vive ao ritmo dos rituais.

— Nenhum incidente?

— Segundo os relatórios, não.

— Esse escriba da administração é um homem de confiança?

— O que me aborrece é a repetição constante das mesmas fórmulas... Tencionava precisamente vos falar sobre isso, se o próximo relatório não fosse outra vez uma cópia do anterior.

— Procuram tranquilizar-nos e entorpecer a nossa vigilância, não é verdade?

— É possível, Majestade.

17

Do seu trabalho como contador numa fazenda do Delta, Nartreb guardara uma lição fundamental: um bom técnico pode fazer com que os números digam o que ele quiser. É fato que as maquiagens grosseiras de um principiante ou de um comerciante com muita pressa de enriquecer não enganariam muita gente, mas Nartreb não cometia esse tipo de deslize.

Uma rápida visita a Heracleópolis lhe provara que a cidade era rica e que abrigava, especialmente, várias famílias de proprietários de terras que haviam acumulado fortunas consideráveis. Como a cidade ia passar para o domínio de Tefnakt, era preciso modificar as leis impostas por Piankhy. Por isso, encarregado de executar essa delicada missão, Nartreb convidara o diretor do Tesouro de Heracleópolis para almoçar, um alto dignitário de setenta anos, viúvo e cuja reputação de escrupulosa honestidade já estava comprovada.

— Cordeiro assado, purê de figos, feijões-brancos ao creme e vinho tinto de Imau: o cardápio lhe agrada, caro colega?

— Colega? — admirou-se o egípcio, a quem desagradava o rosto de lua cheia do semita.

— Tefnakt nomeou-me responsável pelo financiamento da sua campanha. Com o meu amigo Yegeb, um excelente especialista em contas, poupamos-lhe todas as preocupações materiais para que ele se concentre na reconquista do Egito.

— Quais são os seus planos para a minha cidade?

— Gostaria de conhecer o sistema de impostos adotado por Piankhy, maldito seja ele!

— Está de acordo com a tradição. Por exemplo, os agricultores dão à cidade metade da sua colheita, da qual uma parte é consumida no mesmo ano, e a outra, guardada nos celeiros para o caso de uma cheia ruim. Em troca, a administração fornece-lhes o material que precisam para irrigar e cultivar. Além disso, se um agricultor ultrapassar o rendimento previsto, pode adquirir terras e aumentar a sua propriedade.

Nartreb fez uma careta.

— Isso é tão arcaico... Há muitos lucros que o Estado não controla.

O diretor do Tesouro protestou:

— Os agricultores estão satisfeitos e...

— Numa economia de guerra, devemos controlar toda a produção. Os nossos soldados devem ser bem alimentados e gozar das melhores condições de vida para serem capazes de vencer. Portanto, vou requisitar todas as plantações.

— É uma injustiça inaceitável!

— Modere as suas palavras, caro colega! É uma decisão de Tefnakt.

— O que sobrará para os camponeses?

— Estabeleceremos cotas de alimentos suficientes para essa casta inferior que virá buscar as rações na caserna central.

— A maior parte deles se recusará a trabalhar para vocês.

— Nesse caso, execução imediata por alta traição. Depois de alguns deles serem queimados vivos diante da população, os recalcitrantes entrarão rapidamente na linha. Quanto aos artesãos, deverão trabalhar para o exército, para que os nossos soldados sejam adequadamente equipados. Alguma objeção, caro colega?

— De que adiantaria?

Nartreb exibiu um amplo sorriso e esfregou as mãos gorduchas. O velho dignitário começava a resignar-se.

— Agora, vamos abordar a questão das grandes fortunas de Heracleópolis. Os dignitários, entre os quais você está incluído,

dispõem de muitos bens que convém explorar da melhor forma. Tefnakt deve ser rico... e eu também.

— Você é... um ladrão!

— Vamos, vamos, caro colega, não se exalte! Tenho uma proposta que deverá seduzi-lo. Como conhece bem as altas personalidades desta cidade, confio-lhe a tarefa de negociar com elas. Deverá transmitir-lhes as minhas ordens, centralizar todos os bens e, em troca, receberá... digamos, dez por cento. Servir Tefnakt fará de você um homem muito rico.

Enquanto Nartreb se empanturrava, o idoso diretor do Tesouro afastou os pratos nos quais nem sequer havia tocado.

— Quem pensa que eu sou? Faça você mesmo o trabalho sujo! Não vou espoliar os meus compatriotas e nem o ajudarei de modo algum. Pelo contrário, vou espalhar por aí o tipo de bandido que você é!

Nartreb levantou-se.

— Não conseguimos nos entender... Só quero o seu bem, ao mesmo tempo que respeito as ordens que me foram dadas. Um homem com a sua experiência deveria compreender a dificuldade da minha tarefa.

— Os seus lábios estão marcados pela mentira.

— Não quer pensar?

— Serei seu inimigo declarado, custe-me o que me custar.

— Com licença por um instante, por favor.

Nartreb passou por trás do diretor do Tesouro e fingiu dirigir-se para a cozinha. Mas voltou atrás, segurou o pescoço do velho com as mãos, rancoroso, e quebrou-lhe as vértebras cervicais.

— Isso lhe custou a vida, imbecil, e passarei bem sem você.

* * *

— Todos os obstáculos foram afastados, meu senhor — disse Nartreb com uma voz subserviente, inclinando-se diante de Tefnakt.

— Os dignitários aceitaram o seu novo sistema de taxação?

— Por unanimidade, sem reclamar e alegres por servir a sua causa.

Nartreb mandara o exército interpelá-los e obrigara-os a desfilar em frente do cadáver do diretor do Tesouro, acusado de se recusar a obedecer e de colaborar com o inimigo. O semita não precisara fazer longos discursos e constatara que o seu método favorito, a brutalidade aliada à chantagem, dava excelentes resultados.

— E do seu lado, Yegeb?

— A cidade está limpa, senhor; já não resta nem uma boca inútil nem um elemento indesejável.

— Heracleópolis é tão rica como você supunha?

— Muitas provisões, menos armas do que o previsto.

Tefnakt ficou aborrecido.

— Tragam-me a filha do capitão dos arqueiros.

Yegeb pareceu embaraçado:

— Não sei se ainda está viva...

— Tragam-me!

Apesar dos cabelos em desalinho, da pele suja e marcada pelas pancadas, Aurora estava lindíssima e não perdera um pingo de orgulho.

— Os meus soldados a maltrataram?

— E o que mais eu poderia esperar?

— O que eu quero, eu consigo. E eu quero saber o lugar onde o seu pai escondeu as armas.

— Como vou saber?

— Conheço as pessoas... Você é obstinada e corajosa. Estou convencido de que era a sua confidente.

— Está enganado.

— Preciso dessas armas, Aurora. Ou você fala ou mandarei decapitar uma criança de hora em hora.

18

Ela era jovem, bela e ardente. Tinha dezoito anos e fazia amor como uma mulher experiente, com uma ingenuidade comovedora.

Lamerskeny observou-a dormir; tinha vinte anos menos do que ele e tentara

seduzi-lo com tanta persuasão que ele acabara por ceder. Barbudo, cabeça raspada e corpo coberto de cicatrizes, Lamerskeny não procurava as mulheres, mas elas o procuravam, e ele não conseguia resistir.

Com a mão esquerda, acariciou-lhe a curva do quadril. "Por todos os deuses do céu e da Terra", pensou, "que fêmea!"

A mão áspera desceu um pouco mais. Tornou-se indiscreta e despertou a jovem beldade.

— O que quer, meu amor? — murmurou ela, ainda sonolenta.

— Não devíamos parar por aqui... Tenho a certeza de que você ainda não me mostrou tudo.

Ela se enrolou em volta dele como um cipó e beijou-o com ardor; depois, pousou os lábios no braço direito do amante, um braço de madeira articulado que a fascinava.

— Como perdeu o seu braço?

— Um machado que não consegui evitar porque hesitei um pouco para cortar o pescoço do meu adversário. A partir daí, nunca mais hesitei.

— É de acácia?

— Um velho pedaço de acácia de primeira qualidade, indeformável e imperecível, por que paguei muito caro... Mas há que reconhecer que o carpinteiro realizou uma obra-prima. As articulações são perfeitas e, pelo menos, não serei vítima do reumatismo neste braço.

A amante de Lamerskeny endireitou-se bruscamente e ocultou os seios com as mãos.

— Tem alguém nos olhando... Um gigante!

Lamerskeny agarrou uma espada curta e levantou-se.

— Vós...

Ele soltou a arma.

— Vista-se, menina, e dê o fora.

— O gigante...

— O faraó do Egito não lhe deseja nada de mal. Agora deixe-nos a sós.

Assustada, a jovem desapareceu sem sequer apanhar as suas roupas.

— Uma nova conquista — constatou Piankhy. — Ela é deslumbrante.

— E mais uma nova derrota — lamentou Lamerskeny, que se serviu de um copo de cerveja. — Não consigo resistir a esse tipo de tentação, apesar dos meus desesperados esforços. Espero, ao menos, que não seja casada. Estais com sede, Majestade?

— Preciso de um conselho.

— Sério, Majestade? É uma brincadeira de mau gosto! Tendes o hábito de decidir sozinho e não vejo como poderia ajudar-vos a governar.

— Você não é um perito em matéria de combates?

Os olhos azul-claros do capitão de infantaria escureceram.

— Um combate... Não estais falando de uma verdadeira batalha, com verdadeiros soldados, verdadeiros confrontos, muitos mortos e feridos?

— Ainda não sei.

— Ah, eu bem que desconfiava! Afinal, não é nada de sério. O reino continua tão tranquilo como sempre e ocorreu uma simples desavença entre duas tribos. Vou voltar a dormir.

Piankhy empurrou as persianas de madeira para deixar entrar a luz.

— Majestade, bem sabeis que prefiro a penumbra!

— Sei que, mesmo permanecendo encerrado neste reduto para fazer amor com as mais belas moças de Napata, você se mantém a par de tudo e continua a ser o meu único perito militar digno de confiança.

— É verdade, e deveríeis ter me nomeado general há muito tempo!

— A hierarquia não aprecia o seu gosto exagerado pelas bebidas fortes, nem a sua paixão pelas mulheres, nem mesmo a sua forma de comandar. De um oficial superior é exigida boa conduta.

— A única boa conduta de um guerreiro é a vitória!

Era evidente que o capitão Lamerskeny não gostava nem um pouco de arrumar a casa. As tangas jaziam por todo lado, num caos que excluía qualquer tentativa de arrumação.

— Acha que é possível uma coligação das províncias do Norte?

— Inevitável.

— Por que essa certeza?

— Mesmo num ninho de vespas, um chefe acaba por impor-se.

— Quem desempenharia esse papel, na sua opinião?

— Só pode ser Tefnakt, o príncipe de Saís. O território dele é o maior de todos, e ele tem o melhor exército. Mais cedo ou mais tarde, ele tomará posse de todo o Delta e Mênfis também lhe abrirá as portas.

— E depois?

— Depois, Tefnakt se embriagará com essa vitória fácil e se considerará um chefe guerreiro, capaz de ir mais longe e de travar uma verdadeira batalha. Então será mais duro no comando, eliminará os opositores e se aventurará no Médio Egito.

— Você é vidente, capitão Lamerskeny.

— Tudo isso não aconteceu, não é?

— Infelizmente, sim. E, na sua opinião, até aonde irá Tefnakt?

Hesitante, Lamerskeny coçou o braço de madeira.

— Se ele quiser continuar a avançar, terá de estourar vários ferrolhos. Atacará primeiro... Heracleópolis.

— Por que essa escolha?

— Porque o príncipe Peftau tem sessenta anos e já não possui mais o vigor de outrora. Porque, com certeza, não saberá resistir a um ataque violento e maciço.

— No entanto, as muralhas de Heracleópolis são resistentes.

— Só aparentemente... A vigilância dos defensores diminuiu, e eles acreditam que basta o nome de Piankhy para garantir a sua proteção. Com todo o respeito, Majestade, estais muito longe da cena das operações, e um louco por guerra não se prenderá a essas considerações.

— Então, acha que Tefnakt é capaz de tomar Heracleópolis?

— Se conseguir, o sonho dele de conquista começará a tornar-se realidade. Tefnakt, o conquistador... Eis o que ele espera tornar-se e usará não importa que meios, mesmo os mais bárbaros, para atingir os seus fins.

— Heracleópolis caiu nas mãos de Tefnakt — confessou Piankhy.

Lamerskeny pousou o copo de cerveja sobre uma mesa baixa.

— Estais zombando de mim, Majestade?

— Não. Tefnakt conseguiu, como você supôs.

— E ele continuou?

— Parece que está consolidando a sua posição. Mas duvido das informações que recebo.

— Sim, ele a consolida... A partir de uma boa base na retaguarda, lançará outros ataques. A próxima etapa será Hermópolis.

— O príncipe Nemrod vai repeli-lo.

— Nemrod tem capacidade para isso, realmente. Mas o confronto promete ser duro. E se Tefnakt estiver decidido, se conseguir uma nova vitória, o caminho para Tebas estará aberto.

— O que sugere?

— É preciso alertar as nossas tropas estacionadas em Tebas e, conforme a situação evoluir, enviar reforços.

— Você vai partir para Tebas com Puarma, o chefe dos arqueiros, e assumirá o comando dessas tropas. O seu objetivo é deter Tefnakt.

— Majestade... Não suporto esse Puarma e sou apenas capitão... Os oficiais superiores de Tebas não aceitarão a minha autoridade!

— Terá uma ordem de missão, Lamerskeny. Está com medo de lutar?

O braço de madeira articulado caiu com violência em cima da mesa baixa e partiu-a em duas.

— Parto amanhã, Majestade.

19

Nartreb arrancou o menino da mãe, que desatou a chorar e tentou resistir. O semita o esbofeteou e afastou a mulher com um murro. Dois homens que tentaram interpor-se foram espancados pelos membros da milícia instalada por Yegeb.

Nartreb obrigou a criança a colocar a cabeça no tronco de uma árvore cortada e tirou a espada da bainha.

— Se se recusar a responder — disse Tefnakt a Aurora —, cortarei a cabeça desta criança. E outras virão depois dela.

— Você é um monstro!

— Engana-se, quero a felicidade do Egito. Para obtê-la, tenho de vencer Piankhy. E, para conseguir, preciso de armas. Fale, Aurora, ou este menino morrerá por culpa sua.

A jovem olhou Tefnakt de forma estranha.

— E se estiver mentindo?

— O que quer dizer?

— Seja o que for que eu lhe diga, matará essa criança e me matará em seguida.

Tefnakt sorriu.

— Você não entendeu, Aurora. Além do mais, não tem escolha: aposte no futuro.

— Qual é o futuro que quer construir?

— Este país está dividido, impotente, cada vez mais pobre por causa desse faraó negro que pretende governá-lo permanecendo nos confins da Núbia! Como você e os seus podem suportar esta tirania? Já conquistei o Delta e a grande cidade de Mênfis... Amanhã, vou tomar o Sul. Então, as Duas Terras serão de novo reunidas, e o povo me reconhecerá como faraó.

Nos olhos verdes da moça, a dúvida sucedeu à cólera.

— Está sendo sincero?

— Agora, conhece a minha única ambição.

— Venha comigo. Sozinho.

Yegeb interveio:

— Não dê ouvidos a essa mulher, senhor! Ela prepara uma cilada.

— Considera-me incapaz de me defender?

Aurora levou Tefnakt à casa do seu pai, passou pela cozinha e desceu uma escada de pedra que conduzia a um porão.

A jovem se ajoelhou e escavou a terra com as mãos até descobrir uma grande pedra, lacrada.

— As armas estão aqui embaixo.

Tefnakt soltou a pedra com o punhal e ergueu-a. Uma nova escada perdia-se nas profundezas.

O general acendeu uma tocha e entrou num subterrâneo cheio de arcos, flechas e lanças. Era tudo novo e de excelente qualidade Graças àquele material, a sua capacidade ofensiva aumentaria consideravelmente.

Uma lâmina cravou-se nas suas costas.

— Você matou o meu pai — lembrou Aurora com voz gelada —, e eu vou matá-lo!

— O seu pai morreu como um soldado, acreditava poder salvar a sua cidade e considerava-me seu inimigo. Estava enganado, mas louvo a coragem dele e mandarei gravar uma estela em sua memória. É uma pena... Com um pouco mais de lucidez, ele ficaria sob as minhas ordens, e eu lhe teria confiado um posto importante no novo Egito que estou construindo. Não fui eu que matei o seu pai, Aurora, foi esta guerra. Esta guerra indispensável que preciso terminar com êxito.

A ponta da lâmina enterrou-se mais, fazendo brotar um pouco de sangue.

— Se me matar, Aurora, lamentará durante toda a sua vida porque terá causado a infelicidade do seu povo. No fundo, sabe que sou o único que pode salvar este país da ruína e dar um sentido à morte do seu pai.

— Como se atreve!

— É a verdade, Aurora. Tenha coragem de admitir.

A lâmina hesitou e depois retirou-se suavemente, milímetro por milímetro.

Tefnakt encarou a jovem.

— Está disposta a ajudar-me, Aurora?

— Ajudá-lo? Mas eu...

— Você conhece bem a região e os seus dignitários. Graças a você, talvez evitemos combates sangrentos. Em vez de apodrecer numa prisão, não quer se tornar útil salvando inúmeras vidas?

— Eu, ajudá-lo...

— Seja qual for a sua decisão, atacarei Hermópolis. Se conseguir convencer o príncipe Nemrod a desistir de servir Piankhy e tornar-se meu aliado, muitos sofrimentos serão poupados à população.

Aurora mordeu os lábios. Os argumentos de Tefnakt haviam surtido efeito. Ela o odiava, mas ele fazia renascer a esperança no seu coração. E ela não suportava continuar naquele estado... Lavar-se, apagar os vestígios das pancadas e da desonra, recomeçar a luta, evitar um massacre...

Tefnakt não podia confessar a Aurora como ela o impressionava. O príncipe de Saís estava rodeado de um exército de cortesãs sempre desejosas de satisfazê-lo, mas ele não lhes prestava nenhuma atenção, dominado pelo projeto de conquista. Aurora não se parecia com elas. Era selvagem e rebelde, capaz de viver uma aventura fora do comum. Até então, Tefnakt não se tinha envolvido com uma mulher; uma vez coroado faraó, teria de associar ao trono uma grande esposa real. E só Aurora seria digna dessa função.

Os chefes líbios continuavam a festejar. Quem poderia imaginar que se banqueteariam noites seguidas no palácio do príncipe de Heracleópolis, vassalo do faraó negro? Forçado a aceitar a sua sorte, Peftau participava dos festejos. Ordenara aos seus oficiais e soldados que obedecessem a Tefnakt incondicionalmente. Visto que a autoridade suprema havia mudado, de nada adiantaria opor-se.

Yegeb observava cada um dos convivas. Se um dentre eles se preparasse para trair Tefnakt, ele o saberia. Quanto a Nartreb, ele comia com avidez e esvaziava várias taças de um vinho branco dos oásis sem misturá-lo com água.

— O que acha de Peftau, Yegeb?

— Na idade dele, procura acima de tudo evitar aborrecimentos e preservar o próprio conforto. Já que Tefnakt é o mais forte, ele toma o partido dele cegamente.

— O general não devia se deixar enfeitiçar por essa Aurora... As mulheres enfraquecem os guerreiros. E ela nunca deixará de odiá-lo.

— Não tenho tanta certeza, Nartreb. Tefnakt a fascina. E, afinal, não é ele o seu único futuro?

— Mesmo assim, é preciso vigiá-la de perto.

— Há alguém que me preocupa mais.

— Quem?

— O príncipe Akanosh. Parece um homem inquieto, desiludido e não demonstra nenhum entusiasmo pela nossa guerra de conquista.

— Akanosh não contestou a autoridade de Tefnakt!

— Ele é mais sutil... Também é preciso vigiá-lo de perto.

Envergando uma couraça, Tefnakt entrou na sala do banquete. Precisou de alguns segundos para obter silêncio. Mesmo os mais embriagados ouviram a sua declaração:

— O nosso armamento foi reforçado, e as nossas tropas tiveram tempo de repousar. Chegou o momento de partir de novo para o combate. Antes de nos lançarmos mais para o sul, devemos controlar todo o Médio Egito e nos apoderarmos da cidade de Hermópolis, das suas armas e das suas riquezas. Vamos tentar convencer o príncipe Nemrod a render-se. Se recusar, sitiaremos Hermópolis.

20

O capitão Lamerskeny estava furioso. Organizar uma expedição para ir a Tebas revelava-se uma tarefa irrealizável! Os serviços da intendência se recusavam a tomar qualquer iniciativa, e cada escriba se remetia ao seu superior, que se declarava incompetente para decidir.

Só restava ao capitão forçar a porta de Cabeça-Fria para obter explicações claras. O rei queria ou não uma intervenção armada contra Tefnakt?

Lamerskeny teve a desagradável surpresa de encontrar Puarma, o capitão dos arqueiros, no escritório do escriba. Este pôs em evidência a sua musculatura, como para provar ao rival que a força estava do seu lado.

— Lamento revê-lo, Puarma.

— Por que saiu do seu antro? Parece que não consegue curar a bebedeira.

— É melhor ser bêbado do que fanfarrão e estúpido.

— Vamos lá fora para lutar, e sem armas!

— Basta — interveio Cabeça-Fria. — É contra o inimigo que deverão lutar, e juntos!

— Eu estou pronto — afirmou Lamerskeny, altivo. — Por que este incapaz me cria dificuldades?

Puarma encarou o capitão de infantaria, estupefato.

— O que foi que disse? Eu recebi uma ordem: partir para Tebas.

Um ricto deformou os lábios de Lamerskeny.

— Eu sei que devemos colaborar um com o outro.

— Eu me recuso!

— Um oficial não tem nada que recusar as ordens de Vossa Majestade — cortou Cabeça-Fria, indignado com o comportamento do capitão dos arqueiros. — Mais uma insubordinação dessas e irá defender-se perante um conselho de guerra!

A aparência desolada de Puarma deixou Lamerskeny encantado.

— Quem será o superior, de nós dois?

— Vocês têm a mesma graduação, um na infantaria e o outro no regimento dos arqueiros. Durante a viagem, terão de se entender. Em Tebas, entregarão a ordem de missão ao comandante das nossas tropas.

— Por que não partimos imediatamente?

— Por causa de uma mensagem recente que acabamos de receber — revelou Cabeça-Fria. — Parece que Tefnakt é menos ambicioso do que imaginávamos. Ele saiu de Heracleópolis e voltou para o Norte.

Lamerskeny ficou profundamente decepcionado.

— Ora vejam! A guerra acabou antes de começar... Esse Tefnakt não é de nada!

— No entanto, continuamos de prontidão — especificou o escriba. — Em que estado o inimigo terá deixado Heracleópolis? Se o príncipe Peftau não conseguir restabelecer a ordem e proclamar novamente a sua cidade como vassala de Piankhy, vamos intervir. O faraó não deixará o Médio Egito afundar na anarquia.

— Em outras palavras, ainda temos de esperar — lamentou-se Lamerskeny.

— Os meus arqueiros vão recomeçar o treinamento — afirmou Puarma.

— Com certeza é do que precisam. Quanto aos meus soldados, eles já estão prontos para marchar.

Chepena,* a filha do faraó negro, era uma magnífica jovem de vinte anos, de tez acobreada como a mãe, esguia e extremamente elegante. Havia sido iniciada nos mistérios da deusa Mut, a esposa

* O seu nome completo era Chep-em-Upet, "o Dom da deusa Upet (a fecundidade espiritual)".

de Amon, ainda muito jovem. Ao contrário das moças da sua idade, não passava a maior parte do tempo nadando, dançando, tocando música e se deixando cortejar pelos rapazes. Nas oficinas do templo, onde inicialmente servira de assistente a um ritualista, ela havia descoberto uma paixão: a fabricação de perfumes.

Tivera que passar por um terrível exame, diante de um velho sacerdote perfumista que a criticara severamente antes de reconhecer os seus dons. Desejoso de gozar a aposentadoria numa pequena casa funcional, à sombra do Gebel Barkal, consentira em revelar-lhe os segredos da profissão, fazendo-a ganhar, assim, anos de investigação e tentativas.

Chepena agradecera ao especialista e aos deuses por lhe concederem essa graça, e sentira-se em dívida para com eles. Daí em diante, consagraria a sua vida em melhorar constantemente os perfumes destinados aos santuários e às estátuas divinas. Quando as pessoas entrassem no templo, odores maravilhosos encantariam suas almas e as tornariam leves como um pássaro.

Como o reino de Napata era rico e Piankhy exigia que as divindades fossem servidas na perfeição, Chepena tinha à sua disposição os produtos mais raros e mais caros, como a mirra do Iêmen, chamada de "as lágrimas de Hórus", o incenso do país de Punt ou o óleo de *moringa*, suave, incolor e que nunca ficava rançoso. Ela havia recebido uma grande quantidade de estoraque, importado da Síria, indispensável para fixar as fragrâncias. E o seu estoque tinha abundância de óleo de linho e de balanita, gordura de boi, gomas-resinas, bálsamos, gálbano da Pérsia, essências de rosa e lírio e sal para secar as preparações.

Para a próxima festa de Amon, Chepena decidira encher alguns frascos com o mais maravilhoso dos perfumes, o *kyphi*, tão difícil de conseguir. Só os mestres perfumistas se lançavam nesta aventura que, muitas vezes, terminava em fracasso. De acordo com as antigas fórmulas, esse perfume era composto de dez ou doze produtos, e alguns especialistas chegavam a usar dezesseis. Chepena havia escolhido bagas de zimbro, junça odorífica, mirra seca, lentisco, cascas aromáticas, resina, junco da Fenícia, estoraque, orcaneta, feno-grego e pistache. Respeitando escrupulosamente as proporções exatas, esmagara tudo, demorada e cuidadosamente, com um almofariz, e depois peneirara o produto, obtendo três quintos da massa inicial. Verificara a fineza do pó e misturara com um vinho excepcional, antes de cozinhar mel, resina e serpentina, adicionados, por fim, ao pó aromatizado.

— Você conseguiu? — perguntou-lhe Piankhy.

— Majestade, a sua visita é uma honra.

— Falam tão bem do seu laboratório que quis verificar por mim mesmo.

Chepena destampou um frasco.

De imediato, o rei sentiu-se transportado para um mundo irreal onde não existiam provações nem sofrimentos. O poder do *kyphi* preparado pela sua filha era melhor do que tudo o que conhecera até então.

— Você é uma maga, Chepena.

— Haverá tarefa mais exaltante do que trabalhar para dar satisfação aos deuses?

Piankhy tentou esquecer a atração do perfume.

— Talvez pudesse servi-los de maneira mais gloriosa e eficaz.

Uma ruga de contrariedade vincou a testa da jovem.

— Terei de abandonar a minha profissão de perfumista?

— Claro que não... Mas terá de acrescentar outras funções igualmente exigentes.

— Pai, não compreendo!

— A sua tia, a Divina Adoradora de Tebas, está velha e muito doente. Ela já não consegue dirigir todos os templos de Karnak como convém. Chegou o momento de escolher quem a sucederá para que ela a adote e lhe transmita os segredos e os deveres do seu cargo.

Chepena empalideceu.

— Pai... a Divina Adoradora é uma rainha que governa uma cidade-templo e dá diretrizes a milhares de pessoas! Eu gosto de solidão e reino apenas no meu laboratório, longe das preocupações quotidianas.

Piankhy envolveu Chepena com os seus braços fortes.

— Eu escolhi você, minha filha adorada.

21

Próximo dos cinquenta anos, o príncipe Nemrod orgulhava-se de si mesmo e dos seus sucessos. A sua vida havia sido uma longa sequência de momentos felizes, desde a infância alegre num palácio maravilhoso onde fora mimado por servos dedicados, até o dia em que herdara do pai a rica e cobiçada cidade de Hermópolis.

Classificado em primeiro lugar na escola de escribas, excelente manejador de arco, cavaleiro emérito, dotado de uma saúde de ferro, Nemrod sempre seduzira facilmente as mais belas mulheres. Ele não suportava uma amante por mais de seis meses e, mesmo assim, ela devia ser silenciosa e não importuná-lo. Para não chocar a moral convencional, Nemrod desposara uma aristocrata, que permanecia confinada nos seus aposentos e se contentava com a sua luxuosa ociosidade.

Para dizer a verdade, o príncipe aborrecia-se. Era em Mênfis que gostaria de reinar; lá, a vida era animada, a influência do Norte ia num crescendo, era fácil lançar-se em negócios mais ou menos escusos onde a antiga lei de Maat não tinha lugar. Ali, em Hermópolis, a cidade sagrada de Toth, o deus que revelara aos homens o segredo dos hieróglifos e das ciências sagradas, a tradição era sufocante.

O grande templo de Toth, quase tão vasto como o de Amon-Rá em Karnak, abrigava sábios de alta linhagem: ritualistas que se inspiravam nos textos antigos, astrônomos e astrólogos, médicos e cirurgiões, mágicos, perfumistas e arquitetos aprofundavam diariamente as suas pesquisas, que deixavam Nemrod indiferente.

Obrigado a receber os representantes desses eruditos de vez em quando, fingia ouvir com atenção os seus aborrecidos discursos, enquanto sonhava com a fêmea maravilhosa que teria na sua cama à noite, após uma suculenta refeição. No dia seguinte, ele passearia de carro pela décima quinta província do Alto Egito, sob a sua jurisdição, ou navegaria de barco pelo Nilo, bebendo cerveja doce.

Nemrod entregava todos os dias o corpo ao massagista, ao barbeiro, ao cabeleireiro, ao manicuro e ao pedicuro. Escolhendo pessoalmente as suas perucas, as roupas e os perfumes, espreitava o menor sinal de envelhecimento. Graças aos bálsamos que uma serva aplicava na sua pele com delicadeza, nenhuma ruga afligia o príncipe.

A técnica dos escribas da sua administração poupava a Nemrod qualquer preocupação com a gestão; a sua província era fértil, o controle das colheitas, rigoroso, e os impostos, satisfatoriamente recebidos. Por isso, o príncipe contentava-se com um exame superficial dos relatórios cheio de cifras que lhe eram entregues e que não tinham nenhum erro.

A sua única preocupação era a manutenção do regimento que Piankhy colocara sob as suas ordens. Ele era composto de arqueiros de elite e de soldados da infantaria experientes, capazes de repelir um assalto. A intervalos regulares, Nemrod mandava reforçar as fortificações mantidas pela engenharia.

Era uma vida calma, calma demais... O Egito estava bloqueado. Ao norte, os príncipes líbios e a anarquia; ao sul, a cidade santa de Tebas, tão encerrada nas suas tradições quanto Hermópolis. E nas solidões da Núbia, longe da civilização, estava Piankhy, cuja fama bastava para assustar os adversários.

Quando soubera do ataque a Heracleópolis, Nemrod não havia acreditado. Mais uma das costumeiras fanfarrices dos líbios! E, depois, a confirmação... Peftau não fora capaz de resistir a Tefnakt.

Tefnakt... Nemrod nunca poderia imaginar o impulsivo príncipe de Saís como chefe de uma coligação e brilhante estrategista! E a sua avaliação estava correta, pois ele não se atrevera a atacar Hermópolis. Depois de um período de repouso e de bebedeiras em

Heracleópolis, o exército líbio não avançara para a região tebana onde as tropas de Piankhy o teriam feito em pedaços, e havia retomado o caminho do Delta.

Em conclusão, um episódio sem importância. Heracleópolis voltaria a ser governada por Peftau, que se proclamaria novamente súdito do faraó negro, e o imobilismo voltaria a ter força de lei.

Nemrod continuaria a suportar as lamúrias dos camponeses e artesãos que se queixavam do aumento dos impostos e das condições de trabalho, cada vez mais difíceis. Responderia endurecendo a legislação e, à menor tentativa de insurreição, enviaria a polícia para restabelecer a ordem. Em suma, um aborrecimento.

Nemrod escolhia um vinho para o jantar quando o seu chefe do estado-maior pediu uma audiência. O homem tinha sangue-frio; não desrespeitaria assim o protocolo sem um motivo sério.

— Príncipe Nemrod, estamos cercados!

— Não é possível... O exército de Piankhy, só pode ser o exército de Piankhy que veio proteger-nos!

— Não são soldados núbios.

— Mas, então...

— É o exército de Tefnakt. Pus as tropas em estado de alerta.

— Somos realmente capazes de nos defender?

— Os invasores são numerosos, mas poderemos resistir. As cisternas estão cheias, e as reservas de alimentos são abundantes. Como perderão muitos homens, talvez eles desistam.

— Todos a seus postos.

Quando a jovem envergando uma longa túnica verde de alças e usando uma peruca negra muito sóbria avançou sozinha para as grandes portas fortificadas de Hermópolis, os arqueiros, embaraçados, esperaram por ordens.

Aurora foi conduzida sob escolta ao palácio de Nemrod.

— Quem é você?

— A filha de um oficial de Heracleópolis morto por Tefnakt.

— E... Ele a libertou?

— Sou a sua embaixadora.

— Está zombando de mim?

— Os soldados de Heracleópolis estão agora sob as ordens de Tefnakt, que decidiu apoderar-se da sua cidade.

— Não é muita presunção da parte dele?

— Pode acreditar que sim, príncipe Nemrod, mas fazer com que mude de opinião é o objetivo da minha missão. Compreendi que Tefnakt procura salvar o Egito da decadência e devolver-lhe a grandeza de outrora. Se continuar a servir Piankhy, a sua cidade será destruída, e você desaparecerá com ela.

— Que outra opção Tefnakt me propõe?

— Abra as portas de Hermópolis e torne-se seu aliado. Os seus soldados ficarão sob o comando dele, e a guerra de reconquista seguirá para o sul, para Tebas.

— Uma tentativa de intimidação interessante, minha jovem... Mas Hermópolis resistirá ao ataque.

— Tefnakt está decidido. Irá até ao fim, sejam quais forem as suas perdas. Hermópolis deve cair, Hermópolis cairá.

— Se lhe oferecer a minha cidade, Tefnakt me eliminará.

— O príncipe Peftau está bem vivo e ainda governa Heracleópolis. Por que continuar a suportar o jugo de Piankhy, que nunca sai da sua Núbia e não se interessa pelo futuro do Egito, reduzindo-o ao estado de escravidão? É por causa dele que a prosperidade desapareceu e que o marasmo se acentuou. Sob o reinado de Tefnakt, as Duas Terras recuperarão a unidade perdida e os que o tiverem ajudado a triunfar serão recompensados.

Nemrod refletiu. De fato, o faraó negro não passava de um tirano distante ao qual, definitivamente, não teria mais contas a prestar. É verdade que havia jurado a Piankhy permanecer fiel em quaisquer circunstâncias... Mas a situação de emergência liberava-o do juramento prestado levianamente. Tefnakt estava às portas de Hermópolis, tinha um projeto grandioso e permitiria a Nemrod se livrar do aborrecimento e iniciar outra vida, muito mais engrandecedora.

— Você é uma embaixadora muito convincente — disse Nemrod a Aurora. — Não haverá derramamento de sangue, abrirei as portas de Hermópolis ao exército de Tefnakt e ficarei sob o comando dele.

22

Tefnakt entrou em Hermópolis à frente das suas tropas, aclamadas pela população da cidade à qual o príncipe Nemrod se dirigira uma hora antes, para anunciar que evitara um sangrento conflito e que o futuro prometia ser risonho. As dificuldades cotidianas, o aumento dos impostos, a inflação, as más cheias, as doenças das crianças... Todas essas desgraças eram causadas por um único homem: Piankhy, o faraó negro. Nemrod lutara em vão durante vários anos para escapar da tirania dele; graças a Tefnakt, o futuro faraó do Egito, o povo conheceria uma nova era de prosperidade.

"Por que esses coitados são tão crédulos?", interrogava-se Akanosh, cujo cavalo trotava ao lado dos outros príncipes líbios, encantados com aquela vitória fácil devida ao gênio militar de Tefnakt, cuja autoridade ninguém pensava mais em contestar. Ao se apoderar de Hermópolis, ele se tornava senhor do Médio Egito, garantia a colaboração de escribas notáveis e aumentava de forma considerável o poderio do seu exército.

Desta vez, não se podia falar de um simples ataque surpresa ou de uma façanha sem futuro. Tefnakt adquiria verdadeiramente a estatura de um conquistador. E uma outra pergunta obcecava Akanosh: "Por que razão Piankhy não reagia?" Ou não recebera a sua mensagem ou não avaliava a gravidade do perigo.

A partir de agora, o caminho de Tebas estava aberto.

Nemrod havia preparado para o seu novo senhor uma recepção digna de um chefe de Estado: um quiosque com elegantes colunetas de madeira dourada para protegê-lo do sol, trono com patas de leão decorado com palmas, banquinho esculpido na forma de um núbio deitado por terra e subjugado para pousar os pés... A mensagem era clara: o príncipe de Hermópolis considerava o seu vencedor como o novo faraó do Egito, ao qual só faltavam os rituais oficiais de coroação.

Usando uma peruca, perfumado com essência de rosas, adornado com um longo colar de turquesas sobre a túnica de linho fino e calçando elegantes sandálias, Nemrod inclinou-se perante Tefnakt.

— Esta cidade é sua a partir de agora, senhor. Ordene e obedecerei, se me conceder o imenso privilégio de continuar a governá-la.

— É um homem razoável, Nemrod. Em tempo de guerra, é uma virtude rara e preciosa. Quem melhor do que você conhece esta antiga e gloriosa cidade?

Nemrod ajoelhou e beijou as perneiras de Tefnakt, que estava vestido com uma couraça e um capacete.

— Obrigado, senhor. Pode contar com a minha absoluta fidelidade.

— Levante-se, vassalo.

O príncipe de Hermópolis lançou um olhar a Aurora, que se mantinha um passo atrás de Tefnakt.

— A inteligência e a beleza da sua embaixadora...

— Ela é muito mais do que isso, Nemrod. Aurora será a futura rainha do Egito.

Um sorriso surpreso e, ao mesmo tempo, encantado iluminou o rosto da jovem. A ferida provocada pela morte do pai ainda estava aberta, porém ela sucumbia sob o encanto daquele conquistador, convencida da justeza da sua causa. Ele despertara nela o mesmo fogo e, embora o ódio não houvesse desaparecido do seu coração e rivalizasse com uma admiração próxima do amor, desejava ajudá-lo. Tefnakt não a enganara: graças à sua intervenção, milhares de vidas haviam sido poupadas. No dia seguinte, em Tebas, Aurora faria a mesma tentativa diplomática. Talvez a Divina Adoradora compreendesse que o faraó negro era um mau senhor e que opor-se a Tefnakt era o mesmo que trair o Egito.

Tornar-se rainha... Este pensamento deslizou em Aurora como um bálsamo. Ela, que sempre vivera o momento presente sem nunca pensar no futuro, perdia repentinamente a inconsciência da infância. Um medo real, é verdade, mas um grande desejo de viver, de ser útil, de sentir a mesma determinação de Tefnakt!

No primeiro banquete organizado para celebrar a libertação de Hermópolis, Aurora foi colocada à esquerda de Tefnakt. Aos olhos de todos, o conquistador indicava o lugar atribuído à jovem. Apesar da atração que sentia, Nemrod evitou fazer-lhe a corte.

— Lamento abordar assim tão depressa as coisas sérias e aborrecidas — murmurou Nemrod ao ouvido de Tefnakt —, mas no que se refere ao sistema de impostos preconizado por Piankhy... Deseja alterá-lo?

— Por enquanto, é a economia de guerra que prevalece. Os meus conselheiros Yegeb e Nartreb irão informá-lo das suas exigências e acertarão os detalhes com você.

— No que se refere às minhas retiradas...

— Visto que agiu bem, pode aumentá-las. O seu armamento, como está?

— Cuidadosamente conservado.

— Os seus soldados estão prontos para combater?

— Arqueiros de elite e soldados de carreira... Profissionais de primeira qualidade que infligirão grandes perdas aos núbios.

— Goze a sua fortuna, Nemrod, e não se preocupe mais com nada.

* * *

A esposa núbia de Akanosh chorava.

— Yegeb e Nartreb aplicam aqui os mesmos métodos de Heracleópolis. Os velhos e os doentes são sistematicamente exterminados, assim como aqueles que se atrevem a formular qualquer dúvida sobre os planos de Tefnakt. Mas por que Piankhy continua em silêncio? Deveria enviar o seu exército tebano para destruir esses monstros!

Akanosh estava acabrunhado.

— Talvez o sacerdote tebano que devia informá-lo não tenha chegado a Napata. Eu mesmo terei de executar essa missão.

Ela o abraçou.

— Não, Akanosh! Não o deixarão sair desta cidade, desconfiarão de você, será detido e torturado!

O príncipe líbio baixou a cabeça.

— Tem razão, seria loucura. Mas há uma possibilidade: os sacerdotes de Toth não podem aceitar esta situação!

— Você conhece algum?

— Não, mas temos de correr o risco. Vá queixar-se no laboratório do templo. Diga-lhes que a casa que nos foi atribuída está infestada de pulgas e que precisamos de óleo essencial de poejo, a hortelã-brava, para nos livrarmos delas. Diante da minha posição e do produto solicitado, eles nos mandarão um especialista.

O especialista era um sacerdote de idade madura que trazia um frasco de óleo de poejo com o maior cuidado. Deslocando-se lentamente, inspecionou as salas de visita da vila de Akanosh.

— Príncipe, estou espantado... Esta vila parece estar em perfeito estado e não detecto a presença de pulgas.

Akanosh foi direto ao assunto:

— Continua a ser fiel a Piankhy?

— Responder poderia custar-me a vida...

— Não desconfie de mim. Sou um chefe de clã líbio, é verdade, e obedeço a Tefnakt. Se for necessário, combaterei ao lado dele. Mas não posso admitir que os seus esbirros se comportem como torturadores e martirizem a população. Portanto, acho necessário avisar Piankhy. Talvez uma guerra implacável seja travada, ou, como espero, talvez a situação fique novamente estável. Pelo menos, os civis serão poupados e a tirania de Tefnakt não se espalhará.

— Você não será acusado de alta traição?

— Ouço a voz da minha consciência. O templo de Toth poderia enviar uma mensagem a Piankhy para avisá-lo de que Hermópolis caiu nas mãos de Tefnakt?

— Pegue este frasco de óleo de poejo, Akanosh, e espalhe o conteúdo na sua casa. Não fui chamado para lutar contra uma espécie nociva?

23

Piankhy abriu o frasco de vidro, um dos objetos mais preciosos que a filha lhe havia oferecido. O seu *kyphi* era realmente excepcional! Será que os deuses não respiravam aquele perfume nos paraísos do outro mundo, onde o espinho não feria, e o crocodilo não mordia?

Abilé segurou delicadamente o frasco e perfumou o torso vigoroso de Piankhy.

— Este aroma é envolvente...

A rainha aninhou o corpo nu contra o do marido. Ela era todas as flores e todas as essências, o encanto das margens do Nilo, a magia de uma terra fecunda, fascinante e ensolarada.

— Só amei uma única mulher, e só amarei uma.

— Acredito em você, porque sei que a sua palavra é verdadeira.

Com os dedos longos e finos como os de uma deusa, Abilé desatou a tanga de Piankhy. E o faraó negro saboreou, com a mesma emoção da sua primeira união, o perfume inimitável do corpo apaixonado.

Cabeça-Fria não sabia o que fazer. Os guardas não lhe haviam proibido o acesso aos aposentos particulares do monarca, mas deveria despertar o rei e a rainha, nus e abraçados, para lhes anunciar a má notícia?

No entanto, o anão era um escriba a serviço do Estado e não devia respeitar nenhum privilégio. Portanto, tocou na cabeça do monarca.

— Majestade, acordai...

Piankhy abriu um olho.

— É você, Cabeça-Fria... Mas o que faz aqui?

— Lamento, mas é muito urgente!

O faraó contemplou o corpo admirável da esposa. Não teria o direito, como qualquer homem, de esquecer o peso do mundo na companhia da mulher que amava?

Abilé acordou e se levantou. Com o andar de uma nobreza inimitável, sublime na sua nudez, dirigiu-se com passo ligeiro para a sala de banhos.

— Cabeça-Fria... se me incomodou por nada, esquecerei a nossa amizade!

— Embora ela seja inestimável, Majestade, eu a sacrificaria à causa da paz se esta ainda pudesse ser salva.

— Notícias do Médio Egito?

— Infelizmente, sim!

O mensageiro enviado pelo templo de Toth era um homem jovem, de olhar direto e pernas musculosas.

— De onde você vem? — perguntou Piankhy.

— De Hermópolis.

— Quem o mandou?

— O sumo sacerdote do templo de Toth.

— Como se chama o vale onde foi construído esse santuário?

— O Vale das Tamargueiras.

— O que fabrica a oficina que fica perto da entrada do templo?

— Paletas de escriba.

— Qual é o nome sagrado de Hermópolis?

— A cidade da Ogdóade, os oito deuses que criaram o mundo e que agora repousam em Tebas.

Piankhy ficou tranquilo: o mensageiro não era um impostor.

— Por que falou de "catástrofe" a Cabeça-Fria?

— Porque o príncipe Nemrod vos traiu abrindo as portas de Hermópolis a Tefnakt.

— É difícil de acreditar... Nemrod me jurou fidelidade e tinha capacidade para resistir.

— No entanto, é a verdade, Majestade! Nemrod arrasou as muralhas da sua cidade, esqueceu a sua palavra para se tornar vassalo de Tefnakt. Não hesitou em oferecer a ele os tesouros de Hermópolis e colocar os seus soldados sob o comando do líbio. Perdoai o meu sentimento de revolta, Majestade, mas durante quanto tempo ficareis em silêncio, enquanto Tefnakt estende as suas conquistas sem encontrar ninguém que se oponha a ele? É a vossa reputação que cria o vosso poder, Majestade, só ela dissuadirá os adversários de devastarem o Egito.

O cavalo de crina fulva levou Piankhy bem para o interior do deserto. O faraó negro devorou o espaço, alimentou-se do ar límpido e comungou com o azul absoluto do céu. Compreendendo a perturbação do seu dono, Valente mudava o andar e direção antes mesmo de receber as ordens. O homem e o cavalo formavam um todo, absorvidos no esforço violento e acompanhados pelos voos dos íbis-brancos e de grous-coroados.

Finalmente, Piankhy parou perto de um poço.

Deu de beber a Valente antes de ele próprio matar a sede e depois admirou o deserto. Nada conspurcava aquela imensidão que se oferecia ao sol e ao vento. Nenhum ser perverso podia perturbar aquela harmonia criada pelo deus oculto, cuja presença se afirmava além de qualquer entendimento humano.

Piankhy meditou durante horas.

Os seus lábios murmuraram as antigas orações que os seus antecessores haviam dirigido a Amon:

"Deus perfeito, Tu dás a vida a todos os seres. Eu o saúdo, Único, senhor de Maat, que atravessa em paz o céu longínquo. Tu fazes nascer a luz e a Tua palavra é o Verbo. O meu coração deseja acolher o um que permanece único criando o múltiplo. Como é doce pronunciar o Teu nome, pois tem o gosto da vida! Tu és boiadeiro que conduz os bois às pastagens, a porta de bronze que protege a cidade, o barqueiro que conhece os meandros do rio. Tu és Amon, senhor do silêncio, que te revelas aos humildes. Tu, que dás o fôlego a quem dele precisa, salva-me, pois estou mergulhado na aflição e na incerteza."

Quando o sol declinou, o faraó negro retomou o caminho da capital.

Por ordem de Piankhy, o sacerdote de Toth repetiu perante toda a corte reunida o que havia revelado ao rei.

Os rostos se ensombreceram, exceto o do capitão Lamerskeny, que entrevia amanhãs alegres quando poderia massacrar os líbios legalmente. A sua presença chocava muitos dignitários, desagradavelmente surpreendidos pela honra concedida àquele brigão sem lei nem grei.

— O que tencionais fazer, Majestade? — interrogou Otoku, subitamente sem apetite.

— Temos de aceitar o óbvio: a tomada de Heracleópolis não era uma ocorrência isolada, e Nemrod é um traidor da pior espécie. Ao oferecer a cidade a Tefnakt, fez dele um inimigo temível, que teremos de combater até o limite das nossas forças.

O homem obeso receara ouvir essas palavras.

— Espero, Majestade, que não estejais pensando em sair de Napata à frente de um exército! A vossa presença aqui é indispensável e não tendes o direito de arriscar a vida!

— Concordo com Otoku — declarou a rainha Abilé. — Os distúrbios ocorridos no Médio Egito adquiriram uma dimensão inquietante por causa da traição de Nemrod, mas uma intervenção rápida das nossas tropas baseadas em Tebas deverá bastar para restabelecer a ordem.

— Acrescentarei um corpo expedicionário comandado pelos capitães Puarma e Lamerskeny — declarou Piankhy. — Eles têm como missão libertar as cidades de Heracleópolis e Hermópolis, desmembrar a coligação inimiga e rechaçar definitivamente os fugitivos para o Norte.

Otoku ficou aliviado. O rei permaneceria na capital e deixaria que os seus soldados de elite tratassem de acabar com uma sedição sem futuro.

24

Nemrod estava encantado. Não somente conservava todas as suas prerrogativas, como ainda ficara livre de preocupações materiais. Nartreb e Yegeb, os dois conselheiros de

Tefnakt, ocupavam-se perfeitamente dos assuntos da cidade, que exploravam sistematicamente com grande determinação. Nenhum aspecto da vida pública lhes escapava e até haviam endurecido os métodos aplicados em Heracleópolis.

Por ordem de Tefnakt, as duas almas danadas haviam transformado Hermópolis numa gigantesca caserna onde todos os habitantes, das crianças aos velhos, faziam algum trabalho para o exército. Os combatentes das tropas de libertação deviam ser mimados e satisfeitos os seus mínimos desejos. Que mães de família fossem obrigadas a se prostituir e crianças de dez anos a carregar pesados cestos com alimentos não incomodava Yegeb nem Nartreb. Os imperativos da economia de guerra não se discutiam. Suprimidas as bocas inúteis, toda Hermópolis estava pronta para o combate.

Tefnakt reuniu o conselho de guerra na sala de banquetes do palácio. Estavam presentes Nemrod, o príncipe da cidade, Yegeb, Nartreb, os chefes de clã líbios, o príncipe Peftau de Heracleópolis e Aurora, cuja presença desagradava à maioria dos participantes. Mas ninguém criticava as decisões do general.

— Temos novidades provenientes de Tebas?

— Sim, meu senhor — apressou-se a responder Yegeb. — Os nossos partidários lá são cada vez mais numerosos. Com a tomada de Hermópolis, eles compreenderam que a reconquista havia começado realmente e que a esperança de reunificação das Duas Terras não era uma utopia.

— Você tem espiões infiltrados?

— Temos alguns informantes dignos de confiança. Eles têm de ser extremamente prudentes, pois Tebas ainda proclama em alto e bom som a sua fidelidade a Piankhy.

— O que eles disseram?

— O faraó negro acaba de reagir enviando um corpo expedicionário a Tebas.

Os rostos se fecharam.

Até agora, as vitórias haviam sido fáceis e rápidas. Enfrentar os temíveis guerreiros núbios, de lendária crueldade, não alegrava ninguém.

— E se negociássemos? — avançou o príncipe Peftau com voz trêmula.

— O que propõe?

— Senhor Tefnakt, já conquistou duas grandes cidades e é atualmente o senhor do Médio Egito. Se Piankhy o reconhecer, por que ir mais longe? Uma conversa entre embaixadores ratificará esta nova situação.

— Você não compreendeu o sentido do meu combate, Peftau! Não me interessa ampliar o meu território. O que quero é um Egito unido como outrora, um Egito que voltará a ser o primeiro império do mundo mediterrâneo! Piankhy negociará comigo quando as tropas dele forem exterminadas e quando for condenado à solidão e à miséria na Núbia, que o Egito controlará de novo e cujas riquezas explorará. Mas não cometerei o erro de poupar a vida desse usurpador! Um rebelde núbio não merece nenhuma indulgência.

O príncipe Peftau não insistiu.

— Se Piankhy enviou um corpo expedicionário — avaliou Aurora, tomando a palavra para surpresa geral —, não é nem para negociar nem para fazer a paz. Certamente terá escolhido os seus melhores homens para conduzirem à batalha as tropas estacionadas em Tebas.

— Não será uma mulher que nos dará lições de estratégia — protestou um chefe de clã líbio.

— Por que não? Esta me parece excelente — considerou Tefnakt.

— Então, vamos marchar para Tebas e atacá-la!

— Estúpido! — cortou Aurora. — Esbarraríamos com as tropas de Piankhy, e o resultado do confronto seria incerto. Ao contrário, vamos esperá-las! Serão obrigadas a dividir-se e apenas uma parte dos seus homens tentará retomar Hermópolis, para não desguarnecer Tebas e deixá-la sem defesa. Compete-nos preparar um dispositivo militar que nos garanta a vitória. Então, e só então, tomaremos o caminho de Tebas, cujas possibilidades de resistência estarão consideravelmente diminuídas.

Os chefes de clã resmungaram, alguns encolheram os ombros, mas muitos tiveram de admitir que a análise da jovem era pertinente.

— Por que você mandou destruir parte das muralhas de Hermópolis? — perguntou Akanosh a Tefnakt.

— Para convencer o inimigo de que a cidade foi devastada e que pode entrar nela facilmente. Uma vez dentro dela, os soldados de Piankhy serão apanhados na armadilha.

O general desenrolou um papiro no qual estava desenhado um mapa muito preciso da região.

— O resto do corpo expedicionário será atacado pelos dois lados na planície e prepararemos várias emboscadas ao longo das colinas para impedir qualquer possibilidade de retirada. Piankhy não sabe nada da arte da guerra, ele acredita que a força brutal basta para vencer qualquer combate. Chegou o momento de lhe dar uma boa lição.

— Não há o risco de a população se revoltar contra nós? — interrogou Akanosh.

— Qual o motivo dessa preocupação? — espantou-se Tefnakt.

— Nós a tratamos tão duramente!

— É a guerra, príncipe Akanosh. Qualquer sinal de fraqueza incitaria os civis a desobedecer. Os meus dois conselheiros fazem um excelente trabalho.

Yegeb falou com um ligeiro sorriso:

— Graças a nós, essas pessoas sentem que são governadas e que estão protegidas. O que pedimos ao povo? Que obedeça a Tefnakt e lhe conceda a sua confiança, nada mais. E todos sabem que agimos para o bem deles, mesmo que não compreendam de imediato os sacrifícios que exigimos.

Akanosh desafiou o hipócrita com o olhar, mas não se atreveu a dirigir-lhe as censuras que lhe iam no coração.

— Quem propõe outra estratégia? — perguntou Tefnakt.

Nenhum chefe de clã quebrou o silêncio.

— Vamos então fazer um treino intensivo com os nossos diversos regimentos do exército nos locais onde irão intervir, de acordo com os planos que vou mostrar. No dia do confronto, não tolerarei a menor hesitação. Ao trabalho.

Nartreb mascava um pedaço de papiro, Yegeb fazia as suas contas.

— Começamos a enriquecer, amigo. Graças aos plenos poderes que Tefnakt nos concede, desviamos legal e discretamente em nosso proveito uma bela quantidade de riquezas. Casas, terrenos, vestuário, sandálias e louças... Quando atacarmos o campo, espero pôr a mão em rebanhos inteiros. Esta é uma bela guerra!

— Desde que continue — considerou Nartreb —, e que a sorte das armas nos seja favorável.

— Paguei generosamente aos oficiais de Heracleópolis e Hermópolis para que obedeçam cegamente a Tefnakt. Enquanto ele continuar vitorioso, não causarão qualquer problema. O que um soldado espera são ordens claras e um bom soldo. Com isso, ele mata sem escrúpulos.

— Será que todos os nossos aliados desejam realmente a vitória?

— Está pensando no príncipe Akanosh?

— Tenho a impressão de que se daria por satisfeito com um cessar das hostilidades e que não aprecia a nossa forma de governar uma cidade.

— Tem razão, Nartreb. Esse Akanosh pode vir a tornar-se incômodo.

— Quer que intervenha... à minha maneira?

— Não, uma morte violenta despertaria a desconfiança dos outros chefes de clã em relação a Tefnakt e se abriria uma brecha na coligação. Tenho uma ideia melhor: vamos preparar-lhe uma cilada.

Nartreb untou os pés rechonchudos com um unguento feito de folhas de acácia, folhas de zízifo, terra da Núbia, crisocola e a parte interna da concha de um molusco de água doce. O semita detestava andar, o que lhe inchava os dedos dos pés.

— Aurora está se destacando demais — queixou-se ele. — Se a deixarmos agir, Tefnakt nos relegará para segundo plano e acabará nos esquecendo ou até nos dispensando!

— Detesto as mulheres. Quando saem do quarto e da cozinha, só servem para semear confusão! Quando Tefnakt reinar, vamos aconselhá-lo a proclamar uma lei que as obrigue a andar veladas da cabeça aos pés, a não trabalhar e a permanecerem fechadas em casa.

— Excelente ideia, Yegeb. Enquanto isso, temos de impedir essa ambiciosa de se tornar rainha... Sem que Tefnakt nos culpe!

— Não será fácil, meu amigo, mas vamos conseguir.

25

Condições de tempo favoráveis, corrente forte, barcos rápidos e excelentes pilotos: todas as condições estavam reunidas para uma viagem fácil. Em três semanas, o corpo expedicionário comandado pelos capitães Lamerskeny e Puarma atingira o seu primeiro destino, Tebas, "a Poderosa", cidade do deus Amon.

Para não terem que dirigir a palavra um ao outro, os dois oficiais não haviam feito o trajeto no mesmo barco. No entanto, juntos haviam recebido as ordens do faraó negro, que exigira a concretização de uma estratégia muito precisa para acabar com a ofensiva de Tefnakt. Lamerskeny objetara que as condições encontradas no local poderiam muito bem modificar a teoria; Puarma prometera ao soberano que seria o seu braço armado e que não tomaria nenhuma iniciativa pessoal.

Se não houvesse ótimos combates em perspectiva, Lamerskeny teria atacado Puarma com o seu braço de madeira de acácia. Mas o capitão conseguira controlar-se e se havia acalmado entre Napata e Tebas, graças a duas jovens núbias ardorosas que ele embarcara clandestinamente, violando o regulamento. As beldades estavam tão felizes por se tornarem bailarinas numa casa da cerveja da grande cidade do Sul que se prestaram com entusiasmo a todas as fantasias do herói.

Próximo da cidade, barcos do exército barravam o rio. A flotilha núbia parou.

Por instantes, Lamerskeny achou que Tefnakt havia tomado Tebas e que teria de travar uma batalha na proporção de um contra mil. Mas a presença de um oficial núbio na proa da nau capitânia o tranquilizou.

Como não queria deixar para o capitão de infantaria o privilégio deste primeiro contato, Puarma se juntou a ele saltando a bordo.

— Uma recepção um tanto estranha, não acha?

— Os seus arqueiros estão a postos?

— Estamos em Tebas e...

— Que fiquem a postos, seu cabeça-oca! Estamos em guerra e pode acontecer qualquer coisa a qualquer momento.

Mesmo ofendido, Puarma deu a ordem.

O oficial de marinha avaliou os visitantes dos pés à cabeça.

— Identifiquem-se.

— Lamerskeny, capitão de infantaria. E este é o meu colega Puarma, capitão de arqueiros.

— Tenho ordem para conduzi-los ao templo de Karnak.

— Mas que história é essa? — protestou Lamerskeny. — Somos soldados, não sacerdotes! Queremos ver imediatamente o comandante da guarnição.

— Aqui, quem manda é a Divina Adoradora. Ela deu-me uma ordem, e eu a executarei.

Puarma segurou o pulso de Lamerskeny, prestes a tirar a espada da bainha.

— Tudo bem, nós os seguiremos.

Os dois capitães foram transportados num pesado barco de guerra onde haviam embarcado uma centena de marinheiros.

— Nunca mais volte a fazer isso — disse Lamerskeny a Puarma — ou eu lhe quebro o braço!

— Era para o seu bem, cabeça-oca. Lembre-se: você tem que lutar contra os nossos inimigos, não contra os amigos.

A visão de Karnak pôs fim à discussão.

Boquiabertos, os dois capitães viram o imenso domínio sagrado de Amon-Rá, o rei dos deuses, cercado por uma alta muralha que as pontas dos obeliscos cobertas de ouro ultrapassavam. É verdade que o templo de Napata era imponente, mas aquele ultrapassava tudo o que a imaginação podia conceber. Durante séculos, os faraós haviam aumentado e embelezado o santuário, cujo nome era "Aquele que fixa a localização de todos os templos". A vida manifestara-se ali pela primeira vez sob a forma de uma ilhota emergente do oceano primordial e, desde então, nunca o sopro de Amon deixara de manifestar-se, inchando a vela dos barcos.

— Pelos deuses... mas que colossal fortaleza isto daria! — exclamou Lamerskeny.

Puarma tinha os olhos fixos no pilono de acesso, que simbolizava as montanhas de Oriente e de Ocidente e, ao mesmo tempo, as deusas Ísis e Néftis. Entre elas, e graças a elas, o sol renascia todas as manhãs.

— Foram os deuses que construíram Karnak — murmurou o capitão dos arqueiros —, não os homens.

Um sacerdote de cabeça raspada conduziu os emissários de Piankhy a uma porta anexa ao muro, onde um ritualista de rosto sério perguntou o nome deles.

— Vocês tiveram contato com alguma mulher nos últimos três dias?

— Certamente que não — mentiu Lamerskeny. — Viemos de Napata de barco e só havia militares a bordo.

— Nesse caso, podem passar pela porta.

— Fomos enviados pelo faraó para lutar contra os líbios e não temos tempo a perder!

— Sigam-me.

O homem do braço articulado soltou um suspiro de exasperação. Estavam em Karnak e tinham de submeter-se aos caprichos dos religiosos.

A passos lentos, outro motivo de irritação para Lamerskeny, o sacerdote levou os visitantes até o lago sagrado. Puarma estava fascinado com o esplendor dos templos coloridos que pareciam encaixar-se uns nos outros, enquanto Lamerskeny se deixava encantar pelos suaves perfumes que lhe recordavam requintadas amantes.

O tamanho do lago deixou estupefatos os dois oficiais. Centenas de andorinhas sobrevoavam a superfície azulada na qual, em dias de festas, os sacerdotes punham barcos em miniatura para navegar.

— Tirem as roupas — ordenou o sacerdote.

— É permitido nadar? — interrogou Lamerskeny.

— Devem purificar-se.

— Não temos a intenção de nos tornarmos sacerdotes!

— A regra exige que qualquer pessoa recebida no templo, mesmo a título temporário, seja purificada. Dispam-se, desçam lentamente até o lago pela escada de pedra, entrem na água, permaneçam imóveis alguns instantes e recolham-se orientando seu espírito para a luz.

— Ficarei com a minha espada — exigiu Lamerskeny.

— Fora de cogitação: as armas devem ser depositadas na entrada do templo.

— Vamos — aconselhou Puarma.

Quando Lamerskeny tirou a camisa rugosa, o sacerdote não conseguiu disfarçar o seu espanto.

— É um braço estranho, não? Antes de sair de Napata, mandei reforçar a armação de madeira com metal, e o especialista dos carros untou tudo com resina.

Nus, os dois soldados se purificaram no lago sagrado. Depois, foram vestidos com uma tanga de linho de brancura resplandecente, barbeados e perfumados com incenso.

— Perante Deus — recomendou o sacerdote — não se gabem de possuir força! Sem ele, o braço não tem vigor. É Deus que faz do

fraco um forte, é ele que permite a um único homem ser o vencedor de mil.

Transformados em "sacerdotes puros", o primeiro degrau da hierarquia religiosa, Lamerskeny e Puarma foram convidados a derramar um pouco de água santa sobre os alimentos deixados nos altares e a recitar um texto ritual dirigido a Amon: "Mostre-nos o caminho, permiti-nos combater à sombra da Tua força."

— Agora — disse o sacerdote —, podem entrar na grande sala de colunas.

Os dois oficiais ficaram sem fôlego.

A sala, construída por Sethi I e Ramsés II, era composta de gigantescos papiros de pedra que exibiam cenas coloridas mostrando o faraó fazendo oferendas aos deuses. Aberturas verticais feitas sob enormes lajes do teto deixavam passar os raios de luz.

E foi precisamente num desses feixes de luz que Lamerskeny viu uma aparição: uma jovem envergando uma túnica branca de alças, com os seios cobertos por um xale amarelo-pálido.

— Uma deusa! — balbuciou ele. — É uma deusa!

26

— Vocês são os capitães Lamerskeny e Puarma? — perguntou a aparição.

— Eu sou Lamerskeny! Sempre venerei os deuses, sobretudo as deusas... Quanto a Puarma, é um descrente. Não é digno de ouvi-la.

A aparição sorriu. Os traços do seu rosto eram tão delicados que Lamerskeny se sentiu intimidado.

— A senhora é a Divina Adoradora? — perguntou Puarma.

— Não, apenas a sua intendente. Vossa Majestade está gravemente doente e não sai dos seus aposentos. Por isso, ela me pediu que os recebesse e os informasse antes de encontrarem os seus companheiros.

— Informar-nos... Mas sobre o quê?

— Venham, por favor.

A bela sacerdotisa guiou os dois oficiais até os domínios temporais da Divina Adoradora, que compreendiam uma capela, aposentos particulares e salas de escribas. Foi numa delas que fez entrar os convidados.

Fascinado, Lamerskeny não tirava os olhos da jovem.

— Como você se chama?

— Manjerona.

— É casada?

— Nem a Divina Adoradora nem as sacerdotisas que estão a seu serviço se casam. Interessa-se por questões religiosas, capitão Lamerskeny?

— Elas me fascinam.

— Tenho uma triste notícia a lhe dar: o comandante da base militar de Tebas morreu há quatro dias.

— Que pena! E quem é o substituto?

— É isso o que a Divina Adoradora, preocupada com a segurança de Tebas, gostaria de saber o mais rapidamente possível. A vinda de vocês foi anunciada, e a cidade espera para saber qual dos dois vai assumir o comando das tropas.

Lamerskeny e Puarma se entreolharam, desconcertados.

— Temos o mesmo grau hierárquico...

— A infantaria é a arma mais antiga e a mais tradicional — especificou Lamerskeny. — Portanto...

— O corpo de arqueiros apenas reúne soldados de elite — objetou Puarma. — Assim...

A discussão irritou Manjerona:

— A Divina Adoradora quer saber quais foram as ordens que o faraó lhes deu.

— Devíamos colaborar e nos colocar sob a autoridade do comandante — revelou Puarma.

Lamerskeny e Puarma discutiram durante mais de uma hora, lançando ao rosto um do outro ladainhas de falsos argumentos.

— E se executássemos simplesmente as ordens de Piankhy? — propôs o capitão dos arqueiros. — Ele exige que partilhemos o comando, pois vamos fazê-lo!

— Impossível.

— Não temos outra alternativa.

Lamerskeny apreciava a ação, não as palavras.

— Combinado, mas falaremos juntos com os homens, em rigoroso pé de igualdade, e você não tentará impor a sua autoridade à custa da minha, sob o pretexto de que sabe manejar o arco.

— Vamos remediar a ausência momentânea de comandante e cumprir a nossa missão. O faraó nos agradecerá. Caso contrário, a sua cólera será terrível.

— Até que enfim um argumento interessante... No fundo, tem razão, Puarma. Vamos unir nossos esforços para vencer. Mas deixe-me tomar a iniciativa; você não é capaz disso.

* * *

Os soldados aquartelados em Tebas não foram fáceis de convencer. Em primeiro lugar, sentiam falta do comandante, cujo luto exigiram observar por mais alguns dias, com um bônus reforçado; depois, só conheciam Lamerskeny e Puarma de reputação e desconfiavam daqueles novos chefes; por fim, estavam habituados a gozar de uma paz bastante confortável e não tinham a menor vontade de lutar, ainda mais que Tefnakt não ameaçava Tebas. Em suma, a melhor solução consistia em esperar por novas ordens de Napata. Como porta-voz das tropas, um suboficial apresentou até mesmo uma lista de reclamações relativas à qualidade da alimentação, à dos uniformes e ao número de dias de folga.

Puarma receou que Lamerskeny quebrasse a cabeça dele com o braço de madeira, mas o capitão de infantaria permaneceu silencioso.

Tefnakt acariciou muito lentamente os seios nus de Aurora.

— Você é uma feiticeira... Como fez para me enfeitiçar?

— Foi você que me enfeitiçou, visto que partilho o seu ideal. Reconquistar este país, torná-lo poderoso como outrora, haverá tarefa mais exaltante?

Tefnakt se apaixonara por um corpo de moça de formas perfeitas, de ingênuo ardor, e não se cansava de explorá-lo. Aurora correspondia às suas carícias, mas não cessava de falar do grande plano dele que tomara para si com uma paixão obcecada.

— Você tem filhos? — perguntou ela.

— Em Saís, eu tinha várias mulheres à minha disposição, mas não amava nenhuma. Elas me deram filhos... As meninas ficaram no Norte, e dois dos meus filhos com idade para lutar são oficiais do meu exército. Mas nenhum deles será capaz de me suceder. Depois de mim, será o nosso filho que subirá ao trono.

Aurora tomou-lhe o rosto entre as mãos.

— Eu te amo, Tefnakt. Amo porque o seu coração é movido por um grande plano. Mas não quero filhos antes de ser o faraó e de as Duas Terras se curvarem diante de você.

A determinação de Aurora impressionou Tefnakt. Ela não era talhada da mesma madeira que as outras mulheres que havia conhecido e, por momentos, quase lhe dava medo.

— Como queira...

Para lhe agradecer pela sua aquiescência, ela o cobriu de beijos com o ardor de uma leoa decidida a devorar a sua presa. Pouco inclinado a desempenhar o papel de vítima, Tefnakt obrigou Aurora a deitar-se de costas e tomou a iniciativa.

Alguém bateu à porta do quarto.

— Quem se atreve? — trovejou Tefnakt.

— Yegeb, senhor. Uma notícia importante, muito importante.

— Não pode esperar?

— Não creio.

O general abriu a porta. Yegeb curvou-se.

— A nossa rede de espionagem acaba de nos informar que o comandante da guarnição de Tebas morreu. O corpo expedicionário chegou, mas está imobilizado pela confusão. Os oficiais de Piankhy se digladiam entre eles, ninguém é capaz de dar uma ordem clara, e nenhum movimento de tropas será desencadeado antes de chegarem novas instruções de Napata. Não é uma ocasião magnífica?

Os olhos de Tefnakt relampejaram.

— Atacar Tebas pelo Nilo e causar pesadas baixas à guarnição... Sim, é o momento perfeito!

— Tínhamos definido outra estratégia — lembrou Aurora, indiferente à presença de Yegeb, que olhava fixo para o corpo da jovem com um interesse misturado a desagrado.

— É preciso saber adaptar-se às circunstâncias; podemos obter uma vantagem decisiva! Uma primeira onda de assalto, comandada por um chefe de clã, deve embarcar imediatamente.

27

A guarnição estava profundamente adormecida. Desde a morte do comandante, o treinamento fora suspenso, e todos se levantavam tarde.

Sofrendo de insônia desde que assistira à morte do seu melhor amigo

num combate sangrento contra os "aventureiros do deserto", os beduínos ladrões do deserto, o soldado Ricin não apreciava tanto como os seus companheiros esse repouso prolongado. Ele gostava de exercício. O cansaço físico afastava as más recordações.

Com os olhos totalmente abertos, Ricin contemplava o teto de madeira da caserna.

De repente, como se fosse serrada ao meio, uma viga do teto soltou-se e caiu no dormitório. Dois troncos de palmeira tiveram a mesma sorte, semeando o pânico entre os soldados acordados bruscamente.

— Ouçam-me! — rugiu Lamerskeny, empoleirado no telhado em companhia de Puarma e de vinte arqueiros. — Equipem-se imediatamente e saiam desse buraco. Reúnam-se na praça de armas. Os que se recusarem a obedecer serão executados por insubordinação.

A mesma cena se repetiu em todos os alojamentos e, no fim da manhã, a guarnição de Tebas estava em pé de guerra.

— Como vê — disse Lamerskeny a Puarma —, basta saber falar com eles. Esses rapazes precisavam ser despertados, só isso. Agora, encarregue-se deles. Eu sigo para o Norte com uma pequena flotilha bem equipada.

— O perigo...

— De que outra forma podemos detectar eventuais emboscadas organizadas por elementos que vêm na frente do exército de Tefnakt?

Puarma se roía internamente.

Lamentava ter aceito a proposta de Lamerskeny, que não deveria ter deixado partir sozinho no comando de algumas centenas de marinheiros. Um capitão de infantaria comandando uma expedição naval! A catástrofe era previsível.

Mas era preciso agir... Piankhy havia ordenado aos dois capitães que avançassem para a frente de batalha, iniciassem a luta contra Tefnakt, o cercassem e o capturassem, começando por destruir os barcos e garantindo a segurança de Tebas.

Sob a proteção de Puarma, a cidade santa do deus Amon não corria qualquer perigo. Quanto ao resto... tudo dependeria da sorte de Lamerskeny.

O responsável pela correspondência se apresentou a Puarma:

— Às suas ordens, capitão.

— O mensageiro partiu para Napata?

— Logo de manhã, com uma brigada de arqueiros. Pode estar certo de que chegará ao destino.

Puarma havia escrito um longo relatório no qual não omitia nenhum detalhe. Competia a Piankhy tomar as decisões em função do andamento da situação e lhe passar as ordens o mais rapidamente possível.

— Que outro mensageiro se prepare para partir. De hoje em diante, as idas e vindas entre Tebas e Napata serão constantes.

— Entendido, meu capitão.

A Divina Adoradora estava à morte, Puarma era o único senhor de Tebas, e essa responsabilidade inesperada o assustava. Mas ele defenderia a cidade santa até à última gota de sangue.

— Mais depressa! — vociferou o chefe de clã líbio, exortando pessoalmente os remadores. — Parece que estão dormindo, bando

de indolentes! Em breve estaremos em Tebas, e vocês terão as mais belas moças do Egito e vinho em quantidade!

As atraentes perspectivas não surtiram nenhum efeito. Os civis de Heracleópolis e Hermópolis, recrutados à força, não tinham pressa em enfrentar as tropas de Piankhy e morrer numa batalha da qual não queriam participar.

Por isso, a frota de assalto enviada por Tefnakt avançava bem mais lentamente do que o previsto. Matar os remadores egípcios não era uma solução, pois nenhum soldado líbio aceitaria substituí-los.

Quando o vento do norte começou a soprar, finalmente puderam içar as velas e avançar mais rapidamente. O chefe de clã, um ex-aventureiro do deserto conquistado pela boa mesa e pela tranquilidade da terra egípcia, recuperava os seus instintos de assassino. Já se imaginava incendiando o templo de Amon, violentando a Divina Adoradora e as suas sacerdotisas e esvaziando a cidade santa dos seus tesouros.

Tefnakt era um bom general. Ao ordenar o ataque surpresa que desorganizaria a defesa adversária e ao assegurar a vitória com o avanço da maior parte das suas tropas, ganharia a guerra em poucas semanas.

Lamerskeny desfrutava da sua nova posição. Instalado numa confortável cabine, deitado numa cama de qualidade, saboreava cachos e cachos de uvas e tomava em pequenos goles uma cerveja doce, um pouco borbulhante e deliciosamente fresca.

A marinha tinha coisas boas, e a guerra era realmente o melhor para o homem. Enquanto o infeliz Puarma vivia horas de angústia para organizar a defesa de Tebas, ele, o guerreiro com braço de acácia, deslizava pelo Nilo.

Quando se aproximasse de Hermópolis, se preocuparia com Tefnakt, esse líbio covarde que nunca se atreveria a se aventurar além do Médio Egito.

O soldado Ricin, que Lamerskeny escolhera como ordenança, entrou na cabine.

— Capitão, parecem... barcos.

— Barcos de mercadores?

— Não... de guerra! E vêm na nossa direção.

— Deve estar enganado, Ricin.

— O vigia indicou bem uns vinte.

Intrigado, Lamerskeny saiu da cabine e avançou até a proa. Ricin não mentira. Não eram nem balsas nem barcos de carga e sim líbios que subiam o Nilo em direção a Tebas.

— Esse Tefnakt é mais perigoso do que eu supunha...

— Batemos em retirada, capitão?

Lamerskeny olhou Ricin, indulgente.

— Há quanto tempo não luta, soldado?

— Alguns anos... Em Tebas era bem tranquilo.

— Conhece a reputação de Piankhy?

— Dizem que basta pronunciar o nome dele para pôr o inimigo em fuga.

— Excelente! E sabe também que Piankhy me ordenou que repelisse Tefnakt e os revoltosos para o Norte?

— Sei, capitão, mas os revoltosos são muitos, bem mais numerosos do que nós.

— Vamos lutar na proporção de um contra dez, mas em nome de Piankhy! Os líbios não têm nenhuma chance.

— Acredita realmente?

— Lamerskeny nunca mente, soldado! Tomem as posições de combate; transmita a ordem a todos os nossos barcos.

— Que tática vamos adotar?

— A mais simples: atacar.

O chefe de clã líbio não acreditava no que via.

Espalhados em toda a largura do Nilo, os barcos egípcios avançavam direto para ele. Como Lamerskeny mandara instalar na proa uma verdadeira muralha de escudos, os tiros dos arqueiros líbios não surtiram efeito. Em contrapartida, muitos morreram sob as pedras, redondas e pontiagudas, lançadas pelas fundas dos adversários.

As pedras semearam o pânico entre os bois e os cavalos embarcados por ordem de Tefnakt; os bois para servir de alimento, os cavalos para puxar os carros cujas peças separadas seriam remontadas assim que atracassem. Assustados, os animais arrebentaram as amarras, pisotearam muitos soldados e até fizeram um barco virar.

O chefe de clã líbio não sabia como agir. Alguns dos seus subordinados aconselhavam o confronto, outros, a retirada. Os remadores saíam dos bancos para mergulhar no rio.

Antes mesmo de a proa do seu barco se encaixar na do líbio, Lamerskeny, de espada na mão, saltou aos berros para a embarcação adversária e cortou o pescoço de todos os que estavam no seu caminho. Inflamados pelo exemplo, os soldados do corpo expedicionário seguiram o caminho aberto pelo capitão.

28

— Primeiro objetivo atingido — declarou Lamerskeny com orgulho. — Todos os barcos líbios que se dirigiam para Tebas foram destruídos. Não há sobreviventes, e

as minhas perdas são ínfimas. Os nortistas acabam de sofrer a sua primeira derrota.

— Você é um sujeito valente — reconheceu Puarma, que acabara de se reunir ao capitão de infantaria —, mas foi apenas um pequeno confronto. Qual o butim?

— Armas, víveres, jarros...

— Enviaremos tudo para Tebas.

— A nossa parte...

— Piankhy proibiu.

Os dois oficiais se haviam encontrado ao sul da província da Lebre, a boa distância da capital, Hermópolis. Assim que recebeu a mensagem de Lamerskeny, Puarma se pôs a caminho com o resto do corpo expedicionário para continuar a seguir as instruções do faraó negro.

— O que acha, companheiro? — avançou Lamerskeny num tom suave que não condizia nada com ele. — Eu poderia tomar outra iniciativa...

— Qual?

— Atacar Hermópolis e apoderar-me dela. Um ataque surpresa, com todas as nossas tropas, destruirá as defesas da cidade.

— As suas excentricidades no Nilo, ainda vá... Mas quanto a Hermópolis, nada de improvisações. Devemos pôr em prática o plano do faraó e nos restringir a ele.

Lamerskeny compreendeu que não conseguiria nada. Como se tornava aborrecido aquele gênero de guerras tácticas!

Na sala de audiências do palácio de Hermópolis, os membros do conselho de guerra de Tefnakt não dissimulavam a decepção.

— As informações são confiáveis? — perguntou o príncipe Akanosh.

— Os nossos barcos foram afundados — confirmou Tefnakt — e nenhum dos marinheiros da nossa onda de assalto sobreviveu.

— Ninguém poderia prever que esbarraríamos com uma flotilha adversária — protestou Yegeb.

— Eu avisei que essa estratégia era perigosa — lembrou Aurora.

Yegeb e Nartreb lançaram um olhar de ódio à jovem.

— Não falemos mais do passado — exigiu Tefnakt. — Não passa de uma escaramuça que comprova, se fosse necessário, a determinação dos nossos inimigos.

— Talvez ainda dê tempo de negociar — propôs o príncipe Peftau.

— Nunca negociarei! Vamos perder a confiança ao primeiro fracasso? Sabíamos perfeitamente que a tomada de Tebas seria difícil e exigiria numerosos combates. Piankhy irá julgar-nos mais fracos do que somos na realidade e cometerá erros irreparáveis. O primeiro deles será cair na armadilha de Hermópolis.

— Com uma condição: — advertiu Aurora — que o conselho de guerra se instale mais ao norte, em Heracleópolis. Quando as tropas núbias caírem sobre Hermópolis, achando que a cidade está à sua mercê, os combates serão de extrema violência. Tefnakt só deverá intervir depois da destruição do corpo expedicionário para retomar a marcha rumo ao Sul.

Nemrod empalideceu.

— Como príncipe de Hermópolis, devo permanecer na minha cidade?

— Não será necessário — considerou Tefnakt —, uma vez que faz parte do meu estado-maior. Você regressará depois da vitória.

Aliviado, Nemrod aprovou o plano do general.

— No futuro — disse Aurora a Yegeb —, abstenha-se de dar qualquer conselho militar e se limite à gestão das nossas cidades.

A jovem se expressara com autoridade de rainha. Yegeb ficou de boca aberta.

Embora um pouco baixa, a cheia podia ser considerada satisfatória. A água já se retirava das terras altas e o velho camponês, que geria uma fazenda onde trabalhavam vinte agricultores, acabava de ordenar ao seu pessoal que preparasse os arados para trabalhar a terra antes de fazerem os bois enterrarem as sementes.

O neto, um garoto de oito anos, puxou-o por um braço.

— Vovô...? Quem são aquelas pessoas com lanças, no caminho da colina?

— Volte para casa, meu filho.

Os soldados se aproximaram da fazenda. À frente, um homem barbudo de cabeça raspada e rosto intimidante.

Trêmulos, os trabalhadores se juntaram atrás do patrão.

— O que quer?

— Sou o capitão Lamerskeny e ordeno-lhes que parem imediatamente o trabalho.

— Mas... estamos começando a lavrar a terra!

— Não vão lavrar, nem semear, nem colher na província da Lebre enquanto ela estiver ocupada pelo exército nortista. São ordens do faraó Piankhy.

— Tem intenção de matar os nortistas de fome, não é?

— Terão de render-se, e isso provocará menos mortes.

— E nós? O que comeremos?

— Foi previsto pelo Faraó: das reservas de Tebas. Acima de tudo, não banque o esperto. Quem infringir as ordens será imediatamente preso.

— Esta guerra vai durar muito tempo? Desde que se apoderaram de Hermópolis, os líbios nos roubam! Na aldeia vizinha, chegaram a queimar duas fazendas e obrigaram os proprietários a se tornarem remadores. Se o faraó negro for um homem justo, deve restabelecer a paz.

— Estamos cuidando disso, vovô.

Vindos de Hermópolis, os soldados líbios entraram de madrugada na aldeia. Tinham marchado durante toda a noite, à frente de um comboio formado por burros e transportadores de cestos. As reservas de alimentos começavam a escassear na cidade do deus Toth, e os dignitários se queixavam da medíocre qualidade dos últimos banquetes.

Por isso, o comandante da guarnição, por ordem de Nemrod, enviara diversos comboios como aquele para o reabastecimento de frutas e legumes frescos. Os camponeses protestariam, mas bastaria dar umas bastonadas nos mais veementes para acalmar os outros. A província da Lebre tinha de aceitar a necessidade de esforços de guerra em favor da sua capital.

Os soldados de Nemrod passaram diante das enormes ânforas de água para suprir as necessidades da aldeia, contornaram o forno de pão e detiveram-se em frente à casa do prefeito, caiada e decorada com grinaldas de acianos delicadamente pintados.

Um soldado bateu à porta.

— Abra imediatamente!

Um gato cinzento escondeu-se na relva densa à beira do caminho. O miliciano continuou a bater.

Alguns minutos depois, a porta se abriu, rangendo.

— Estava dormindo... O que está acontecendo?

— Acorde os camponeses. Requisição de alimentos.

— Ah... Não é possível.

— Obedeça!

— Aqui, sou eu quem dá as ordens — respondeu Lamerskeny, quebrando a cabeça do miliciano com o seu braço de madeira.

Das outras casas saíram arqueiros, que dissuadiram os milicianos de Nemrod de lutar.

Nenhum dos comboios de provisões do príncipe traidor regressaria a Hermópolis.

29

— Estão chegando! — exclamou um vigia.

O comandante da praça-forte de Hermópolis pôs imediatamente em ação o dispositivo previsto por Tefnakt.

Os civis abrigaram-se em suas casas, cujas portas e janelas fecharam, enquanto os soldados de infantaria e os arqueiros se ocultavam em todos os recantos da cidade, da qual uma parte da muralha fora derrubada.

O corpo expedicionário núbio seria irresistivelmente atraído pela cidade abandonada. Era preciso ter a paciência de esperar que o grosso das tropas fosse apanhado na armadilha para exterminá-las.

Depois dessa derrota, o faraó negro não tentaria mais reconquistar a província da Lebre, que se tornaria a base avançada de Tefnakt.

— Eles se aproximam?

— Sim — respondeu o vigia. — Ah!... O cavaleiro que vem à frente parou.

Puarma contemplava Hermópolis.

À primeira vista, a cidade tinha sido muito maltratada. Nem um arqueiro nas muralhas. Os soldados de Nemrod certamente haviam fugido para o Norte.

Lamerskeny, que preferia andar a montar no dorso de um quadrúpede de reações imprevisíveis, estava de mau humor. Para respeitar as ordens de Piankhy, não deviam atacar de noite nem lançar todas as forças disponíveis na batalha e, no entanto, tinham que exterminar o exército de Tefnakt e pegar o general revoltado! Nessas condições, que equivaliam a andar sobre frutas maduras sem esmagá-las, como travar uma guerra séria? E depois havia Puarma, oficial obediente e zeloso, que o impedia de agir a seu bel-prazer.

O capitão de infantaria se aproximou do companheiro.

— Uma bela presa, não acha? Conhecendo-o como o conheço — disse Puarma —, tenho a certeza de que você só tem um desejo: atacar Hermópolis e tomá-la.

— Você não me conhece, seu manejador de arco! O meu faro me diz que se trata de uma bela emboscada. Não se abandona uma cidade tão importante como esta. Tefnakt ordenou a várias centenas de soldados veteranos que se escondessem para nos surpreender. Mas eles exageraram: não há um único arqueiro nas muralhas.

— Quer tenha razão ou não, pouco importa. O faraó nos ordenou que passássemos ao largo e atacássemos Heracleópolis.

— Melhor para nós.

Deixando Hermópolis de lado, o corpo expedicionário continuou para o Norte. Lamerskeny sentia picadas nas costas. Não duvidava que centenas de pares de olhos viam as vítimas se afastar.

Aldeias devastadas, casas queimadas, cadáveres de cães, de gatos e de pequenos macacos jaziam nas ruelas, crianças perdidas que chamavam pelas mães, velhos mortos de fome encostados nos escombros de um muro de fazenda... Lamerskeny, apesar de estar habituado às crueldades da guerra, nunca havia contemplado um espetáculo tão terrível. Incapaz de suportá-lo, Puarma se isolara para chorar. Soldados experientes estavam acabrunhados.

Lamerskeny bateu no ombro do capitão dos arqueiros.

— Venha, não podemos ficar aqui. Temos de reunir os sobreviventes e mandá-los para o Sul.

— Desculpe, mas...

— Não precisa se desculpar. Um bom soldado não pode gostar deste tipo de massacre.

Puarma cerrou os punhos.

— Se Tefnakt e os seus aliados estiverem mesmo em Heracleópolis, nós os mataremos! E o faraó se orgulhará de nós.

Pelas estradas que conduziam à cidade, a mesma desolação. Junto à margem ardiam as balsas que os homens de Tefnakt haviam incendiado. Um barqueiro explicou aos dois capitães que os nortistas praticavam a estratégia da terra arrasada para impedir o corpo expedicionário núbio de se reabastecer e se deslocar com facilidade.

— Não teremos uma tarefa fácil — avaliou Lamerskeny. — Se as forças adversárias se concentraram em Heracleópolis, não teremos condições de enfrentá-las.

— Piankhy nos confiou uma missão, e nós a cumpriremos!

Dava prazer ver a fúria guerreira de Puarma.

— Entendido, arqueiro! Mas deixe-me tomar a iniciativa. Não gostaria de morrer.

Quando saiu da sala onde acabara de ocorrer o conselho de guerra, o príncipe Akanosh estava pensativo. Esperara que o revés sofrido por Tefnakt bastaria para persuadi-lo a desistir dos seus planos de conquista, mas se enganara redondamente.

Tefnakt não parecia nada enfraquecido pela perda da sua primeira onda de assalto e mandara vir como reforço as tropas do Delta mantidas de reserva. Concentrando-se em Heracleópolis, o general adotava uma tática engenhosa que consistia em atrair o adversário para destruí-lo se, por milagre, escapasse da emboscada de Hermópolis.

Tefnakt tinha razão: era necessário reunificar o Egito. Mas não daquela maneira! Uma população conquistada pela força não podia amar o tirano que a martirizara e, mais cedo ou mais tarde, se revoltaria contra ele. Infelizmente, o general só dava ouvidos aos seus dois conselheiros, Yegeb e Nartreb, porque lhe tinham permitido, usando a corrupção, formar uma coligação e colocar-se à frente dela.

Quando ia entrar nos seus aposentos particulares, um homem idoso, de pele queimada pelo sol e cabelos crespos, deixou cair junto dele um cântaro vazio, que se partiu em mil pedaços.

— Perdão, senhor, eu poderia tê-lo ferido!

De repente, o homem falou em voz baixa:

— Preciso falar-lhe, senhor. Ordene que eu lhe traga água fresca.

Intrigado, Akanosh obedeceu.

Quando o homem voltou, trazendo um belo cântaro decorado com flores-de-lis, o príncipe recebeu-o na companhia da sua esposa núbia.

— Senhor, devo falar-lhe a sós.

— Não escondo nada da minha mulher. Fale ou vá embora!

— Alguém pode nos ouvir?

A esposa de Akanosh assegurou-se de que nenhum ouvido indiscreto surpreenderia a conversa.

— Fiz-me contratar como carregador de água — revelou o homem —, mas fui enviado por Piankhy. Se corri tantos riscos para encontrá-lo é porque é preciso agir, e depressa. Com o seu auxílio, príncipe Akanosh, tenho por missão incendiar o arsenal onde estão guardados os carros de Tefnakt. Sem essa arma, ele se sentirá tão vulnerável que abandonará a luta e voltará para Saís.

— Não sou um traidor nem aliado de Piankhy!

— Eu sei, príncipe. Mas, como o faraó, deseja evitar o massacre da população. Hoje à noite, ficarei nas proximidades do arsenal

com uma dezena de homens. Se a guarda for rendida por soldados do seu clã, poderemos fazer esse incêndio parecer um acidente, e a paz voltará à região. Intervenha, eu lhe peço!

— Você não pertence à tribo dos baksim, a mais próxima da de Piankhy? — perguntou a esposa núbia do príncipe Akanosh.

— É verdade... Gozamos da sua confiança e tentamos nos mostrar dignos dela. Preciso ir embora... Até hoje à noite, príncipe!

Akanosh olhou os arcos e os punhais tatuados nos braços dele.

— Não posso ficar inativo — decidiu.

— Esta noite — objetou a esposa —, você dormirá nos meus braços.

— Não, eu...

— É uma armadilha, querido. Esse homem é um provocador que tenta saber se você tem intenção de trair Tefnakt.

— Como pode ter a certeza?

— Porque a tribo dos baksim não existe mais.

30

— Que desilusão — considerou Yegeb, que massageava os tornozelos inchados com um unguento composto de farinha de frumento, carne gorda, junça odorífica e mel. — Tem certeza de que o nosso homem trabalhou bem?

— Absoluta — respondeu Nartreb, irritado. — Ele achou que Akanosh estava pronto para trair. Mas não apareceu no arsenal esta noite.

— Se ele percebeu que lhe armamos uma cilada, está reduzido à impotência! Sabendo que é espionado noite e dia, não poderá comunicar-se de forma alguma com o inimigo. No fundo, o resultado não é tão mau.

Um ordenança entrou bruscamente no quarto dos dois conselheiros.

— O inimigo... O inimigo está às portas de Heracleópolis!

Com os olhos voltados para a fortaleza, Lamerskeny comeu a sua quinta cebola crua.

— Bela presa — concluiu —, mas grande demais para nós.

— Piankhy nos ordenou que nos apoderássemos dela — lembrou Puarma.

— Ele não conhece o lugar... À esquerda, o canal, controlado pelo adversário; à direita, o rio, bloqueado pelos seus barcos... No centro, esta praça-forte, cujas muralhas estão cheias de centenas de arqueiros líbios! Quantos membros da coligação há lá dentro? Se Tefnakt estiver ali, as tropas dele se sentirão invencíveis.

A oitenta quilômetros ao sul de Mênfis, Heracleópolis reinava numa região próspera. Uma escavação nas colinas, à beira do deserto, havia permitido a abertura de um canal que ligava o Nilo à rica província do Fayum. No seu principal santuário, protegido por um deus-carneiro, era preservado um lago que continha a água primordial, onde havia surgido a vida.

A suavidade do campo e a leve brisa que fazia cintilar as águas do Nilo não incitavam em nada ao combate.

— Você perdeu a sua lendária bravura, Lamerskeny?

— Tenho prazer em ser um herói vivo. E quando tenho comichão no meu braço de madeira como se ainda fosse de carne, sei que estou no caminho errado.

— Seja como for, não vamos recuar agora!

— Há várias formas de atacar, Puarma.

— Explique-se.

— Como Tefnakt está convencido de que vamos nos lançar ao assalto da cidade, ele colocou ali os seus melhores homens. Do lado do Nilo, não temos barcos suficientes para quebrar o bloqueio. Em contrapartida, podemos nos apoderar do canal.

— É o objetivo menos interessante.

— Concordo, mas esta conquista menor deve provocar uma reação, e é isso que eu pretendo explorar.

Do topo da torre central de Heracleópolis, abrigado por painéis de madeira perfurados que protegiam das flechas inimigas, o príncipe Peftau ostentava um amplo sorriso.

— As fortificações da minha cidade não são notáveis, general?

— Você trabalhou bem — reconheceu Tefnakt.

— Piankhy achava que elas o impediriam de se apoderar da minha cidade! Agora, essa precaução se volta contra ele. Os núbios estão desamparados... O seu miserável corpo expedicionário não sabe mais o que fazer.

— Estão se retirando — constatou Aurora, com uma dignidade quase austera na sua longa túnica vermelha desprovida de qualquer ornamento.

O riso agudo e nervoso de Peftau agrediu os ouvidos da jovem.

— Eles estão com medo, os famosos guerreiros núbios estão mortos de medo! É preciso espalhar essa notícia por todo o Egito. Ela acabará com a reputação de invencibilidade de Piankhy, e o seu nome nunca mais assustará ninguém!

— Olhe — disse Aurora. — Eles se dirigem para o leste.

— É uma estupidez — avaliou Peftau. — Por que dirigir-se para as colinas?

— Você é que é estúpido! — enfureceu-se Tefnakt. — Vão atacar o canal.

O velho dignitário gaguejou:

— Mesmo assim, senhor... Essa perda não terá nenhuma importância.

"Já que os núbios se contentam com tão magra presa", pensou Tefnakt, "chegou o momento de desferir um rude golpe no corpo expedicionário."

— Vamos fazer uma investida — decidiu.

Os arqueiros de Puarma revelaram possuir grande perícia. Mais da metade das flechas feriram o adversário, quer na cabeça, quer no peito. Bastou uma única saraivada para dispersar a guarda líbia, composta de jovens recrutas inexperientes, que imediatamente entraram em pânico.

O próprio Puarma se encarregou de cortar o pescoço do oficial que tentava reunir os soldados, prontos para debandar.

Enquanto os seus soldados eliminavam à lança os últimos líbios, cujos cadáveres caíram no canal, Lamerskeny havia permanecido impassível, pois considerava inútil misturar-se àquela luta medíocre.

De repente, ele aguçou os ouvidos.

— Ora vejam! Acabam de abrir as grandes portas da cidade e tentam uma incursão para nos fazerem em pedaços.

Puarma olhou na direção de Heracleópolis.

— Parece que não trazem carros... Apenas a infantaria.

— Os seus arqueiros estão em posição?

— Nas moitas, dos dois lados da planície.

— Eu cuido da luta frente a frente. Assim que eu bater em retirada, será a sua vez de agir.

Com o penteado tripartido e a longa trança central enrolada na parte inferior, as duas altas plumas curvas presas no cabelo, as tatuagens no peito, no abdômen, nos braços e nos pulsos, duas tiras de couro cruzadas no peitoral e a bainha de espada fálica, os líbios eram capazes de assustar qualquer adversário, mas não Lamerskeny e os seus guerreiros núbios.

Manejando um machado pequeno de duas lâminas, o capitão do braço de acácia cortou os pescoços e os braços com tamanha velocidade que reduziu, quase sozinho, o grande entusiasmo do regimento que saiu de Heracleópolis. Com a parte de trás escavada, feita com três cavilhas cravadas no cabo e solidamente amarradas, a arma de Lamerskeny fazia uma devastação, enquanto o seu braço articulado quebrava as cabeças.

Passado o efeito de surpresa, os líbios, comandados por um chefe de clã que se embriagara com aguardente de palmeira antes de passar à ofensiva, retomaram o avanço.

— Retirada! — berrou Lamerskeny.

O capitão protegeu durante alguns instantes os seus homens que corriam para a parte mais estreita da planície e depois imitou-os.

Soltando gritos de vitória, os líbios os perseguiram.

Foram presas fáceis para os arqueiros de Puarma. O resto do corpo expedicionário atacou o flanco esquerdo do regimento nortista, dividindo-o em dois, enquanto Lamerskeny, voltando a toda velocidade à coluna inimiga com os seus melhores soldados, lhe impedia qualquer tentativa de retirada.

A incursão dos líbios terminava em estrondoso fracasso. Mas Lamerskeny não queria ficar nisso e forçou a vantagem obtida.

— Para o Nilo! — ordenou.

Arqueiros e soldados de infantaria lançaram-se ao assalto dos barcos nortistas, atacados ao mesmo tempo pela frota núbia. Superiores em número, entusiasmados com o êxito, os homens de Piankhy venceram facilmente e queimaram os barcos de Tefnakt.

— Agora, Heracleópolis! — decidiu Puarma.

— Não — objetou Lamerskeny —, olhe!

As muralhas intactas, os arqueiros em grande número e os relinchos dos cavalos preparados para puxar os carros reunidos no norte da cidade... A maior parte do exército de Tefnakt estava intacta.

— Não só os arranhamos — avaliou Lamerskeny.

31

À sombra de um quiosque com colunetas de madeira dourada, próximo de um espelho d'água onde se banhavam quando o calor ficava muito forte, Piankhy e a esposa, Abilé, se distraíam com o jogo Cães e Chacais. Na superfície plana de uma pequena tábua de madeira de sicômoro haviam sido perfurados trinta buracos, nos quais os adversários colocavam varetas pontiagudas, cuja extremidade superior tinha a forma de uma cabeça de cão ou de uma cabeça de chacal.

Nem o rei nem a rainha usavam roupas e tinham a pele untada com óleo de moringa e perfumada com *kyphi*, a obra-prima fabricada pela filha. Depois de terem feito amor na deliciosa água do lago, enfrentavam-se com seriedade.

Na sequência de uma brilhante manobra, Piankhy estava convencido de que os seus chacais iam vencer os cães da esposa. Mas o monarca, perturbado com a beleza selvagem de Abilé, cada vez tinha mais dificuldade em se concentrar. Sentindo o olhar dele deslizar sobre ela como uma carícia, a maravilhosa núbia começou a mover-se de forma quase imperceptível para perturbar ainda mais o jogador.

Avançou a mão muito lentamente para a mesa de madeira de sicômoro, deslocou um cão de cabeça esguia e agressiva e apoderou-se de cinco chacais.

— Você ganhou — reconheceu Piankhy. — Mas fez trapaça.

— Eu? Trapaça?

— Fui enfeitiçado por você.

— A regra do jogo proíbe?

O faraó negro enlaçou a esposa como se demonstrasse o seu amor pela primeira vez.

— Como todas as rainhas do Egito, você é uma grande feiticeira. O seu olhar conhece o segredo de mundos que não posso alcançar

— Está muito modesto, Majestade... Não detém o poder?

— Que ele possa me servir para proteger a Núbia de todos os perigos!

— O que devemos temer?

O olhar de Piankhy tornou-se sombrio.

— Será que este sol tão generoso não dissimula as trevas?

Um pequeno macaco trepou no alto de uma palmeira, um gato branco e ruivo, de barriga cheia, deslizou para debaixo de um maciço de hibiscos.

Alguém se aproximava.

— Sou eu, Majestade! — anunciou Cabeça-Fria, que trazia uma caixa pesada cheia de papiros. — Tenho os relatórios de Puarma!

Na presença do faraó e da Grande Esposa Real, e por ordem deles, Cabeça-Fria revelou aos membros do grande conselho o conteúdo dos relatórios:

— Os capitães Puarma e Lamerskeny encontraram uma forte oposição no Médio Egito. De acordo com as ordens de Sua Majestade, salvaram e protegeram Tebas, não atacaram a cidade sagrada de Toth, Hermópolis, cujo príncipe, Nemrod, traiu a confiança do faraó, mas tentaram apoderar-se de Heracleópolis, cidade igualmente dominada pelo inimigo devido à derrota de Peftau. A cidade foi transformada em fortaleza, e os nossos especialistas consideram-na atualmente inexpugnável.

— Então, a missão do corpo expedicionário foi um fracasso! — constatou o decano Kapa, estupefato.

— A situação é mais grave do que supúnhamos — confessou o escriba. — Tefnakt é um verdadeiro chefe de guerra e reuniu um grande número de soldados ao norte de Heracleópolis, cujas muralhas

são defendidas por arqueiros de elite. Os comandantes Lamerskeny e Puarma devem, portanto, limitar-se a pressionar o inimigo e barrar-lhe a passagem para o Sul.

— Tefnakt pode atacar Tebas?

— A cidade santa não corre nenhum perigo. As nossas tropas fecharam a fronteira meridional e a província da Lebre, e a guarnição da cidade de Amon está em alerta permanente. Na realidade, Tefnakt não pode avançar mais.

— E nós — constatou o decano com amargura — não podemos avançar para o Norte. O prestígio do faraó está manchado, ele já não reina no seu próprio país!

— Os oficiais do corpo expedicionário não regateiam esforços, mas têm a preocupação de poupar os seus homens e de não cortar a ligação com as bases, lançando-se numa aventura excessivamente arriscada. Segundo o capitão Lamerskeny, cuja bravura e experiência não podem ser postas em dúvida, é impossível derrotar as forças de Tefnakt.

Um pesado silêncio sucedeu essa declaração. Foi a rainha Abilé que o quebrou:

— Como é tratada a população do Médio Egito?

O escriba sentiu-se pouco à vontade:

— Majestade, eu...

— A verdade, Cabeça-Fria!

— Os nortistas estão em guerra e não se preocupam com o bem-estar daqueles que consideram como seus súditos. As nossas tropas tentam auxiliar os mais necessitados, mas várias aldeias foram destruídas, e muitos inocentes pereceram.

— O Egito está mergulhando na anarquia — revelou o decano. — Nem justiça, nem segurança, nem respeito ao próximo, apenas a violência odiosa e a infelicidade que rastejam como uma serpente.

— Vamos cessar de pôr os nossos soldados inutilmente em perigo — recomendou o obeso Otoku — e construir uma barreira de fortins ao norte de Tebas. Visto que o Médio Egito está perdido, aceitemos isso. Não devemos tirar lições de uma derrota?

— Piankhy é o faraó do Alto e do Baixo Egito! — protestou o velho Kapa. — Ele não deve entregar mais da metade do território a um agitador que sufoca o povo sob o jugo de uma impiedosa tirania.

— É uma visão de grande nobreza, mas está ultrapassada, e eu sou o primeiro a lamentar — disse Otoku com gravidade. — A idade de ouro terminou, e ninguém a ressuscitará. Chega de sonhar e vamos aceitar os fatos: o reino de Piankhy é formado pela Núbia e o Alto Egito; Tefnakt tomou o resto do país e não o abandonará nunca mais. O nosso objetivo deve ser um só: preservar os nossos valores sagrados, a nossa alegria de viver e a paz. Para isso, devemos negociar e reconhecer a fronteira surgida desses combates.

Piankhy se ergueu.

Pelo seu olhar e atitude, Abilé compreendeu que estava tão furioso como uma pantera enraivecida.

A voz do rei encheu a sala de audiências:

— Não aceito a injustiça e as exigências bárbaras daquele que se considera o mais forte. Tefnakt desrespeitou a lei de Maat e continuará a desrespeitá-la, se eu não intervier. Ao atribuir a dois capitães a missão de destruir o exército nortista, eu esperava que, rapidamente, conseguissem dar cabo dessa sublevação. Como se comportaram os nossos soldados? Deixaram o inimigo quase incólume e fortaleceram a sua decisão de nos atacar! Estou vivo, sou amado por Rá e o meu pai Amon me guia; portanto, irei pessoalmente ao Egito e acabarei com as manobras perniciosas de Tefnakt. Farei com que desista para sempre da luta, e os nortistas provarão da firmeza do meu pulso!

Ninguém se atreveu a usar da palavra depois do rei.

A esposa o seguiu até o terraço do palácio.

— Sei que não me aprova, Abilé, mas não tenho o direito de gozar uma felicidade egoísta enquanto o Egito está dominado pelo sofrimento. Esperava realmente que Lamerskeny e Puarma evitassem que eu tivesse de deixar Napata e me empenhasse pessoalmente na batalha. Enganei-me redondamente ao subestimar o adversário. O meu coração está furioso contra mim mesmo, contra a minha imprevidência e falta de lucidez. Foi por causa das minhas fraquezas que Tefnakt se convenceu de que era capaz de conquistar as Duas Terras. Compete a mim libertá-las do fardo que pesa sobre elas, do qual me considero responsável.

— Está enganado, Piankhy. O desejo de conquistar e destruir para saciar a sede de poder pessoal é a única razão de viver de Tefnakt e nada nem ninguém o teriam feito recuar.

— Ele recuará, juro que recuará.

— Piankhy...

— Não, Abilé. Preciso partir para fazer viver a lei de Maat. Se o faraó não cumprir o primado dos seus deveres, a felicidade desaparecerá desta terra.

— Não estou pedindo que fique. Quero partir com você.

32

Os dois exércitos se confrontaram, a violência do embate havia sido terrível, uma multidão de jovens sucumbira, e essa visão atroz assombrava as noites do príncipe

Nemrod. O ímpeto da violência fazia com que ele descobrisse um mundo de cuja existência não desconfiava, um mundo onde se libertavam instintos incontroláveis que a sua educação de dignitário não o havia preparado para enfrentar.

Um estranho sentimento o invadira: sentia falta da sua cidade. Ele, que sonhava trocá-la por Mênfis, sentia-se órfão dos seus monumentos, das suas ruelas, das suas casas. Encerrado em Heracleópolis, abandonava os seus nas mãos de uma soldadesca que só pensava em derramamento de sangue e que, no futuro, talvez destruísse a antiga cidade de Toth.

Nemrod apresentou-se no quartel-general de Tefnakt. Yegeb impediu-lhe a entrada.

— Lamento, príncipe, o general está muito ocupado e...

— Afaste-se.

— Garanto-lhe...

Com uma firmeza que não lhe era habitual, Nemrod empurrou o semita e abriu a porta da sala onde o general havia aberto um mapa da região, marcando em vermelho as localidades que controlava e em negro as que ainda obedeciam a Piankhy.

— Posso lhe falar?

— Príncipe Nemrod! Entre e feche a porta. Este mapa é o mais precioso dos meus segredos militares.

— Por que não posso examiná-lo?

Nos olhos negros de Tefnakt perpassou um fulgor de surpresa.

— Interessa-se pela arte da guerra, príncipe Nemrod?

— Quero defender pessoalmente a minha cidade contra Piankhy. Quem melhor do que eu conhece Hermópolis, na perfeição? Já que a nossa armadilha não funcionou, reconstruirei a parte das muralhas que destruímos e a reforçarei.

Tefnakt não pareceu convencido:

— Uma atitude inesperada, Nemrod.

— Você me envolveu nessa guerra, general, e o sangue das vítimas maculou o meu olhar. No meio da tormenta, pude ver uma verdade: a minha cidade é o meu bem mais precioso.

— Se Piankhy contra-atacar, você estará na linha de frente.

— Conheço bem o faraó negro: nunca abandonará a sua capital. Os homens dele continuarão a marcar passo e acabarão estabelecendo uma espécie de fronteira ao sul da minha província.

— Eu a destruirei — prometeu Tefnakt.

— Pode contar com a minha cidade e com o meu auxílio, general.

— Vá para Hermópolis, Nemrod, e transforme-a numa cidadela inexpugnável.

O capitão Lamerskeny dormia ao relento, ladeado por dois cães de cor amarelo-areia que o alertariam ao menor perigo. Durante o seu sono, leve como o de um animal selvagem, o oficial sonhava com a Núbia e com os seus longos passeios solitários pela savana. Ele, que havia partido para travar uma guerra aberta e divertida, estava envolvido num conflito cruel e sem saída.

Sem nenhum reforço proveniente de Tebas, cujas defesas não deviam ser desguarnecidas, o corpo expedicionário só tinha uma solução: poupar-se, restringindo os ataques a escaramuças que deixavam intacto o grosso das tropas de Tefnakt. Os núbios retomavam uma aldeia que haviam libertado quinze dias antes e depois a abandonavam, deixando-a exposta a um contra-ataque nortista. E este vaivém traduzia-se por um imobilismo que corroía o moral de

Lamerskeny. Mergulhavam numa cloaca, numa espécie de nem guerra nem paz, sem esperança nem futuro, em que os mais pobres ficavam ainda mais pobres.

De que adiantava lutar para obter um resultado daqueles? Lamerskeny queria demitir-se e entregar a sua espada ao faraó negro. Cabia aos soldados mais jovens e mais convictos assumirem o seu lugar, acreditando que o mesmo sol se ergueria no dia seguinte.

Os dois cães rosnaram ao mesmo tempo. Lamerskeny se ergueu de imediato, com a espada na mão.

— Sou eu, Puarma.

— Por que me acorda no meio da noite?

— Os homens de Tefnakt estão tentando forçar a passagem e atravessar a fronteira da província da Lebre.

— Ah, só isso...

— Se conseguirem, avançarão para Tebas!

— Da próxima vez, deixe-me dormir. O dispositivo que instalei não lhes dará nenhuma chance de passar.

— E se estiver enganado?

— Durma em paz, Puarma.

Nartreb ficou roxo de raiva.

— Uns incapazes e uns covardes! É preciso estabelecer punições, senhor!

O rosto feio e ossudo de Tefnakt não evidenciava qualquer sinal de contrariedade.

— Quais, Nartreb? Todos os membros do comando, que você próprio escolheu, estão mortos. Eles não terão rituais fúnebres nem sepultura. Que outro castigo poderia infligir-lhes? Você queria comprovar a eficácia da defesa adversária... Agora já sabemos. A fronteira da província da Lebre é intransponível.

Uma expressão de contrariedade deformou a cara de lua cheia de Nartreb.

— Pelo menos, estamos informados... Piankhy compreendeu que era inútil nos atacar. Ele se mantém na defensiva.

— Se ele ainda se considera faraó do Alto e do Baixo Egito, não vai tolerar por muito mais tempo uma situação que nega a sua soberania de forma tão gritante.

Os olhos minúsculos do semita tornaram-se interrogativos.

— Acha... que ele vai intervir pessoalmente?

— O faraó negro é vaidoso demais para deixar a sua capital núbia onde passa dias felizes, adulado por cortesãos pródigos em lisonjas.

— Então... qual é a sua ideia?

— Provocar a sua cólera, ou seja, uma ofensiva contra Hermópolis.

Nartreb esfregou os dedos gorduchos uns nos outros.

— Yegeb não acredita na fidelidade do príncipe Nemrod... Nem eu.

— Acha que sou ingênuo? A fidelidade é um sentimento inventado pelos moralistas, que ignoram os imperativos da ação. Como qualquer outro, Nemrod está pronto a trair para salvar os próprios interesses. Mas um amor guia a sua conduta: o amor que ele tem pela sua cidade. E sabe que Piankhy não lhe perdoará a deserção. Portanto, só lhe resta uma opção: fazer dela uma fortaleza capaz de repelir todos os assaltos e defendê-la até o fim das suas energias. Nemrod, o indeciso, tornou-se um dos pilares da minha estratégia.

— Senhor... quer que eu ordene a um novo comando que atravesse a fronteira da província da Lebre?

— Essas iniciativas brutais não levarão a nada. Aurora tem razão: Yegeb e você devem preocupar-se exclusivamente com a gestão dos territórios que controlamos.

Trêmulo de raiva, o semita se retirou.

Descalça, a amante do general se aproximou sem fazer ruído e pousou as mãos perfumadas no peito dele.

— Livre-se deste homem e do cúmplice, Yegeb. Eles estão pouco ligando para o seu destino e só se interessam pelo enriquecimento pessoal.

Tefnakt beijou os dedos excepcionalmente finos.

— Acha que não sei? Todo chefe de Estado precisa desse tipo de insetos que persegue os hesitantes e elimina os recalcitrantes. Para manterem o seu lugar e os privilégios, Yegeb e Nartreb não hesitarão em corromper e matar. É por isso que eles são os meus auxiliares mais preciosos.

33

Envergando uma pele de pantera, o ritualista dirigiu-se a Piankhy em tom firme:

— Impossível, Majestade.

— No entanto, tenho que partir.

— Impossível, enquanto os astros não forem favoráveis. Se não levardes isso em consideração, vosso empreendimento estará votado ao fracasso. Somos filhos das estrelas e temos de respeitar a mensagem delas.

— Quanto tempo terei que esperar?

— Alguns dias, Majestade, até a próxima lua. Quando a lua, o olho esquerdo de Hórus, estiver em harmonia com a vossa viagem, Seth, o destruidor, nada poderá fazer para deixá-la em pedaços, e a luta cósmica dos dois irmãos se acalmará. O vigor deles passará a ser vosso, e a vossa força crescerá com a lua crescente. Lembrai-vos, Majestade: a lua cheia, reconstituída, é a imagem do Egito feliz, possuidor de todas as vossas províncias.

O próprio Piankhy verificou o equipamento dos seus soldados. Examinou tangas, sandálias, cinturões, capas, espadas, arcos, escudos e flechas, recusando os objetos ordinários. Depois, o rei se preocupou com o alimento preferido dos núbios, peixe seco e conservado em vasos que pareciam enormes salsichas. Considerando o tempo de viagem e o número de guerreiros que conduziria até o Egito, os pescadores e fabricantes de conservas trabalhavam dia e noite.

Abilé não estava parada. Com o consentimento do marido, ela cuidava das indispensáveis medidas de higiene e, particularmente, do estoque de sabão, cuja substância era extraída da casca e do cerne da balanita, árvore rica em saponina.

Napata inteira se agitava com a aproximação da partida de Piankhy, cuja iminência tirava o apetite de Otoku. Quando o faraó ia entrar na oficina de um fabricante de rodas, o obeso ousou abordar o soberano:

— Majestade... Eu pensei muito!

Piankhy ficou surpreso:

— Que tormento o aflige, meu amigo?

— Essa partida é uma loucura! Napata precisa da vossa presença.

— Esta cidade é rica e calma. O que tem a temer?

— Ou sereis morto por Tefnakt, que invadirá a Núbia, ou residireis em Tebas para governar o Egito e a Núbia, evitando uma nova revolta dos nortistas. Tanto num caso como no outro, Napata ficará órfã.

— Você é lúcido, Otoku, mas o destino não me pertence. Amon me escolheu para faraó e me concedeu muita felicidade. Agora, na hora em que o meu país sofre e corre o risco de desaparecer, tenho o direito de me mostrar ingrato?

— Poderíeis limitar-vos a enviar outro corpo expedicionário...

— O bom nome do faraó foi maculado. Nem você nem o mais humilde dos meus súditos pode tolerar esta afronta.

— Como Napata sobreviverá sem Vossa Majestade?

— Vou entregar a minha capital a uma pessoa responsável, que a ama e saberá preservá-la de qualquer ataque: você, Otoku.

— Mas, Majestade...

— Você será um excelente prefeito, desde que consulte de vez em quando o velho Kapa e leve em consideração os avisos dele. Graças aos mensageiros que constantemente virão de Tebas a Napata, orientarei as suas decisões. Está mais tranquilo?

— Não, Majestade.

— Ainda bem; assim, você permanecerá vigilante.

Abandonando o homem obeso, Piankhy entrou na oficina onde trabalhava o especialista em fabricação de rodas de carro. O rei sabia que a sorte da guerra seria decidida por um detalhe: a solidez das rodas que seriam submetidas a rude prova durante os confrontos.

O artesão aperfeiçoara a própria técnica e guardava ciosamente o segredo. O ajuste dos raios, sobretudo, era de uma precisão extraordinária, e a escolha dos diâmetros chegava à perfeição. Piankhy havia experimentado diversos carros em terrenos difíceis e o material se revelara de notável resistência.

— Terminou o trabalho?

— Mais dois ou três dias, Majestade, e entregarei todas as rodas exigidas.

— Pode garantir a qualidade delas?

— Juro pela minha própria vida, Majestade! Pedras, areia, solo fofo, declives... Sereis vencedor em qualquer terreno. As rodas dos nortistas se quebrarão antes das nossas, eu garanto!

Comovido, o artesão contemplou a obra que acabava de terminar.

— Como uma roda é bela! Parece fixa, imóvel e, no entanto, contém o segredo do movimento. Nela nascem todos os caminhos e, quando para, guarda a recordação dos caminhos percorridos. No entanto, seria melhor que nunca girasse, pois só é usada para a guerra.

— Se não combater os nortistas, eles descerão até Napata e destruirão o que construímos. Graças a você, impedirei esse desastre.

— Está pronta, Chepena? — perguntou Piankhy à filha que, no seu laboratório, terminava a preparação de um perfume com o frescor de uma madrugada primaveril.

— Queria esquecer que um dia teria de deixar a minha terra natal, a minha cidade e este lugar onde vivi tantas alegrias. Não desistiu do seu plano, pai?

— Sabe muito bem que não.

— Terei de morar em Tebas até o fim dos meus dias?

— É a regra que se aplica à Divina Adoradora.

Chepena estava à beira das lágrimas.

— Você deixa o meu coração despedaçado!

Piankhy abraçou a filha com ternura.

— Tenho consciência disso, Chepena, mas foi a sua própria maneira de ser que me levou a designá-la como futura soberana de Tebas. Você reinará em Karnak, o templo dos templos, e preservará o caráter sagrado da nossa civilização.

— Essa missão é... aterradora!

— Não, minha filha: é exaltante. Assim que envergar a sua túnica ritual de Divina Adoradora, a sabedoria daquelas que a precederam será a sua ajuda mais preciosa. Não tenha medo, Chepena: você é depositária de uma força cuja verdadeira natureza ignora. Ela se revelará quando você exercer a função para a qual foi feita.

— Até a partida, meditarei no templo.

Chepena beijou as mãos do pai.

Piankhy saiu da cidade para contemplar de longe a Montanha Pura e o seu pico à luz do poente.

O trabalho dos escultores estava terminado. O Gebel Barkal imprimiria para sempre o selo da instituição faraônica no coração da Núbia.

O coração de Piankhy se apertou. Voltaria a ver algum dia aquela montanha à sombra da qual havia sido construído o templo de Amon, eco distante do templo de Karnak? Esperara não se afastar dele e envelhecer em paz sob a sua proteção.

Mas o destino adquiria repentinamente outra face e fazia as suas exigências às quais o faraó negro não podia fugir. A sua felicidade, o decurso regular e tranquilo dos dias, o esplendor do seu palácio... nada disso contava diante da tragédia que mergulhava o povo do Egito no desespero.

A menos de um metro de Piankhy, as moitas se agitaram.

Uma naja de pescoço negro apareceu, agressiva e pronta para morder.

O faraó nem teve tempo de reagir, pois um mangusto,* mais rápido do que o réptil, se lançou sobre ele e fechou as mandíbulas na sua nuca.

Com os pelos eriçados de raiva, o pequeno carnívoro de focinho triangular e cauda longa e flexível sabia encontrar as posições certas de luta para evitar a picada do réptil. O mangusto não era uma das manifestações de Atum, o Criador? Podendo, às vezes, ser domesticado, livrava o seu proprietário de lagartos, ratazanas e camundongos. Como reconhecimento, ele era mumificado e o corpo eterno depositado num sarcófago do seu tamanho.

A luta tinha sido breve e violenta. Recuperando o fôlego, o mangusto fitava o cadáver da naja.

Piankhy o pegou, e ele não tentou escapar.

— Você me deu o exemplo; vou levá-lo comigo.

* Icnêumone, também denominado “rato-de-faraó”.

34

A semana havia sido satisfatória, pois o corpo expedicionário núbio perdera o controle de duas aldeias e não atacara nenhuma patrulha líbia. Tefnakt recebia do Norte um reabastecimento regular e abundante e reforçava constantemente as defesas de Heracleópolis.

Sentado numa cadeira baixa com patas de leão, ele observava Aurora alisar o cabelo antes de cobri-lo com uma luxuosa peruca.

— Essa situação já durou o suficiente... É preciso descobrir um meio de provocar o ataque do corpo expedicionário, exterminá-lo e fazer com que parte das tropas estacionadas em Tebas venha socorrê-lo. Depois, o caminho ficará livre.

— Essa é a melhor estratégia, meu querido.

— Então, vamos pô-la em ação! Vamos tentar convencer o inimigo de que Heracleópolis é fácil de ser tomada.

— Por que não afirmar em alto e bom som que você deixou a cidade e que o príncipe Peftau voltou a ser vassalo de Piankhy? Os núbios não desconfiarão do aliado, e a armadilha se fechará sobre eles.

Tefnakt beijou Aurora no pescoço.

— Você sozinha substitui um conselho de guerra.

— Quero vencer... por você, pelo Egito!

O ajudante de campo de Tefnakt anunciou Yegeb.

— Mais tarde!

— O seu conselheiro afirma que é urgente.

— Então, que entre...

Havia medo no olhar de Yegeb.

— Senhor, uma terrível notícia!

— De onde a recebeu?

— Da nossa rede de informações tebana. Piankhy acaba de enviar uma mensagem: ele vai sair de Napata e anuncia a chegada à cidade de Amon.

Aurora cobriu o corpo perfeito com um véu branco.

— Nunca poderia acreditar nisso — admitiu Tefnakt.

— Isso modifica tudo — considerou a jovem. — Em breve lutaremos contra o chefe dos núbios. Tefnakt e Piankhy frente a frente... Depois da morte do faraó negro, os partidários dele deporão as armas.

— A propósito — disse Yegeb com voz sibilante —, seria bom que Piankhy nunca chegasse ao Médio Egito.

— Excelente ideia — considerou Tefnakt —, mas como organizar uma emboscada? O Sul é dele!

— A viagem será longa e difícil... Vamos tentar infiltrar alguns homens decididos pelo deserto do leste. Se fracassarem, Piankhy chegará a Tebas, e a cidade de Amon será o seu túmulo.

Graças a uma jovem camponesa pouco arisca e desejosa de se aperfeiçoar nos jogos do amor, o capitão Lamerskeny passara uma noite divertida. Durante algumas horas, esquecera os fracassos das últimas semanas. Nem uma única patrulha líbia caíra nas suas redes, nenhum confronto digno desse nome, e aquele marasmo cada dia mais acentuado.

Lamerskeny tentara por diversas vezes convencer Puarma a apelar para as tropas estacionadas em Tebas, não para atacar o fortíssimo bloqueio defensivo de Heracleópolis, mas para recuperar definitivamente várias localidades da província da Lebre e torná-la mais segura. Porém, o capitão dos arqueiros se recusava a enfraquecer o sistema defensivo da cidade de Amon.

Desta vez, estava decidido: Lamerskeny apresentaria a sua demissão a Puarma e lhe entregaria o comando. Ainda não sabia o que ia fazer da vida; o homem do braço de acácia só sabia ser soldado, e qualquer outra atividade lhe parecia incongruente.

Ceder assim perante aquele arqueiro que nunca saberia conduzir uma ofensiva afligia Lamerskeny; no entanto, se enterrar nessa guerra de posições lhe era ainda mais insuportável. Sem o grande alento da aventura, ele definhava.

Quando Puarma se aproximou, com um grande sorriso nos lábios, Lamerskeny compreendeu que ele adivinhara as suas intenções e se alegrava de antemão por ter as mãos livres. Um militar de carreira preparado para qualquer compromisso... eis o que era aquele arqueiro.

— Uma mensagem proveniente de Tebas — revelou ele.

— Novas ordens?

— Melhor, Lamerskeny. Muito melhor.

O capitão de infantaria franziu o sobrolho.

— Não compreendo...

— Piankhy está chegando.

Desde que voltara a Hermópolis, o príncipe Nemrod revivia. Havia recuperado os seus hábitos, os seus cortesãos, o seu palácio, o seu cozinheiro preferido e passava a maior parte do tempo passeando pelas ruas daquela cidade que por pouco não perdera.

As mulheres e os banquetes não passavam de distrações secundárias; a sua única amante era Hermópolis e haveria de embelezá-la, estação após estação, para fazer dela a cidade mais atraente da região. Ao seu camareiro, que lhe recordara, com tato, que a guerra continuava a grassar, Nemrod se limitara a responder que essa situação estacionária com certeza duraria dezenas de anos e que seria melhor esquecê-la. Sim, esquecer, como a sua traição.

O príncipe bebia vinho branco fresco enquanto ouvia o canto de um harpista no Vale das Tamargueiras, não longe do grande templo de Toth, à sombra de um caramanchão no qual subiam trepadeiras de clematites.

O chefe da sua milícia se atreveu a interromper aquele momento de requinte.

— Mais um problema de intendência?

— Não, príncipe. Um mensageiro acaba de trazer um papiro com o selo de Tefnakt.

Nemrod quebrou o selo do general e desenrolou o papiro.

Releu diversas vezes as poucas linhas escritas pessoalmente pelo general e tentou convencer-se de que se tratava de um sonho mau. Não, o faraó negro não podia ter deixado Napata em direção a Tebas. Não, ele não atacaria Hermópolis.

Desde a sua designação como prefeito de Napata, Otoku se recusava a pôr os pés no chão diante de um inferior, e os servos transportavam os seus 160 quilos de um lado para outro da capital.

O obeso se angustiava a ponto de, às vezes, saltar uma das cinco refeições do dia. Confiara a responsabilidade da sua tribo a um primo, cuja cabeça cortaria se desviasse a menor porção de ouro, e ele, Otoku, iniciava-se nos mistérios da administração central.

Quando assumia um compromisso, o obeso não se comportava como um diletante. Mesmo que pusesse em risco a sua saúde, preservaria a prosperidade de Napata. Precisava se fazer respeitar pelos escribas e mostrar que não era um títere.

Para conseguir isso, só havia um meio: obter a ajuda incondicional de Cabeça-Fria. Por essa razão, Otoku era transportado a toda velocidade para a casa dele, uma linda vila de quinze peças oculta no centro de um jardim luxuriante onde predominavam as palmeiras-de-tebas.

A esposa do anão era uma bela núbia de seios generosos que dera à luz um menino e uma menina. Com catorze e doze anos, respectivamente, eles se destinavam à carreira de escriba e ouviam atentamente os ensinamentos do pai.

O porteiro saudou com uma profunda reverência o senhor Otoku, e os carregadores seguiram pela aleia arenosa que ia dar na entrada principal da casa de Cabeça-Fria.

Na porta, a esposa do anão chorava.

— Senhora Cabeça-Fria, não queria importuná-la, mas preciso consultar o seu marido urgentemente.

— Infelizmente, não é possível.

Um calafrio percorreu o corpo maciço de Otoku.

— Não está querendo dizer que...

— Não, não, senhor... Cabeça-Fria está vivo, bem, mas Piankhy o levou com ele.

O golpe era rude. Otoku se viraria sozinho, e o faraó negro se orgulharia dele.

35

O ar cristalino realçava as ondulações amarelas do deserto depois de o véu de bruma da manhã se dissipar. A frota de Piankhy avançava numa paisagem que o seu exército apreciava maravilhado: as planícies de cor fulva, o alaranjado do arenito, as inúmeras palmeiras, uma faixa de terra bem larga irrigada, os reflexos dos trigos e das cevadas formavam um cenário mais agradável do que o da Quarta Catarata. Com impressionante vigor, o Nilo corria para norte; desafiava vitoriosamente um deserto menos agressivo e atravessava pequenas aldeias de casas brancas cujos habitantes, amontoados nas margens, aclamavam o casal real, visível na proa da nau capitânia.

A mão de Piankhy apertava a de Abilé. Os olhos dele se enchiam com a beleza luminosa da terra núbia cujo fogo lhe alimentava a alma. Empoleirados no alto das palmeiras, os macacos riam; dançando no céu azul, andorinhas desenhavam curvas em volta do voo regular e majestoso dos íbis-brancos.

Cabeça-Fria trouxe taças de suco fresco de alfarroba.

— Majestade... Peço que permitais que eu observe que estais demasiado exposto. Aqui, na proa, sois um alvo ideal para um arqueiro experiente.

— Não seja tão pessimista: ainda não estamos em território ocupado por Tefnakt.

— E se ele houvesse sido informado da vossa partida, se ele houvesse enviado assassinos para vos impedir de chegar a Tebas?

— Impossível.

— Assim espero, Majestade, mas não devemos temer o pior de um inimigo como Tefnakt?

— O que pensariam os núbios se eu me fechasse na cabine? Chamariam o faraó de covarde e não confiariam mais nele! Não é a sua opinião, Abilé?

— Cabeça-Fria tem razão, e você também.

O rei e a rainha permaneceram na proa com o olhar fixo no norte, onde a violência e a morte os aguardavam.

— Majestade — disse o capitão —, nos aproximamos da Ilha de Argo. A navegação parece rápida e fácil, mas tenho medo desse lugar. A ilha tem trinta quilômetros de comprimento e temos de escolher um dos dois braços que a contornam. Se nos enganarmos, correremos o risco de encontrar uma corrente desfavorável.

— Ela poria a frota em perigo?

— Os barcos de carga, com certeza.

Nos batelões de vinte metros de comprimento havia grãos, jarras de óleo, de vinho e de cerveja, aves, gado, legumes, sal, queijo, conservas de carne e de peixe e o arsenal necessário para um exército, sem falar do transporte de cavalos, tratados com o maior cuidado.

— Em que vai basear a sua decisão?

— Na sorte, Majestade.

— Mostre-me um mapa.

Piankhy não o examinou com os olhos, mas com as mãos. O tato era um sentido muito mais sutil do que supunha a maioria dos homens. A mão era capaz de ver e até mesmo de discernir o invisível, caso se soubesse educá-la adequadamente. Pondo a mão no pescoço do animal, Piankhy havia escolhido o seu cavalo e seria com ela que optaria pelo caminho a seguir.

— Vamos passar pela direita da ilha.

O capitão teria escolhido a outra opção, mas não tinha nenhum argumento válido para se opor ao rei.

O longo comboio enveredou por uma espécie de canal onde foi atacado por uma nuvem de moscas, que impediram os pilotos de sondar corretamente o rio com as suas longas varas. Tentando enxotá-las, um deles caiu na água. Imediatamente dois marinheiros correram em seu socorro lançando-lhe uma corda à qual ele se agarrou para subir novamente a bordo.

— Gordura de verdilhão para todas as tripulações! — ordenou Piankhy.

Todos se untaram com o precioso produto, e as moscas pararam de atacar. Mas o rei detectou outro perigo: embora o vento estivesse fraco, ligeiras ondulações se formavam na superfície do rio.

Um sinal que não enganava. Um sinal que anunciava bancos de areia imersos, à flor da água.

— Mande parar! — berrou um piloto.

Tarde demais para o barco da frente e para a nau capitânia, que se chocaram contra um banco de areia e encalharam. O resto da frota conseguiu evitar o obstáculo.

Só havia uma solução: rebocar a embarcação. Piankhy saltou para o banco de areia e comandou pessoalmente a manobra, não hesitando em puxar o cabo, com tanta força, que multiplicou por dez a dos seus marinheiros.

E, logo, a passagem pela Ilha de Argo foi apenas uma má recordação.

A travessia da Terceira Catarata efetuou-se sem dificuldade. A frota núbia passou entre maciços de granito e de pórfiro antes de se deparar com uma paisagem estranha, onde a areia era cinzenta e os rochedos quase pretos. Alguns antílopes fugiram em sucessivos saltos graciosos por sobre os raros arbustos de uma savana devastada.

Depois, novamente, o ocre das areias, o verde tenro das palmeiras, as margens cobertas do limo avermelhado que possuía o segredo da fertilidade. A emoção de Piankhy foi intensa quando o percurso passou ao lado dos locais onde estavam construídos os templos de Soleb e de Sedeinga. Eles celebravam o amor que Amenhotep III dedicara à esposa Tiye e o caráter sagrado do casal real.

O rei abraçou Abilé.

— Amenhotep III também mandou construir o templo de Luxor, um dos florões de Tebas, numa época em que as Duas Terras eram unidas, ricas e felizes.

— Se conseguirmos vencer Tefnakt, por que essa época feliz não ressuscitaria?

— Nunca travamos uma guerra dessa proporção, Abilé. A coragem dos núbios será suficiente?

— Você não é homem de dúvidas.

— Não duvido, pois não tenho outra opção. Mas quantos mortos haverá antes que possamos depor as armas? Tefnakt cometeu um grave erro ao perturbar a frágil harmonia do Norte, mas fez-me sair da letargia. Eu estava errado, Abilé, ao acreditar que os príncipes líbios se contentariam com os territórios respectivos e fariam calar as suas ambições insensatas. Eu estava errado... Nunca se deve confiar em homens ávidos de poder. E os covardes, como os príncipes Peftau e Nemrod, não são menos perigosos, pois traem na primeira oportunidade. Enganei-me ao pensar que o medo bastaria para mantê-los na retidão. Talvez você devesse regressar a Napata, Abilé.

— Quero viver esta provação com você. Se for preciso morrer para defender a nossa causa, estarei a seu lado.

O mangusto subiu no ombro de Piankhy, como para provar que também estava preparado para o combate.

A chegada precipitada de Cabeça-Fria, que corria pela ponte escorregadia com o risco de quebrar o pescoço, não pressagiava nada de bom.

— Uma catástrofe, Majestade! E é tudo por minha culpa...

— Que erro cometeu?

— Não verifiquei todas as caixas de amuletos... E uma delas continha só louças! Vários marinheiros ficarão sem a proteção mágica e vão se recusar a continuar!

— Acalme-se — recomendou a rainha Abilé. — Distribuirei os amuletos das minhas servas, que os têm em grande quantidade.

Amuletos de faiança, quartzito, cornalina, jaspe vermelho e serpentina com a forma de uma mão, de um pilar, de uma esfinge, de um olho de falcão, de uma cabeça de hipopótamo... Cabeça-Fria ficou tranquilo. Uma vez que todos os membros estariam protegidos das forças hostis, inevitavelmente a expedição chegaria ao destino sem incidentes.

36

Muitos cavalos haviam morrido de cansaço, mas a mensagem chegara a uma tribo do extremo sul da Líbia. Em troca de uma dezena de barras de prata, de unguentos de primeira qualidade e de cem burros, cinquenta jovens caçadores haviam aceitado atravessar clandestinamente a fronteira egípcia e atacar Piankhy na altura da Segunda Catarata. O local era particularmente propício a uma emboscada. Muito seguro de si, o faraó negro não esperaria esse tipo de agressão no território controlado por ele.

Apesar da grande recompensa, os voluntários não foram muitos. Piankhy tinha a reputação de um guerreiro invencível, que os homens experientes não queriam enfrentar. Só jovens transbordantes de saúde tinham aceito tentar essa louca aventura, com a esperança de levar para a sua aldeia a cabeça cortada do faraó negro. Kafy, o filho mais novo da tribo, desempenhara o papel de líder. Sabendo que tinha poucas chances de chegar ao poder devido ao ódio que o irmão mais velho sentia por ele, Kafy tinha, assim, a oportunidade de demonstrar o seu verdadeiro valor.

A expedição prometia ser perigosa. Durante o dia, não seria possível navegar, a não ser nas zonas do Nilo que não fossem vigiadas pelos soldados de Piankhy; de noite, correriam o risco de bater num rochedo. Mas era preciso não pensar no fracasso e avançar o mais depressa possível para surpreender Piankhy no local previsto.

O rei admirou a vela de linho retangular que saía da extremidade superior do mastro duplo e ia até a borda. Usando, sobretudo, a forte corrente para avançar, mesmo assim os marinheiros precisavam fazer delicadas manobras, para não desperdiçar a força do vento. Quando este diminuía, enrolavam a vela em torno das vergas, desmontavam o mastro e deitavam-no sobre dois postes com a extremidade bifurcada.

Na nau capitânia, ao lado da cabine do casal real, um grande cercado ao ar livre era destinado a Valente, o cavalo de Piankhy.

O quadrúpede dispunha de dois estábulos, e o monarca ordenava paradas regulares para que ele pudesse galopar. Como o dos soldados, o comportamento de Valente era exemplar; ele também parecia ter consciência da importância da missão a cumprir.

Piankhy falava frequentemente com o cavalo, que lhe respondia com olhares e relinchos, traduzindo aprovação ou descontentamento. O rei levava em consideração as opiniões dele para melhorar o quotidiano e mantê-lo em excelente forma. Além disso, Valente possuía uma qualidade rara: previa o perigo e manifestava os seus medos com uma ruidosa fúria.

Uma fúria que acabava de explodir com a aproximação da segunda catarata do Nilo.

Nenhum marinheiro se atreveu a intervir, com receio de ser vítima de um coice; e ninguém, exceto Piankhy, tinha o direito de se aproximar de Valente.

— Calma, amigo, calma — recomendou o rei com voz grave e pausada.

Mas Valente não se acalmava.

Quando viu o rei entrar no cercado, Cabeça-Fria sentiu medo. O animal estava tão furioso que nem a visão do dono o acalmava. Mas Piankhy conseguiu cravar o seu olhar no de Valente e avançou para ele sem hesitar.

A fúria do animal desapareceu.

— Valente está nos avisando de um perigo — disse Piankhy à esposa, deitada numa cama com a cabeceira decorada por incrustações de marfim e pés com o formato de patas de touro.

No olhar de Abilé pairava uma preocupação pouco habitual.

— Tive uma espécie de pesadelo — revelou ela. — Do Nilo saíam gigantescos crocodilos; da areia movediça das margens surgiam hipopótamos gigantescos. Eles começaram por se desafiar e achei que iam destruir-se mutuamente. Mas eles se respeitaram e acabaram formando uma espécie de aliança contra um monstro surgido do deserto, um monstro que não identifiquei... O combate começou e eu acordei.

— Um sonho... ou uma visão?

— Não sei dizer... Não deveríamos levar em consideração esses avisos?

Piankhy sentou-se na beirada da cama, e a esposa se aconchegou a ele.

— Em outras palavras, regressar a Napata, esquecer Tefnakt e a guerra....

— Por que esconder de você? Estou com medo.

— Quem negar o próprio medo não tem nenhuma coragem. Mas não temos o direito de desistir. Vou prevenir os marinheiros e os soldados que certamente teremos de lutar bem mais cedo do que o previsto.

A informação provocou uma confusão. Que risco poderia correr um exército núbio no próprio território, tão longe do inimigo? No entanto, os capitães dos barcos puseram as tripulações em estado de alerta, e os arqueiros vigiaram as margens dia e noite.

Kafy e os seus homens tiveram sucesso.

Haviam transposto todos os obstáculos para chegar às proximidades da Segunda Catarata, depois de percorrerem trilhas difíceis, felizmente ladeadas de olhos-d'água.

A paisagem era angustiante: volumosos rochedos emergindo do Nilo, turbilhões que traduziam a sua fúria, cascatas que se lançavam ao ataque das ilhotas de granito, falésias que pareciam vigiar a passagem para melhor impedir de serem vistas... Alguns dos líbios estremeceram de pavor, convencidos de que aqueles lugares eram assombrados por gênios maus.

Um deles tentou fugir, mas Kafy retesou tranquilamente o arco e abateu o timorato com uma flecha nas costas.

— Os covardes não merecem outra sorte.

Kafy era mais assustador do que os gênios maus, e os jovens líbios engoliram o medo.

— É aqui que mataremos Piankhy. Quando ele morrer, com o corpo trespassado pelas nossas flechas, os soldados dele se dispersarão como animais assustados. Vamos pegar o cadáver e levar a cabeça para Tefnakt, exigindo o dobro da recompensa prometida. Em breve, seremos homens ricos!

Essa perspectiva tornou a encorajá-los para a empreitada.

— Estas falésias são nossas aliadas — afirmou Kafy. — Lá do alto, estaremos fora do alcance dos arqueiros núbios, mas atingiremos com facilidade o nosso alvo!

Só faltava ao pequeno grupo atravessar o Nilo, saltando de ilhota em ilhota, e depois subir na falésia certa para que o sol não lhes batesse nos olhos nem o vento no rosto.

Quando Kafy, que ia à frente, estava a meio caminho, um grito o fez se voltar.

Um dos rochedos se erguera, provocando a queda de um líbio no rio. Não era um bloco de granito, e sim um enorme hipopótamo, com mais de quatro toneladas, perturbado na sua sesta. Uma dezena dos seus congêneres, igualmente monstruosos, emitiram terríveis urros, escancarando a boca.

Em pânico, o líbio cometeu o erro de cravar o punhal na pele frágil do cavalo do rio. Louco de raiva e de dor, o hipopótamo atravessou o nadador com os seus dois aguçados caninos, de sessenta centímetros de comprimento. Os outros imitaram-no, trespassando os corpos dos líbios que em vão tentavam escapar.

Na margem, Kafy viu mover-se o que julgava serem troncos de árvores atolados. Uma cabeça alongada, escamas, uma cauda de réptil e patas curtas mas rápidas, tão rápidas...

— Crocodilos! Estamos salvos, eles vão atacar os hipopótamos!

Uma guerra sem misericórdia era travada desde sempre entre as duas espécies.

Embora pesasse mais de uma tonelada, o crocodilo do Nilo possuía uma espantosa agilidade. Aterrorizado, um dos líbios bateu na superfície da água com a lança para provocar fortes vibrações que afastariam o predador. Ao proceder assim, conseguiu o oposto do resultado pretendido e o atraiu para si. E como a presa era de bom tamanho, o crocodilo emitiu uma espécie de assobio para pedir ajuda aos aliados.

Kafy estava estupefato. Nenhum crocodilo se preocupava com os hipopótamos, nenhum hipopótamo queria saber dos crocodilos. Tanto uns quanto os outros massacravam os membros do seu comando.

Kafy nem teve tempo de disparar uma flecha na goela aberta de um macho que se lançava sobre ele, porque uma fêmea fechou as mandíbulas na sua perna direita e apertou com tanta força que lágrimas escorreram das suas glândulas lacrimais. E todos os crocodilos verteram lágrimas de alegria por ocasião daquele excepcional banquete.

No ombro direito de Piankhy, com o focinho ao vento, o mangusto olhava ao longe, tal como o rei e a esposa. No meio da Segunda Catarata, que haviam começado a atravessar lentamente com a máxima prudência, distinguiram um turbilhão e ouviram gritos abafados.

— Com certeza trata-se de uma luta entre crocodilos e hipopótamos — admitiu Piankhy. — Sim, eu os vejo! Os crocodilos parecem afastar-se.

— A água está tingida de vermelho — notou Abilé.

— Tem razão! Mas, então...

— O meu sonho não me enganou. Havia monstros à nossa espera, mas não eram nem os hipopótamos nem os crocodilos.

A frota avançou.

Os crocodilos não deixaram um único pedaço de carne e, graças à força da corrente, o sangue das vítimas se diluiu rapidamente no azul sombrio das águas.

Pela primeira vez desde a partida de Napata, Chepena saiu da cabine e foi para junto do pai.

— Orei a Amon — disse ela —, invoquei a sua invisível presença para que o seu olhar seja o piloto do seu barco. Terríveis provações nos esperam e não deixarei de implorar o seu auxílio.

O mangusto adormeceu no ombro de Piankhy, e a frota transpôs sem dificuldade o obstáculo de pedra da Segunda Catarata.

37

Assim que a pedicura acabou de cuidar dos pés finos e delicados de Aurora, foi substituída por uma massagista, que untou o corpo nacarado da jovem com um unguento à base de incenso e junco perfumado. Desta forma, manteria a pele macia e perfumada durante todo o dia.

Os cuidados da manhã estavam quase terminados. Só faltava a intervenção da cabeleireira, completada pela escolha de uma peruca. Aurora pensava ainda na noite ardente que passara com Tefnakt. O general era um homem frio, austero, de palavras rudes na sua vida pública, mas, com ela, se transformava em amante apaixonado com atitudes inesperadas. E até mesmo na intensidade do prazer ela sentia que ele estava possuído pelo seu grande plano. Se a amava, não era por causa da sua beleza nem da sua juventude, mas porque ela era dominada pela mesma ambição.

A cabeleireira chorava.

— O que está acontecendo?

— Senhora, é esse monstro do Nartreb...

— Ele a violentou?

— A mim, não se atreveria, porque estou a seu serviço... Mas violentou a minha irmã mais nova, que tem dezoito anos e é linda como um lírio!

Envolta num manto de linho transparente, com os cabelos soltos, descalça, Aurora saiu do quarto em passos apressados, passou diante dos guardas colocados nos cantos de cada corredor do palácio, empurrou o camareiro que se inclinava para saudá-la e entrou como um tufão na sala do conselho, onde Tefnakt ouvia o relatório de Yegeb sobre a situação econômica da região.

— O seu conselheiro Nartreb é um bruto e um criminoso!

— Por que tanta excitação, Aurora?

— Porque ele violentou a irmã da minha cabeleireira!

— Impossível — protestou Yegeb. — Eu me responsabilizo por ele.

— Ele que venha aqui e se explique — exigiu a jovem.

O rosto de Yegeb endureceu.

— Não compete ao general dar ordens?

— Vá buscar o seu amigo — disse Tefnakt a Yegeb.

O semita se curvou e desapareceu.

— Livre-se deles — aconselhou Aurora. — Acabarão fazendo com que a população o odeie. E, de acordo com as nossas leis, a violação é punida com a morte.

— A competência dos meus conselheiros é incontestável — objetou Tefnakt. — Mesmo que os seus métodos possam, às vezes, parecer brutais, conseguem excelentes resultados porque permito que enriqueçam. Graças a eles, o povo me teme e sabe que deve obedecer-me.

— Vai perdoar um estuprador?

— Ouçamos primeiro a versão dele dos fatos.

Quando Nartreb se apresentou a Tefnakt, Aurora repetiu as suas acusações com veemência.

— Trata-se de um simples mal-entendido... Na realidade, eu é que fui em socorro dessa infeliz, que acabara de ser atacada por um camponês. Compreendi imediatamente que tinha sido vítima de terríveis sevícias e ordenei que a tratassem, à minha custa.

— É a você que ela acusa, não a um camponês!

— Estava quase desmaiada, e a emoção deve tê-la feito fantasiar... É perfeitamente compreensível e perdoo-lhe.

— Perante um tribunal — insistiu Aurora —, será a palavra dela contra a sua.

— Claro que não, pois tenho três testemunhas. Três milicianos que me escoltavam e que viram o camponês fugir. O testemunho deles será decisivo.

Yegeb sorriu.

— Vê, meu general. Nartreb é um homem acima de qualquer suspeita.

— O assunto está encerrado — declarou Tefnakt.

Acompanhando-se com a lira, a esposa núbia do príncipe Akanosh cantava uma canção do extremo sul, simultaneamente alegre e melancólica. Evocava a água fresca que a mulher e o amante partilhavam às margens do rio, na cumplicidade de uma alvorada amorosa; ela falava da juventude que se esvaía com a corrente e se afogava nas torrentes de areia ocre que desciam para o Nilo.

Comovido até as lágrimas, o intendente esperou o final da melodia para se dirigir ao patrão. Era o único empregado que tinha acesso aos aposentos do casal; um rápido inquérito permitira à esposa de Akanosh descobrir que os outros eram pagos por Yegeb para tentar comprometer o marido.

— Tefnakt está furioso — revelou o intendente.

— Contra mim?

— Não, príncipe; tranquilize-se. Ele acaba de saber que os líbios pagos para matar Piankhy durante a viagem falharam. O faraó negro ultrapassou a Segunda Catarata e não deve tardar a chegar à Ilha de Elefantina.

— Piankhy no Egito... Esse sonho louco vai realizar-se efetivamente?

O mangusto passava a maior parte do tempo dormindo, Valente estava perfeitamente calmo, a navegação era agradável, Piankhy e

Abilé desfrutavam momentos maravilhosos. Em Napata, as respectivas obrigações privavam-nos muitas vezes da intimidade a que aspiravam; ali, na cabine espaçosa e bem arejada, passavam cada instante de prazer e harmonia com mais intensidade, porque uma sombria realidade se aproximava inexoravelmente.

Abilé possuía o encanto misterioso da água profunda e o fascínio mágico de um felino. Nenhuma das suas atitudes, mesmo no arrebatamento do desejo, era desprovida de nobreza. Aventura a cada dia recomeçada, ela fascinava Piankhy. Sem ela, não teria nenhuma possibilidade de vencer.

O mangusto acordou e se ergueu apoiando-se na porta de madeira da cabine. Instantes depois, Cabeça-Fria bateu.

— Entre.

O anão entreabriu a porta.

— Majestade, o capitão está preocupado. O vento do sul começou a soprar e já está provocando ondas cada vez mais fortes no rio, que começa a correr numa velocidade anormal. A sua violência pode ser terrível! Devíamos parar o mais rapidamente possível e amarrar os barcos. Caso contrário, naufragaremos.

— Nos aproximamos da Primeira Catarata, não é verdade?

— Sim, Majestade.

— Vamos à biblioteca, depressa!

Cabeça-Fria não se separara de alguns papiros, sendo que nos mais importantes figuravam os rituais ordinários e extraordinários, o calendário das festas, a lista dos templos e uma centena de outros assuntos essenciais, sem o conhecimento dos quais era impossível governar.

Piankhy desenrolou mais de dez antes de encontrar o que procurava; ele convocou logo os oficiais encarregados da intendência e se dirigiu para a proa da nau capitânia, onde lhe entregaram imediatamente os objetos pedidos.

Com a coroa azul na cabeça, o faraó ofereceu ao gênio do Nilo uma tanga de linho real, um papiro virgem de primeira qualidade, óleo fino, um jarro de vinho datado do ano 1 do seu reinado, um bolo de mel e um lingote de ouro. Envergando uma longa túnica vermelha, a rainha Abilé manejava dois sistros de ouro para afastar as forças nocivas e restabelecer a harmonia entre o rio e os humanos.

Pouco a pouco, o vento do sul diminuiu, os turbilhões desapareceram, e a corrente se acalmou.

— Fazer oferenda — murmurou Piankhy — é o que ensinam os velhos escritos. Só ela pode repelir o mal e abrir o caminho. Não podemos esquecer isto, Abilé: todo o Egito é uma oferenda ao princípio criador. Será nele que estabelecerei a minha estratégia.

38

O caos de pedras da Primeira Catarata impressionou os núbios. Muitos deles se perguntaram como fazer para ultrapassar aquela barreira de rochedos entre os quais o rio manifestava acessos de fúria.

Usando mapas precisos, Piankhy não teve dificuldade para encontrar o canal aberto pelos faraós da XII dinastia. Mesmo durante os períodos mais perigosos, o canal permanecia livre de escolhos e continuava navegável. A fim de facilitar as trocas com a Núbia, os monarcas da XVIII dinastia haviam aumentado a passagem para fazer dela um verdadeiro canal onde circulavam até barcos de carga.

E assim foi a entrada na terra amada pelos deuses, na primeira província do Alto Egito, a cabeça do Duplo País, simbolizada por um elefante, cujo nome significava também "a cessação", visto que a fronteira marcava o fim do Egito propriamente dito.

Nas muralhas da fortaleza de Elefantina, outrora barreira intransponível para os núbios e agora muralha destinada a deter o invasor vindo do Norte, a guarnição em peso aclamava o faraó negro. Todos esperavam que desembarcasse na fortaleza para estabelecer a primeira ligação entre os dois corpos do exército, mas Piankhy tinha algo mais urgente a fazer.

O rei mandou parar a nau capitânia no desembarcadouro do templo do deus Khnum. Ele desceu sozinho, sob o olhar dos marinheiros da sua frota e dos soldados da guarnição, estupefatos ao verem a impressionante estatura do faraó negro.

Piankhy atravessou as portas do primeiro pilono e foi recebido pelo sumo sacerdote de Khnum, o deus-carneiro que criava os seres na sua roda de oleiro e liberava a cheia erguendo a sandália pousada sobre o rio. No interior do esplêndido edifício de arenito, cujas soleiras e portais eram de granito, pairava o odor do incenso.

— Este santuário é vosso, Majestade.

— Conduza-me à capela de meu pai.

Era um local pequeno em cujas paredes estavam esculpidas cenas que representavam Kahsta, o pai de Piankhy, fazendo oferendas a Khnum. Junto da estátua do fundador da dinastia núbia, uma estela lembrava que ele se locomovera até Elefantina e dotara com muitas riquezas o seu principal santuário.

Piankhy leu as colunas de hieróglifos que evocavam a perpétua ressurreição da alma do seu pai, na eternidade luminosa, em companhia dos justos.

E o pai lhe falou por intermédio desses sinais capazes de atravessar o tempo sem perder a força de transmissão. Alimentados pela existência permanente da pedra, os hieróglifos preservavam as palavras dos deuses pronunciadas na alvorada da vida.

E o pai lhe pediu que continuasse a sua obra como Ramsés havia continuado a de Sethi, como qualquer faraó devia continuar a do seu antecessor, pela felicidade das Duas Terras.

Piankhy poderia explicar-lhe que a situação mudara, que a invasão de Tefnakt o incitara a permanecer em Napata para proteger melhor a Núbia, que não era mais possível reunir o Alto e o Baixo Egito... Mas, por respeito, um filho não discutia as diretrizes de um pai que se tornou eterno.

Eles eram três, dois homens altos e um mais baixo. O pequeno comandava. Ordens secas e precisas, visto que conhecia perfeitamente o terreno. Antes da invasão de Tefnakt, ele morava na aldeia situada no extremo sul da província da Lebre, na fronteira imposta pelo corpo expedicionário de Piankhy.

A intervalos regulares e próximos, acampamentos de soldados formavam uma linha de defesa impossível de ultrapassar.

Impossível de transpor, exceto para os três homens treinados a rastejar como serpentes. Faltava ainda descobrir uma passagem que permitisse ao trio sair daquela ratoeira para se dirigir a Tebas, a fim de estabelecer contato com a rede de espionagem líbia e preparar o assassinato de Piankhy.

Por quatro vezes o mais baixo se decepcionara, devido a uma vigilância mais meticulosa do que havia suposto. Os companheiros propuseram voltar para trás, mas ele tinha uma última ideia: o cemitério abandonado, no limite entre os campos cultivados e o deserto. Os egípcios eram supersticiosos, nenhum soldado estaria de guarda naquele lugar onde os espectros podiam rondar. Deslizando entre os túmulos, o trio escaparia da vigilância do inimigo.

Assim que entrou na necrópole, o homem mais baixo teve a certeza de que havia encontrado uma brecha. No entanto, não relaxou a atenção, exigindo a mesma prudência dos outros dois. Quando saíssem da província da Lebre, atravessariam um canal a nado, roubariam o barco de um pescador e navegariam até os arrabaldes de Tebas, onde os esperava o chefe da rede de espionagem líbia.

Organizar um atentado contra Piankhy não seria fácil, mas certamente as ocasiões apareceriam. A chegada do faraó negro era um acontecimento tão excepcional que no decurso das festividades ou das recepções oficiais a segurança do soberano não poderia ser garantida de forma constante.

O trio contornou uma capela em ruínas, a última da necrópole. Um dos dois mais altos havia tomado a dianteira. Ele voltava para anunciar alegremente que o obstáculo fora vencido quando o braço de madeira do capitão Lamerskeny lhe quebrou o pescoço. O outro alto ergueu a espada curta, mas o machado do capitão lhe cortou a garganta. Quanto ao baixinho, ele tentou fugir pela necrópole, mas um soldado pregou-o no solo com a lança.

— Tinha a certeza de que tentariam uma estupidez deste gênero — disse Lamerskeny aos seus homens. — Foi por isso que deixei uma única passagem possível... Estes imbecis julgavam, sem dúvida, que eu tinha medo de fantasmas! Algum sobrevivente?

— Não, capitão.

— É pena; poderíamos interrogá-los... Mas, com certeza, teriam mentido.

De volta ao acampamento, Lamerskeny matou a sede com cerveja forte e depois entrou na tenda de Puarma.

— Detive um trio de líbios que tentavam sair da província da Lebre. Percebe o que isto significa?

— Desertores?

— Para o Sul? Claro que não! Dirigiam-se para Tebas.

— Tem alguma prova?

— O instinto me basta. E se eles se dirigiam para Tebas é porque tinham a certeza de serem bem recebidos.

— Você está sonhando, Lamerskeny! Tebas é fiel a Piankhy.

— Está convencido de que Tefnakt não tem nenhum partidário por lá? Mesmo que sejam poucos, alguns tebanos certamente devem ter apostado na vitória dos nortistas.

O capitão dos arqueiros ficou abalado.

— Que conclusões tira disso?

— Que aqueles três patifes iam levar orientações aos aliados tebanos para preparar um golpe traiçoeiro contra o faraó negro.

— Um atentado...

— Se Piankhy for morto, regressaremos a Napata para proteger a nossa capital, e Tefnakt terá o campo livre.

— Infelizmente, você tem razão.

O galope de um cavalo ressoou na noite. O oficial encarregado da correspondência desmontou e se apresentou aos dois capitães. Entregou a Puarma duas finas tabuinhas de madeira, uma proveniente de Tebas e a outra da Falésia-das-Grandes-Vitórias, uma aldeia da província da Lebre.

O rosto de Puarma se iluminou.

— Piankhy acaba de pisar o solo egípcio! Ele se dirigiu ao templo de Khnum em Elefantina, prestou honras à memória do seu pai e embarcou de novo para Tebas.

— Piankhy no Egito — murmurou Lamerskeny, estupefato. — Incrível...

A alegria de Puarma desapareceu.

— A outra notícia não é tão boa: sob o comando de um dos filhos de Tefnakt, os nortistas conquistaram de surpresa a aldeia fortificada da Falésia-das-Grandes-Vitórias, que barra o nosso caminho para Hermópolis.

— Agora, já chega! — rugiu Lamerskeny, assustando Puarma. — Vamos retomar essa posição e provar ao faraó negro que não somos uns incapazes.

39

A discórdia reinava no conselho de guerra reunido por Tefnakt. Alguns desejavam partir para o Norte, outros queriam reforçar as defesas das cidades de Heracleópolis e

Hermópolis, outros, ainda, travar uma batalha frontal contra Piankhy.

O príncipe Akanosh tomou a palavra:

— Sou chefe de um clã e um guerreiro, como vocês. Provei no passado o meu valor e a minha coragem. Hoje, devemos fazer um balanço da nossa ação e nos mostrarmos lúcidos. Não conseguiremos vencer nem Piankhy, porque as forças estão equilibradas. Graças ao impulso dado por Tefnakt, ao qual prometemos obediência, nós nos apoderamos de uma região próspera: vamos nos contentar com isso e proclamar Tefnakt faraó deste vasto território que vai da extremidade do Delta até o sul da província da Lebre!

— Está se esquecendo de Tebas! — insurgiu-se Aurora. — Sem a cidade de Amon, o deus das vitórias, o Egito não passa de um corpo truncado e doente. Esse balanço que você pede não será portador de esperança? As nossas posições estão solidamente estabelecidas e conseguimos atrair Piankhy ao Egito! O que significa essa viagem que ninguém esperava? Que o corpo expedicionário enviado pelo faraó negro fracassou e que ele teme Tefnakt a ponto de ser obrigado a combatê-lo pessoalmente! É a primeira confissão de fraqueza desse usurpador que não assusta mais nenhum dos nossos soldados.

A eloquência de Aurora surpreendeu os ferozes chefes de clã líbios e nem Akanosh ousou replicar.

— Desde que se encontra em solo egípcio — avaliou Tefnakt —, Piankhy não está mais em segurança. Embora Tebas ainda esteja sob o jugo do inimigo, lá não nos faltam partidários que não hesitarão em lutar pela nossa vitória.

O príncipe Peftau ficou intrigado:

— Quer dizer, general, que Piankhy poderia ser... eliminado?

— Temos de vencer, e todos os meios serão válidos para consegui-lo. O faraó negro está errado ao acreditar no caráter sagrado da sua própria pessoa e na sua invencibilidade por estar na cidade santa de Amon. Ele ignora que é o passado, e eu sou o futuro.

Em Tebas, o chefe da rede de espionagem líbia, desapontado, tomou conhecimento da morte dos três soldados mandados por Tefnakt para o auxiliarem. Apesar de experiente, o trio não conseguira cruzar a fronteira da província da Lebre.

Com eles, a coisa teria sido mais fácil... Mas era preciso superar a decepção o mais rapidamente possível e saber correr os riscos necessários para eliminar Piankhy. Havia meses que o chefe da rede informava regularmente Tefnakt da situação em Tebas e do avanço do exército vindo da Núbia. E a sua última mensagem tinha apenas algumas palavras: "Amanhã, Piankhy chega a Karnak."

Era o faraó negro, e só ele, que impedia Tefnakt de conquistar o Egito e impor a sua lei. Entre os núbios, não havia ninguém capaz de o suceder. Quando Piankhy morresse, as tropas dele bateriam em retirada e voltariam para Napata. A fortaleza de Elefantina lhes barraria para sempre a passagem.

Mas não se devia cantar vitória antes do tempo. Piankhy era uma fera temível, de instinto muito apurado, e seria preciso surpreendê-lo num momento de fraqueza em que não tivesse nenhum motivo para se mostrar desconfiado.

O chefe da rede sentia-se capaz de executar essa façanha.

* * *

— Eu devia tê-la estrangulado há muito tempo! — amaldiçoou Nartreb, massageando os dedos dos pés doloridos. — Essa Aurora é perigosa... Ela estende o seu domínio sobre esses estúpidos chefes de clã que só têm olhos para ela e a escutam deliciados.

Yegeb, que alinhava números numa velha tabuinha de madeira, era da mesma opinião do cúmplice.

— Poderíamos facilmente utilizar o veneno, mas a morte brutal dessa moça tiraria toda a força de Tefnakt por várias semanas, talvez por vários meses, e ele não pode perder nada das suas qualidades de guerreiro no momento em que Piankhy se aproxima.

— Então, o que propõe?

— É preciso desacreditá-la, provar a Tefnakt que ela é uma intrigante de quem ele deve livrar-se e não uma futura rainha do Egito.

— Há novidades sobre o príncipe Akanosh?

— Nada — respondeu Yegeb —, mas eu o mantenho sob apertada vigilância. Ele vai nos trair, tenho certeza... A menos que se tenha tornado demasiado covarde e continue fechado nos seus aposentos com a esposa. Em todo o caso, não nos incomodará.

— Acredita no êxito da conspiração tebana contra Piankhy?

— Se se tratasse de uma conspiração, não. Mas a manobra é muito mais sutil, e a picada da serpente será tão rápida quanto inesperada. Piankhy está condenado.

— Muito bem... E se agora cuidássemos de Aurora?

“Chamam-na de a orbe do mundo inteiro”, cantava um hino, “porque as suas pedras angulares correspondem aos quatro pilares do céu: Tebas é a rainha das cidades, a divina, o olho do príncipe criador, todas as cidades exaltam o seu nome! Na origem dos tempos, uma colina de areia emergiu da água: nela nasceu o mundo, nela, Tebas, o olho da luz, foi construída."

Piankhy e Abilé choraram de alegria ao verem a cidade das cem portas e dos inúmeros templos. Ela soubera resistir à triste degradação do poder faraônico e preservar as tradições que o Norte, dominado pelo invasor líbio, havia esquecido. Tebas, o santuário de Amon, o deus oculto que não tinha pai nem mãe; Tebas, a grande obra alquímica que o deus Amon criara cozinhando-a numa chama do seu olhar; Tebas, onde o invisível revelava a sua mensagem para iluminar as Duas Terras na obscuridade; Tebas, que sustinha os dois extremos da eternidade!

Os olhos de Piankhy se abriram, como se ele nascesse para um mundo cujo mínimo detalhe sonhara com exatidão, mas do qual só agora descobria a sublime realidade. E Tebas falou-lhe, pronunciando as palavras que enunciava desde a sua fundação: é aqui, e apenas aqui, que um faraó é coroado, porque esta cidade celeste, implantada na Terra, oferece ao rei um país e lhe oferece a capacidade de fazer viver a harmonia dos deuses entre os homens.

— Venha ao encontro do faraó, Amon — salmodiou a rainha —, você que é corajoso como um pastor, e permita-lhe alcançar o patamar da vitória; venha ao encontro dele, Amon, salvador do náufrago, e permita-lhe alcançar a terra da felicidade; venha ao encontro dele, Amon, o barqueiro, e permita-lhe alcançar o Ocidente da paz.

O casal real desembarcou da nau capitânia descendo para uma barca que avançou lentamente pelo canal que ligava o Nilo ao templo de Karnak. Dois "sacerdotes puros" de cabeça raspada remavam cadenciadamente, sob um sol esmagador filtrado pelos salgueiros.

O faraó e a esposa esperavam ser recebidos pela Divina Adoradora, irmã mais velha de Piankhy, apesar do seu estado de saúde. Mas foi um sacerdote idoso que se inclinou diante deles.

— Possa Amon conceder-vos a proteção, Majestades. Em nome dos sacerdotes e das sacerdotisas de Tebas, permitais que vos apresente as boas-vindas.

— Por que a minha irmã está ausente?

— Infelizmente, Majestade, a Divina Adoradora agoniza.

Piankhy sentiu vontade de correr para a cama da irmã, mas o ritual impunha que cumprisse um primeiro dever, a partir do momento em que penetrava no domínio sagrado de Amon: fazer-lhe uma oferenda.

Por isso, o faraó negro ordenou aos seus marinheiros que levassem ao templo vasos de ouro maciço, com cerca de vinte quilos cada, jarros de prata, placas de ouro que seriam colocadas na base das colunas, mesas de oferendas de granito e diorito, pesando de quatro a seis quintais,* e várias toneladas de ouro que os ourives de Karnak usariam para fabricar objetos rituais e cobrir as estátuas divinas.

Apesar da angústia que lhe roía o coração, Piankhy voltou o seu espírito para o dom daquelas riquezas, sinal concreto da sua confiança em Amon. Sem o braço do deus oculto, a sua ação não seria derrisória?

---

* Quintal: antiga unidade de medida de massa, equivalente a quatro arrobas. (N.T.)

40

Manjerona, a assistente da Divina Adoradora, pôs na testa da soberana de Tebas um pano úmido perfumado.

— Aperte a minha mão — suplicou ela.

Manjerona tentou dissimular a sua angústia:

— Parece menos enfraquecida...

— Não minta, sei que vou morrer... Piankhy já chegou?

— Os arautos anunciam a sua frota.

— Possa Amon dar-me forças para esperá-lo... Gostaria tanto de revê-lo!

— Você viverá, tenho certeza... Se pudesse dar-lhe um pouco da minha juventude!

— Guarde-a cuidadosamente, Manjerona... O meu tempo de vida termina e agradeço a Deus por me ter concedido tantos dias felizes neste templo, longe das torpezas humanas. Dê-me de beber, por favor...

Manjerona escondeu-se para chorar.

Enquanto ela derramava água fresca numa taça, um colosso de pele cor de ébano, vestido com uma tanga orlada de ouro e acompanhado por uma jovem núbia de traços delicados, entrou nos aposentos da Divina Adoradora.

— Vós sois...

— A minha irmã ainda está viva?

Manjerona curvou-se.

— Sim, Majestade! Ela esperava ansiosamente a vossa vinda...

Quando a Divina Adoradora viu Piankhy, conseguiu soerguer-se e vencer por alguns instantes o seu esgotamento. Irmão e irmã se abraçaram longamente, sem precisarem dizer uma palavra.

Depois, o olhar da soberana de Karnak pousou em Chepena.

— A sua filha... Como é bela! E como o seu olhar é profundo... Foi ela que você escolheu para me suceder, não é verdade? Não se enganou... Aproxime-se, Chepena. As minhas últimas palavras são para você. Vou transmitir-lhe os segredos da sua função para que cumpra sem falhas os seus deveres de Divina Adoradora.

Naquela mesma noite, uma hora depois da morte da irmã de Piankhy, a quem o faraó proporcionaria o funeral digno de uma rainha, Chepena foi elevada à dignidade de Divina Adoradora e soberana de todos os templos de Tebas. Depois de se ter purificado num lago, recebeu tecidos sagrados, foi vestida com uma túnica longa e justa e calçada com sandálias douradas. Na cabeça, um adorno em forma de cabeça de abutre evocava a mãe cósmica, a deusa Mut; na testa, a naja fêmea, o *uraeus* de ouro; no pescoço, um longo colar de ouro simbolizava a fecundidade espiritual.

Como as Divinas Adoradoras que a haviam precedido, Chepena comprometeu-se a não casar nem ter filhos. O seu único esposo seria o deus Amon, nos mistérios do qual foi iniciada durante uma "subida real" para o templo, à semelhança de um faraó.

Depois, a nova Divina Adoradora enfiou num espeto a estatueta de cera de um inimigo, mergulhando-a num braseiro para afastar de Tebas as forças nocivas e reduzi-las à impotência. Por fim, como representante terrestre da deusa Tefnut, fogo secreto da criação, fez a oferenda de uma estatueta de Maat, símbolo da harmonia eterna do ser vivo.

Diante dos dignitários religiosos e civis da cidade de Amon, Piankhy reconheceu a filha como Divina Adoradora, à frente de um verdadeiro governo que compreendia um intendente, um chefe dos celeiros, escribas e diretores de oficinas. Chepena poderia mandar edificar uma capela dentro dos muros de Karnak, onde, depois da sua morte, ela seria cultuada.

* * *

A madrugada se anunciava.

No fim de uma noite de ritual, Chepena não sentia nenhum cansaço. No entanto, em poucas horas, perdera a sua juventude e a sua terra natal. A partir daquele momento, nunca mais sairia dos muros de Karnak, exceto para se dirigir à margem oeste, ao templo de Medinet Habu, onde seria enterrada ao lado de outras Divinas Adoradoras, próximo à colina onde dormiam os deuses primordiais.

Enquanto Chepena contemplava o lago sagrado, a rainha Abilé foi para perto dela, iluminada pelos primeiros alvores do dia.

— Mãe...

— Eis o seu primeiro dia de reinado sobre este domínio sagrado, Chepena. Celebrando todos os dias a invisível presença de Amon, manterá a ligação do Egito com o Além. Estou muito feliz por você, e muito triste por saber que nunca mais voltará a Napata! Perdoe-me por sobrecarregá-la com os meus sentimentos... Você precisa de força e deposito em você a minha confiança.

As duas mulheres se abraçaram ternamente.

— Eu me mostrarei digna da tarefa que o meu pai me atribui, mesmo que esse destino seja maior do que eu.

— O seu pai, você e eu já não nos pertencemos. Depois da invasão de Tefnakt, a alma do Egito dita a nossa conduta e devemos servi-la com fervor para que as futuras gerações conheçam a felicidade que conhecemos.

— A rainha do Egito aceita ser assistente da Divina Adoradora para celebrar os rituais do alvorecer?

Com passo igual, mãe e filha se dirigiram ao santuário do templo de Amon.

* * *

Tebas fervia.

A presença do faraó negro rejuvenescia a velha cidade e lhe devolvia uma esperança que julgava perdida. De repente, a cidade se via sonhando com um Egito reunificado, sob o governo de um monarca que seguiria os passos dos antepassados e restabeleceria, até mesmo no Norte, a lei de Maat. Mas quem podia ignorar que esse improvável futuro passaria por uma guerra implacável contra Tefnakt, um conflito demorado e sangrento no qual morreriam milhares de homens?

Enquanto Piankhy não lançasse a grande ofensiva, ainda haveria oportunidade para organizarem banquetes e para se divertirem como se o amanhã devesse ser um dia feliz; assim, cada um dos dignitários de Tebas convidou o faraó para a sua mesa com a esperança de passar uma noite inesquecível. Mas o rei recusou todas as propostas, e os nobres compreenderam que ele não sairia da caserna onde inspecionava as tropas estacionadas em Tebas desde o início do seu reinado.

E a cidade mergulhou pouco a pouco na tristeza, esperando que o faraó negro desse o sinal de partida. Desta vez, para esmagar Tefnakt, não se limitaria a enviar um corpo expedicionário ao Médio Egito, mas engajaria toda a sua tropa.

Quando Piankhy convocou a reunião das personalidades tebanas para o grande pátio a céu aberto do templo de Karnak, ninguém duvidou que iria anunciar a data da ofensiva geral. Havia vários dias, os núbios eram submetidos a um treinamento intensivo e não tinham licenças.

Os que não conheciam o faraó ficaram espantados com a sua força e magnetismo. Diante de um guerreiro daquela estatura, o exército nortista não teria outra alternativa senão a fuga ou a derrota. E o sonho de vitória ressurgiu com vigor. E se esse núbio vindo das profundezas do extremo sul tivesse a coragem de ir até o fim da sua missão?

— Eu os reuni para anunciar uma importante notícia.

Todos suspenderam a respiração. Era o destino do país e da cidade santa que estava em jogo.

— Antes de continuar os combates contra Tefnakt e os nortistas, desejo devolver às festas do Ano-Novo e à de Opet a grandeza do passado. Haverá tarefa mais essencial do que a celebração desses momentos rituais que, desde a origem da nossa civilização, nos permitem comungar com os nossos antepassados?

A surpresa foi total.

Em vez de atacar imediatamente Tefnakt, Piankhy pensava em reviver uma festa tradicional à qual os próprios tebanos, por conta das circunstâncias, davam cada vez menos importância.

Teria o faraó negro perdido a razão?

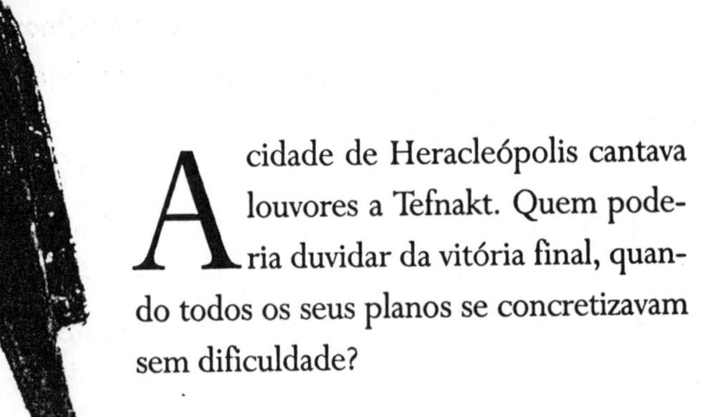

41

A cidade de Heracleópolis cantava louvores a Tefnakt. Quem poderia duvidar da vitória final, quando todos os seus planos se concretizavam sem dificuldade?

Aurora estava cada dia mais entusiasmada com a ideia de enfrentar o faraó negro e de vencê-lo. Ia frequentemente à caserna para encorajar os soldados, encantados por poderem contemplar uma mulher tão bonita que, graças à sua determinação, em breve seria a sua rainha.

Saboreando a crescente popularidade, Tefnakt assistia ao treinamento dos arqueiros quando Yegeb lhe trouxe uma mensagem proveniente de Tebas.

— Qual a razão desse ar triste, Yegeb?

— É incompreensível, senhor... No entanto, esta mensagem é autêntica! Tem exatamente o código do chefe da nossa rede de espionagem.

— Ele desistiu de eliminar Piankhy?

— Com certeza que não, mas o comportamento do faraó negro é aberrante! Em vez de preparar as tropas para o combate e dar o sinal de partida para o Médio Egito, ele só se preocupa em celebrar a antiga festa de Opet! Muitos acham que ele ficou louco e que os deuses de Tebas o enfeitiçaram, a ponto de fazerem-no perder o senso da realidade.

— Piankhy não é louco — afirmou Tefnakt. — É uma artimanha destinada a fazer-nos baixar a guarda. Ele entregará a direção dos rituais à Divina Adoradora e lançará um ataque surpresa no meio da festa. Vamos redobrar a vigilância e intensificar os preparativos.

Estupefato, o capitão Lamerskeny largou o copo de cerveja forte.

— O quê? A festa de Opet?

— O faraó decidiu conferir-lhe um brilho excepcional — declarou o capitão Puarma em tom sereno.

— Não adianta representar, arqueiro, você está tão admirado quanto eu! Como pode um faraó pensar em se divertir quando o país está dominado pela anarquia e pela guerra?

— Essa festa não é apenas um simples divertimento, sabe disso, mas uma indispensável homenagem aos deuses.

— Ah, os deuses! Não são eles que irão manejar a espada e a lança.

— A lenda afirma que foi Amon que permitiu a Ramsés, o Grande, vencer sozinho milhares de hititas, na Batalha de Kadesh. E Piankhy é igualmente um protegido de Amon.

— Já passei da idade de crer em lendas! Os seus arqueiros estão preparados?

— Continua a querer...

— Vou fazer a festa à minha maneira.

O chefe da rede de espionagem líbia implantada em Tebas interrogava-se sobre a estratégia a adotar. A princípio, julgara que o discurso de Piankhy não passava de uma atitude destinada a atrair a boa vontade do clero local e iludir Tefnakt; a seguir, tivera que admitir que o faraó negro tinha realmente a intenção de celebrar a festa de Opet com o maior esplendor possível, restaurando as antigas tradições que pouco a pouco haviam caído no esquecimento. Piankhy considerava que a comunhão com os deuses e o respeito pelos rituais eram indispensáveis para iluminar o futuro do país.

O grande número de cortesãos, a multidão delirante, o regozijo popular... excelentes condições reunidas para desferir o golpe decisivo. Mas não se trataria de uma armadilha? Não seria fácil se aproximar de Piankhy. A sua guarda pessoal estava vigilante e havia a rainha, essa núbia escultural tão atenta como uma tigresa e capaz, por si só, de fazer abortar uma tentativa de atentado.

Seria, portanto, necessário agir de forma mais sutil... E uma ideia germinou na cabeça do assassino.

O comandante líbio que se havia apoderado da aldeia fortificada da Falésia-das-Grandes-Vitórias tivera a sorte inaudita de se deparar com um verdadeiro tesouro: no porão da casa do prefeito havia ânforas de vinho tinto dos oásis com dez anos ou mais! Assim, todas as noites era organizado um banquete com os oficiais e algumas beldades locais a quem a ousadia militar não desagradava.

Segundo as informações provenientes do quartel-general de Heracleópolis, a situação mantinha-se estacionária e não evoluiria antes de várias semanas, talvez até de vários meses. De seu lado, o comandante estava convencido de que Piankhy se instalaria em Tebas e desistiria de se engajar numa luta de resultado incerto.

O conquistador dormia um sono sereno que uma sentinela inoportuna foi perturbar:

— Depressa, comandante, depressa!

— O que é?... Ainda é muito cedo para se levantar.

— Estamos sendo atacados!

O despertar foi brutal.

— Piankhy?

— Não sei... Os núbios não parecem muito numerosos.

— Então, é o corpo expedicionário!

Um terrível estrondo rasgou os tímpanos do comandante. Utilizando um aríete, os soldados de Lamerskeny acabavam de arrombar a porta principal da aldeia fortificada, enquanto os arqueiros de Puarma, empoleirados numa torre móvel, eliminavam um a um os defensores colocados nas muralhas.

O comandante se equipava às pressas com a sua couraça quando o filho de Tefnakt, um jovem longilíneo de rosto desagradável, irrompeu no seu quarto.

— Os núbios... São os núbios! E você achava que eles não nos atacariam!

— Vou organizar a sua fuga.

— Eles... eles não vão se apoderar desta praça-forte?

— Se Lamerskeny estiver à frente dos seus homens, será numa questão de minutos. Diante de um demônio desses, não temos nenhuma chance.

— Devemos resistir! Tefnakt não poderá aceitar a covardia.

— Apresse-se, rapaz, é a sua vida que está em jogo. Lamerskeny não faz prisioneiros.

Debruçando-se na janela, o comandante constatou que a situação era desesperadora. O ataque desencadeado pelo capitão núbio fora tão violento que metade da guarnição líbia havia sido massacrada em menos de uma hora. Do alto da sua torre móvel, os arqueiros núbios, infatigáveis e precisos, provocavam a devastação e impediam os defensores de se organizar.

Seguindo cegamente o comandante, os soldados da infantaria de Lamerskeny irrompiam no interior da Falésia-das-Grandes-Vitórias com uma fúria que gelava de terror os adversários. Com o seu machado de lâmina dupla, o capitão cortava o pescoço dos mais corajosos e, com o braço de acácia onde se tinham cravado duas flechas, derrubava os covardes, que imploravam piedade.

Os arqueiros de Puarma se apoderaram das muralhas e abateram os últimos líbios suficientemente insensatos para resistir.

O comandante e o filho de Tefnakt teriam tido uma oportunidade de fugir se os seus cavalos não tivessem sido vítimas de um princípio de pânico provocado pelos berros dos soldados mortalmente feridos. Relinchando e escoiceando, os quadrúpedes estavam fora de controle.

— Siga-me, rapaz. Temos de andar bem depressa.

— Lutar... Eu quero lutar!

Com o olhar desnorteado, o filho de Tefnakt apenas ouvia os estertores dos moribundos e o silvo das flechas. O comandante puxou-o pelo braço, mas o machado de Lamerskeny se enterrou no ombro dele e o obrigou a largá-lo.

— Não... o mate... É o filho de Tefnakt!

Achando que Lamerskeny estava em dificuldades, Puarma disparou uma flecha precisa e forte. O jovem, com a garganta trespassada, caiu sobre o cadáver do comandante.

O filho de Tefnakt foi o último morto do rápido e violento ataque à Falésia-das-Grandes-Vitórias.

— A festa começou bem — declarou Lamerskeny, apenas ligeiramente ofegante.

42

Ao entregar a Piankhy o relatório redigido pelo capitão Puarma, Cabeça-Fria esperava que o faraó ficasse satisfeito com o comportamento do corpo expedicionário. Por isso, ficou espantado com a reação do soberano.

— Eu havia ordenado que destruíssem as tropas de Tefnakt, o revoltoso, e que agarrassem esse ser desprezível... Em vez disso, eles se limitaram a retomar uma pequena praça-forte e julgam que realizaram uma grande façanha!

— Majestade... O filho de Tefnakt foi morto.

— Um dos filhos de Tefnakt — retificou Piankhy —, e essa morte não vai convencer o líbio a desistir do combate. Mesmo se todos os seus filhos fossem executados diante dos seus olhos, ele continuaria a perseguir o sonho de poder absoluto. É ele quem devemos abater, e não outro. E os meus oficiais são incapazes disso.

— Quais são vossas ordens, Majestade?

— Que Puarma e Lamerskeny mantenham a posição e esperem. Chegou a hora de viver as festas sagradas e celebrar os deuses.

O sacerdote-leitor chefe, encarregado de verificar o bom andamento dos rituais, não acreditava no que via. Graças ao trabalho dedicado da nova Divina Adoradora, assistida eficazmente por Manjerona, havia sido possível recuperar um texto muito antigo da cerimônia do Ano-Novo, que ocorria em pleno verão, e pô-lo em prática. O faraó negro oferecera inestimáveis tesouros, entre os quais vasos de bronze decorados com cavalos e ramos de papiros, e, obras-primas ainda mais extraordinárias, cálices de vidro colorido de azul, com pé cônico, enfeitados com uma figura de Osíris e com um texto de convite para o banquete do Além: "Beba e viverá."

O faraó e a Divina Adoradora haviam repelido os demônios, os miasmas, as doenças e os outros mensageiros da morte enviados pela deusa leoa Sekhmet durante os cinco últimos dias do ano que terminava, o período mais temível para o futuro do país. Tinham-na magicamente convencido a transformar a sua ira em energia positiva depositando oferendas diante das duas séries de 365 estátuas de Sekhmet dispostas no interior do recinto da deusa Mut.

Cumprida essa tarefa, os dignitários reunidos em Karnak num grande pátio a céu aberto, sob o sol escaldante, haviam apresentado ao faraó os presentes de Ano-Novo: colares, arcas para guardar as roupas, cadeiras de braços, uma liteira, vasos cuja tampa tinha a forma de uma cabeça de carneiro, arcos, flechas, aljavas e até mesmo estátuas de divindades que passariam daí em diante a residir no templo. Os escultores haviam criado um baixo-relevo que mostrava Toth inscrevendo o nome de Piankhy na "haste dos milhões de anos".

A rainha Abilé experimentava um profundo sentimento de orgulho. Naquelas horas felizes, tomava consciência da mais alta missão do faraó: fazer viver as Duas Terras à imagem do céu e transformar o quotidiano numa festa do espírito.

Com o seu fluxo fertilizante, a cheia do Nilo saudava a vinda de Piankhy. Em cada aldeia, mesas eram postas, abundantemente fartas, graças à generosidade do rei, e o seu prestígio era celebrado durante os banquetes, regados a bom vinho.

Nos vasos de ouro, prata e cobre, o monarca e a esposa recolheram a água do ano-novo, quando o sol fazia brilhar as ondas e transformava o país em luz.

Diante do povo, Piankhy bebeu o líquido contido num vaso de ouro e prata, uma mistura de vinho, cerveja e joio, e depois pronunciou a antiga fórmula: "Eis para ti, deus oculto, a planície misteriosa, dotada de todas as virtudes! Sobre ela crescem os cabelos da terra, o trigo e a cevada que dão a vida, apesar de estarem rodeados pelo joio."

Por instantes, Abilé sentiu-se angustiada. E se uma mão assassina tivesse envenenado a mistura? Mas imediatamente se tranquilizou: fora a sua própria filha, a Divina Adoradora, que dosara a beberagem pessoalmente. Em Tebas, Piankhy não corria nenhum perigo porque estava sob a proteção do deus Amon.

E chegou a hora dos rituais secretos, no interior do templo onde só eram admitidos os iniciados nos mistérios de Amon e de Osíris, que formaram uma procissão de cerca de sessenta sacerdotes e sacerdotisas, transportando, cada um deles, os objetos usados na celebração do culto quotidiano: um turíbulo, um vaso de purificação, um cetro de consagração. Esgotada a energia dos símbolos, competia ao casal real regenerá-los apresentando-os ao poderoso sol do ano-novo, no terraço do templo.

Em pleno meio-dia, a luz divina realizou a sua obra.

Um pouco antes do amanhecer, no *naos* do templo, Piankhy abriu a boca e os olhos da estátua do deus Amon, vestiu-a com tecidos novos, perfumou-a e apresentou-lhe o *ka* dos alimentos sólidos e líquidos. Depois o rei abriu a boca de cada estátua, de cada imagem em baixo-relevo e de cada sala do templo de Karnak para dar novamente força e vigor a esse imenso ser vivo no qual circulava, assim, uma energia nova, da qual o santuário se alimentaria.

Enquanto harpistas e flautistas faziam uma oferenda musical a Amon, Abilé viu que Piankhy estava prestes a ser absorvido por esse universo sagrado ao qual acabava de devolver a intensidade plena. Como rainha, que usava um título muito antigo, "A que vê Hórus e Seth", ou seja, os dois aspectos inconciliáveis da realidade, a força da construção e da destruição, constantemente em luta no universo e miraculosamente harmonizadas no ser do faraó, ela devia intervir:

— Esqueceu-se da guerra, Majestade?

— Tebas está em festa, Abilé.

— Não está deixando seu pensamento vagar nestes locais divinos a ponto de esquecer o amanhã?

— Por que se mostra tão cruel, você que eu amo tanto?

— É esse o meu dever de rainha. Esta terra do Egito da qual você é o esposo, como todos os faraós que o precederam, esta terra do Egito sofre e corre o risco de morrer, enquanto você sonha em permanecer aqui, em Karnak, sem se preocupar senão com o sagrado. Porque é esse o seu plano, não é verdade?

O coração de Piankhy apertou-se. Abilé havia lido o que se passava nele.

É verdade, ele sonhava em retirar-se para o domínio de Amon, em se limitar a celebrar diariamente os rituais e viver como um sacerdote recluso, longe das exigências e das torpezas do mundo exterior. Permanecendo ali, não seria responsável por uma paz, certamente relativa, mas, no entanto, verdadeira e que consolidaria pela força dos hinos e das orações? Se escolhesse esse caminho, a situação militar ficaria estacionada por longos anos.

Mas Abilé tentava afastar esse sonho, forçando Piankhy a acusar a si próprio de egoísmo e a recordar a sorte cruel dos egípcios do Norte, dominados pela tirania de Tefnakt.

Um país novamente unificado, uma terra liberta do mal que a corroía, um povo finalmente livre da guerra... Mas teria o faraó negro a capacidade de conseguir uma vitória de tal dimensão? Em vez de se embalar com ilusões e de derramar sangue, mais valia contentar-se em embelezar Tebas e contemplar a divindade.

Sentindo que o marido estava dominado por um conflito íntimo terrível, Abilé manteve-se em silêncio.

Da decisão que o faraó negro tomasse dependeria o destino de um país e de um povo.

43

Com as costas apoiadas num bloco de calcário no qual havia pousado as armas, o capitão Lamerskeny comia cebolas ao mesmo tempo que untava com óleo de linhaça o braço de acácia. Houve um tempo em que pensara fazer tantos entalhes quantos inimigos fosse matando, mas o número deles aumentara muito rapidamente.

Puarma sentou-se ao lado do companheiro.

— Então, vamos atacar outra praça-forte? — perguntou Lamerskeny.

— Piankhy está furioso — confessou o capitão dos arqueiros.

— Ah, essa é boa! Reconquistamos a Falésia-das-Grandes-Vitórias, matamos um dos rebentos de Tefnakt, provamos que o adversário não pode avançar uma polegada, e o chefe fica descontente!

— O faraó ordenou que mantenhamos as nossas posições.

— E o que fazemos há meses? Espero, ao menos, que Piankhy chegue e nos mostre como agir.

— Não sei de nada.

— Como não sabe? Você recebeu novas ordens!

— Sim, mas nada dizem sobre esse ponto. Piankhy vai celebrar a festa de Opet e...

— A festa, outra vez a festa! — exclamou Lamerskeny, que pegou uma pedra e a atirou para longe. — Mas de que adianta ficarmos aqui? Aposto que o rei decidiu instalar-se em Tebas e não ir mais longe.

— Quer dizer...

— Piankhy não tem nenhuma intenção de desencadear uma guerra sem precedentes contra Tefnakt: é esta a verdade. E ficaremos aqui, presos, até o fim dos nossos dias para guardar esta maldita fronteira.

* * *

Aurora não perdia nenhum treinamento dos arqueiros de elite, cuja precisão era por vezes espantosa. Um jovem oficial acabava de cravar três flechas no centro de um alvo, a uns cem metros de distância, um pequeno escudo que vários veteranos haviam errado. A postura do jovem guerreiro era elegante, e o seu rosto, ainda juvenil. Os gestos pareciam naturais, realizados sem esforço.

— Notável — comentou Aurora, cujos olhos verdes haviam brilhado de excitação.

— Intimamente, dediquei-lhe a terceira flecha... Perdoe-me a insolência?

A jovem sorriu.

— Considero-a uma delicada atenção... mesmo que se trate de um ato de guerra.

— Ainda não, princesa! Por enquanto, não passa de um jogo. Em breve, espero, haverá um núbio no lugar daquele alvo, depois outro e outro ainda...

O olhar profundo do arqueiro perturbou Aurora.

— Tem tanta vontade assim de lutar contra Piankhy?

— É o meu maior desejo, mas saberei ser paciente. Todos sabem que esta guerra será decisiva.

— E se ela não ocorrer?

— Isso não é possível... O general Tefnakt espera a sua hora. Ela será gloriosa, tenho certeza!

O frescor e o entusiasmo do jovem encantaram Aurora. Ele era da sua idade, acreditava que o mundo podia pertencer-lhe e não tinha nenhuma dúvida sobre o seu engajamento.

— Tem razão, a vitória do general será espantosa.

Aurora afastou-se, e ele a seguiu com o olhar.

* * *

A festa da deusa Opet, que possuía o segredo da fecundidade espiritual, era o ponto culminante da estação da cheia. Durara pelo menos 24 dias, e em breve o Nilo se retiraria, depois de depositar nas terras o limo fertilizante.

Durante esse período fasto, o *ka* do faraó havia sido regenerado para lhe permitir exercer a sua função com o máximo de energia, uma energia que ele comunicava ao seu povo e à sua terra.

Piankhy havia escoltado a estátua de Amon, que saíra de Karnak para se dirigir a Luxor, onde o mistério da revelação divina se realizara. O visível se comunicara com o invisível no momento em que o rei e a rainha do Egito se haviam unido de novo, sob a proteção de Amon, cuja grande barca de cedro, coberta de ouro e adornada de pedras preciosas, surgira aos olhos de uma multidão jubilante. Mas nunca seria erguido o véu que cobria a cabine da barca onde se encontrava a efígie do deus, e a sua verdadeira forma nunca seria conhecida pelos homens.

Ao longo do rio, como nas margens da via que ligava os templos de Karnak e de Luxor, haviam sido erguidas pequenas capelas de madeira formando etapas para a procissão que acompanharia cantores, cantoras, instrumentistas e dançarinas, enquanto as pessoas do povo se abarrotariam com os víveres generosamente distribuídos pelos sacerdotes. Não ordenavam os deuses que os locais onde se refrescar fossem preparados, tanto para a tripulação que navegava quanto para aqueles que seguiam pelos caminhos de terra?

Celebrando a presença de Amon, o pai, da sua esposa Mut, a mãe, e do filho Khonsu, "o que atravessa o céu", Piankhy afirmava o caráter todo-poderoso da divina trindade graças à qual renasceria um novo sol.

Piankhy compreendia que o segredo para governar o Egito residia na perfeita aplicação do calendário das festas, tal como fora revelado na origem. Ele viu, em paz, a realidade de Amon quando transportou a sua estátua ao *naos* do templo, durante a noite iluminada por uma luz que olhos humanos não podiam ver. Ao fazer a divindade entrar na sua morada e ao colocá-la no trono, o faraó privilegiava aquele que dava alma à criação e recolocava todas as coisas de volta no lugar certo.

Tebas saía com dificuldade das várias semanas de folguedos aos quais Piankhy dera uma dimensão pouco habitual. A que objetivo visava o faraó negro a não ser afirmar de forma bem evidente o seu domínio sobre o Sul do Egito? Os dignitários estavam convencidos de que o espectro da guerra se afastava e que o rei trocaria Napata por Tebas com a intenção de embelezar a cidade de Amon e de cobrir de ouro os seus templos.

Todos sentiam que Piankhy fora conquistado pela cidade santa onde celebrava os rituais quotidianos com fervor. Graças a ele, alguns sacerdotes haviam reencontrado o caminho da fé, e os salmos cantados no templo de Amon se haviam espalhado com a mesma grandeza da época de Ramsés.

Quanto à Divina Adoradora, ela agradecia ao céu por lhe conceder a presença tão preciosa do pai. Sem ele, Chepena se teria sentido abandonada a uma solidão que a teria esmagado, de tal forma a sua nova função lhe parecia pesada e múltipla. Gerir com eficácia o complexo dos templos de Karnak parecia ultrapassar as possibilidades de uma jovem que, até então, se havia consagrado à arte dos perfumes. Mas os conselhos da Divina Adoradora anterior, do rei e da rainha, e o auxílio de Manjerona e de um intendente dedicado haviam permitido a Chepena assumir o mais rapidamente possível as suas responsabilidades, esquecendo os seus receios. Como a maior parte dos membros do clero tebano, ela esperava que Piankhy escolhesse Tebas como residência definitiva e que a violência fosse abolida.

Quando a rainha Abilé acordou, o seu primeiro olhar foi para Piankhy, que naquela noite a amara com o ardor de um jovem amante que partia para a descoberta de um país maravilhoso e inexplorado. Mas o rei já havia saído da cama.

Abilé saiu do quarto do palácio para se dirigir ao terraço, de onde se via um dos pátios do templo de Karnak. Estava convencida de que o encontraria ali, com os olhos fixos no domínio sagrado de Amon.

Ela ficou ao lado dele e enlaçou-o com um braço, no gesto de proteção mágica que os escultores encarnavam na pedra quando criavam as estátuas de um casal feliz por toda a eternidade.

— O faraó tomou a sua decisão?

— Hoje iremos ao templo de Mut para cumprir os rituais de execração dos inimigos visíveis e invisíveis. Amanhã, eu tomarei a frente do meu exército para esmagar a desgraça e restabelecer a harmonia

44

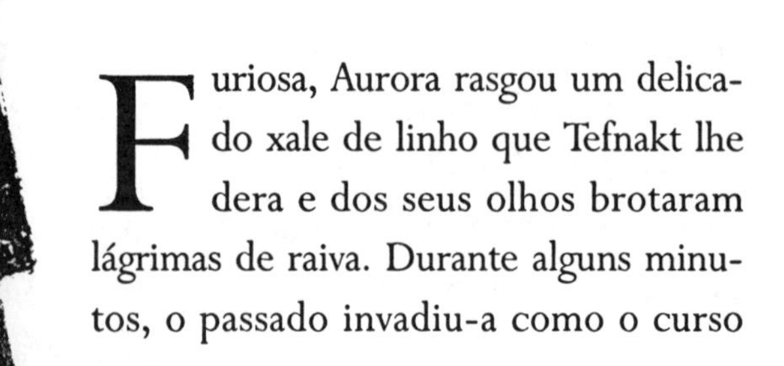

Furiosa, Aurora rasgou um delicado xale de linho que Tefnakt lhe dera e dos seus olhos brotaram lágrimas de raiva. Durante alguns minutos, o passado invadiu-a como o curso imperioso do Nilo durante a cheia. A morte do pai, a violação que lhe fora imposta por Nartreb, a arrogância do general nortista, a traição de que alguns não deixariam de a acusar... Abandonar Heracleópolis, fugir, desaparecer, não seria a melhor solução?

Não, ela encontrara o seu destino.

Mesmo que tivesse de pisotear as recordações, admitir o olhar venenoso de Nartreb e a hipocrisia de Yegeb, lutar contra a covardia de alguns príncipes líbios, não abandonaria Tefnakt e participaria com todas as suas forças da necessária reconquista do Egito.

Trazendo uma bandeja sobre a qual tinham sido dispostas uvas, romãs e tâmaras, um homem entrou no seu aposento.

Ela o reconheceu imediatamente: era o jovem oficial do corpo dos arqueiros.

— Perdoe-me a intromissão, princesa. Achei que gostaria de saborear estes frutos deliciosos.

— Quem o deixou entrar?

— Os guardas me conhecem... E eu desejava tanto lhe fazer esta surpresa!

Aurora se deu conta de que estava quase nua. Um simples véu caindo até o meio das coxas não ocultava nada das suas formas opulentas.

— Deixe a bandeja e saia.

— Até hoje, o arco e flecha era a minha única paixão... Autoriza-me a abandonar o exército para me tornar seu servo?

A voz do rapaz tremia. Comovida, Aurora voltou-lhe as costas.

— Não cometa essa loucura! Você é um arqueiro de elite.

— Isso não me interessa, se não puder mais vê-la, falar-lhe, respirar o seu perfume e lhe... e tocá-la.

A sua mão, hesitante, pousou no ombro da jovem. Ela deveria ter se afastado, ordenado que se retirasse, mas a carícia era tão doce...

— Amo você — murmurou ele, beijando-lhe a face com delicadeza.

O coração de Aurora bateu com mais força, e um estranho calor invadiu-lhe o corpo.

— Não... aqui não...

Como se não tivesse ouvido, o oficial acariciou os cabelos de Aurora.

Se o deixasse continuar, ela não conseguiria resistir-lhe.

— Se Tefnakt nos surpreender, será a morte, tanto para você quanto para mim.

Aurora voltou-se e encarou o jovem cujos olhos estavam plenos de desejo.

— Quando... quando voltarei a vê-la?

— Amanhã, no início da tarde, na sala do palácio onde são guardados os tecidos. Tefnakt estará na caserna principal para inspecionar o material de infantaria... Não, é uma loucura!

Elc beijou-lhe as mãos.

— Eu te amo, Aurora. Eu te amo loucamente! E juro que guardarei segredo, pois ele é a chave da nossa felicidade...

— Vá... Vá embora depressa!

Ele lhe deu um beijo tão ardente que ela teve vontade de retê-lo e de se oferecer a ele, mas o perigo era grande demais. Depois que ele desapareceu, a jovem só pensava numa coisa: desfrutar daquele corpo apaixonado e partilhar o seu fogo.

O tenente saiu do palácio e seguiu por uma ruela que conduzia à caserna. Ali, Yegeb o esperava.

— Satisfeito, tenente?

— Nenhuma mulher me resiste, já lhe tinha dito. Aurora não constitui exceção à regra.

— Tem certeza de que a seduziu?

— Conheço as mulheres, Yegeb. Podem disfarçar até um certo ponto, mas, no caso atual, Aurora é sincera. Aliás, ela é uma potranca magnífica! E se eu tivesse insistido um pouco, teríamos dormido juntos esta noite mesmo.

— Teria sido prematuro... É preciso que Tefnakt o surpreenda e não tenha nenhuma dúvida sobre a infidelidade crônica daquela que ele considera a futura rainha do Egito.

— Ela arrisca muito...

— O problema não é seu.

— Você me garante a impunidade?

— Direi toda a verdade a Tefnakt: fui eu que lhe paguei para seduzir essa prostituta e provar ao general que ele estava enganado ao confiar nela. Você será considerado um servo fiel e elevado a um posto superior.

— Enquanto isso, pague-me o que me deve.

Yegeb entregou ao oficial uma pequena bolsa de couro com pepitas de ouro. O oficial verificou o conteúdo.

— Agora, você é um homem rico.

— Isso é normal, Yegeb, estou me arriscando muito! E esta é apenas a primeira parte da quantia total.

— Receberá o resto quando Tefnakt se livrar dessa mulher mentirosa e depravada.

— Por que a odeia desta forma?

— Faça corretamente o seu trabalho, tenente, e nada de perguntas inúteis.

Sopesando o seu tesouro, o oficial tomou o caminho da caserna.

Evidentemente, Yegeb pegaria o seu ouro de volta no cadáver daquele imbecil que seria executado por ofensa ao general, junto com a mulher adúltera.

E Tefnakt nunca saberia a verdade.

Ao cair da noite, os astrólogos de Karnak subiam lentamente a escada que conduzia ao terraço do templo. Cada um ocupava o lugar preciso para observar o percurso dos planetas, "as estrelas infatigáveis", e a ronda dos 36 decanos, as 36 candeias que brilhavam no firmamento. Os especialistas questionavam constantemente os seus conhecimentos dos fenômenos celestes e tentavam ler neles a mensagem dos deuses.

Antes de iniciar o seu trabalho, o astrônomo-chefe encheu um copo de água límpida e colocou-a sobre uma laje plana e lisa. Habitualmente, a superfície líquida formava um espelho perfeito, símbolo de Hathor, senhora das estrelas, e ligava o espírito do observador ao da deusa.

O astrônomo-chefe achou que os seus olhos o traíam. Um fenômeno assim, na ausência de vento... Olhou mais de perto e teve de admitir a terrível realidade: a água havia ficado turva!

Assustado, o sábio desceu correndo a escada de pedra e se dirigiu ao palácio real, cujas portas estavam guardadas por dois soldados núbios, que lhe barraram a passagem.

— Tenho de falar com o rei... Vão preveni-lo!

Piankhy aceitou receber o astrônomo, que mal controlava a emoção.

— Majestade, acabo de ser testemunha de um grave acontecimento: o espelho d'água que utilizamos no terraço do templo turvou-se.

— Como interpreta esse sinal?

— Como o anúncio de uma grande desgraça, Majestade! Um fenômeno tão inexplicável é a tradução de uma desgraça iminente que ferirá o coração do reino. Por isso, tinha de alertar-vos sem perder um só instante.

— Que precauções aconselha?

— Que os mágicos recitem durante toda a noite as fórmulas de conjuração para impedir a morte predadora de se apoderar da sua presa.

— Pode ser mais claro?

O astrônomo-chefe hesitou.

— A vossa vida está ameaçada, Majestade.

45

A simples visão do rosto grave de Tefnakt fez os membros do conselho de guerra compreenderem que a situação mudara bruscamente e que o general, acompanhado de Aurora, tinha informações capitais a comunicar-lhes.

— Piankhy vai sair de Tebas — revelou Tefnakt.

— Ele vai voltar para a Núbia? — perguntou o príncipe Akanosh.

— Não, ele se prepara para nos atacar.

Tefnakt omitiu a informação de que o chefe da rede de espionagem tebana não conseguira eliminar o faraó negro e que esse fracasso não o entristecia. É verdade que teria sido mais fácil vencer o exército sulista privado do seu líder, mas o confronto não assustava de forma alguma o general nortista. Derrotando pessoalmente o adversário, provaria de forma definitiva a sua supremacia.

— Vamos esperar pelo ataque ou tomar a iniciativa? — inquietou-se o príncipe Peftau.

— Não há nenhuma razão para modificarmos a nossa estratégia: vamos deixar que Piankhy quebre a cara na fortaleza de Heracleópolis. Quando tiver perdido muitos homens, lançaremos uma série de ataques, que culminarão com a destruição total do inimigo.

— Vai conceder o perdão aos eventuais sobreviventes?

— Não — respondeu Tefnakt. — É preciso exterminar essa gentalha núbia sem nenhuma piedade. Esse é o preço do futuro do país.

Piankhy havia retirado água do lago sagrado do templo de Mut, que tinha a forma da lua em quarto crescente. Conservada em jarros, serviria de proteção mágica para o exército sulista que terminava os preparativos para a partida. Oferecida pelo rio celeste, essa energia vinda do Além tornaria inesgotáveis as forças dos combatentes decididos a reconquistar o Norte.

Magnífica na longa túnica vermelha que deixava os seios nus, a rainha Abilé não conseguia dominar a sua angústia:

— O astrônomo constatou que os astros não lhe eram favoráveis, não é verdade?

— O espelho d'água turvou-se — lembrou-lhe Piankhy. — Portanto, isso anuncia uma morte. Talvez a minha... Mas por que não pode estar relacionado ao fim de uma época?

Abilé encarou o marido.

— Desejei esta guerra, depois ela me horrorizou, a senti de novo como uma necessidade para fazer renascer a felicidade e a afastei do meu pensamento... Agora, eu me sinto perdida. Tudo o que sei é que tenho medo por você. Se desistisse para permanecer neste templo, eu o compreenderia, fossem quais fossem as críticas. Você é a vida com que eu sonhei e, meu amor, no entanto, você é bem real. Quero mantê-lo ao meu lado.

Piankhy abraçou Abilé com força.

— Talvez a morte esteja no fim da aventura... Mas temos uma chance de vencer. Se eu não cumprir a minha função, se não tentar fazer respeitar a lei de Maat em todo o país, será a segunda morte e a destruição que me serão justamente infligidas pelo tribunal do outro mundo. Não temos opção, Abilé; é por isso que somos livres para agir.

Convencida de que não conseguiria modificar a decisão de Piankhy, Abilé acompanhou-o até o templo da temível Sekhmet, onde seriam realizados os indispensáveis rituais de conjuração destinados a reduzir a capacidade dos inimigos de fazer o mal. Durante toda a noite, os mágicos de Karnak haviam recitado as fórmulas de proteção do rei, na esperança de que a morte predadora não houvesse inventado uma nova artimanha para se apoderar da alma de Piankhy.

Conforme o combinado, a Divina Adoradora celebraria o nascimento do novo sol, enquanto o casal real, assistido por Manjerona e pelas sacerdotisas de Serket, a deusa-escorpião, travaria a primeira grande batalha mágica contra Tefnakt e os seus aliados, simbolizados por grosseiras estatuetas de alabastro e calcário.

"Alguns decênios antes", pensou Piankhy, "os núbios é que eram assim amaldiçoados; mas hoje, vindos das profundezas do extremo sul, lutarão e morrerão para salvar o país detentor dos valores essenciais da civilização e da espiritualidade. Estranha reviravolta da chama, na realidade: esquecendo agravos e legítimos rancores, os perseguidos de ontem tornam-se os libertadores de hoje."

Os escribas haviam escrito com tinta vermelha um texto curto descrevendo o caráter destruidor dos rebeldes e dos criadores de distúrbios nas estatuetas dos inimigos de Maat, ajoelhados ou deitados de barriga para baixo, com as mãos atadas atrás das costas.

Manjerona dirigiu-se a Piankhy:

— Faraó do Alto e do Baixo Egito, possam os deuses proteger-vos contra aqueles que pronunciam palavras más e executam gestos perniciosos! Que o vosso poder seja mais forte do que o deles, que fiquem aterrorizados com a vossa força, que sejam pisoteados pelas vossas sandálias! Que aqueles que tentam impedir a viagem do sol sejam para sempre privados de luz, que os lábios deles sejam calados e os braços, cortados.

Uma sacerdotisa fechou a boca das estatuetas com o selo de Piankhy e quebrou-lhes os membros. Depois, Manjerona lançou-os num braseiro, de onde pareceram brotar gemidos que impressionaram os participantes na cerimônia.

Até o mangusto ficou nervoso e se refugiou aos pés do seu dono. A rainha Abilé sentiu que essa antiga magia do Estado não era uma ilusão, mas desencadeava realmente ondas de força que atuariam simultaneamente no faraó e nos inimigos de Maat. E ela compreendeu por que, desde a primeira dinastia, nenhum rei do Egito se eximira das suas obrigações rituais antes de partir para a guerra.

Enquanto o fogo crepitava, Manjerona apresentou a Piankhy um magnífico vaso de alabastro com a inscrição do nome dele.

— Majestade, antes que este vaso seja depositado no tesouro do templo para comemorar o vosso nome, bebei esta cerveja criada pelo deus Rá para fazer brilhar a vossa valentia em todas as províncias do reino.

No instante em que o faraó estendeu os braços para receber o vaso, o mangusto subiu pelo seu corpo, parou por um breve instante, saltou sobre o pulso de Manjerona e o mordeu até sair sangue.

Dando um grito de dor, a assistente da Divina Adoradora largou o recipiente, que caiu no pavimento. Dele saiu um líquido amarelado que provocou a fúria do mangusto. Com os pelos eriçados, os bigodes espetados, girou em redor dele como se se tratasse de um réptil.

— Matem este animal, ele enlouqueceu! — exigiu Manjerona.

Observando o comportamento do animal, a rainha Abilé compreendeu imediatamente:

— Você, Manjerona, tentou envenenar o rei com o veneno de serpente fornecido pela sua cúmplice, uma das sacerdotisas de Serket! Você é partidária de Tefnakt, não é verdade?

Segurando com a mão esquerda o pulso ensanguentado, incapaz de suportar o olhar acusador da rainha, Manjerona recuou.

Preparava-se para negar quando duas sacerdotisas de Serket, assustadas, tentaram fugir, em vão. Os soldados de Piankhy detiveram-nas com brutalidade.

— Por que agiu assim, você que tão fielmente serviu a minha irmã, a falecida Divina Adoradora? — perguntou o rei com uma voz tão severa que fez Manjerona tremer.

— A nova Divina Adoradora é núbia, como a anterior... Não vos basta governar Tebas por intermédio dela? A causa de Tefnakt é justa! A vitória dele nos devolverá a unidade perdida.

A jovem se ajoelhou e lambeu o líquido mortal.

— Eu fracassei, mas o Norte vencerá!

Os olhos de Manjerona ficaram parados, os membros se enrijeceram, ela vomitou bílis e morreu com as mãos crispadas na garganta.

Com a sua morte e a detenção das suas cúmplices, desaparecia a rede de informações de Tefnakt em Tebas.

46

Nas fileiras líbias, o entusiasmo misturava-se ao medo. Por um lado, sonhavam lutar; por outro, temiam a ferocidade do faraó negro. Mas Tefnakt sabia infundir confiança e manter acesa uma chama por vezes vacilante; obrigando os seus homens a treinar durante todo o dia, evitava que se perdessem em divagações mais ou menos angustiantes.

Uma coisa era certa: Piankhy não conseguiria apoderar-se de Heracleópolis. Restava saber como iria reagir: ou insistiria, perdendo milhares de homens, ou bateria em retirada. Competia a Tefnakt descobrir o momento certo para lançar uma poderosa ofensiva que acabasse de uma vez com os núbios.

A inspeção do arsenal tranquilizou o general. As armas eram numerosas e estavam em bom estado, as reservas de alimentos permitiriam suportar um longo cerco, ainda mais que as províncias do Norte enviavam mantimentos sem dificuldade.

— Senhor...?

— O que é, Yegeb?

— Tenho duas tristes notícias para lhe dar. Mas talvez este não seja o momento certo.

— Fale — ordenou Tefnakt.

— Manjerona morreu, e os membros da rede foram presos. Não temos mais ninguém para nos informar sobre as decisões de Piankhy.

— Não é assim tão grave, pois agora não precisamos mais desse tipo de informação. Conhecemos as forças do faraó negro e não precisaremos alterar a nossa estratégia. Qual é a outra má notícia?

Yegeb assumiu um ar contrito.

— É delicado, senhor, muito delicado...

— Não me faça perder a paciência.

— Trata-se de Aurora...

— Alguém tentou fazer-lhe mal?

— Na verdade, senhor, ela é que pode vir a prejudicá-lo gravemente.

— Meça as suas palavras, Yegeb!

— Senhor, imploro-lhe que me escute! Foi por acaso que os nossos serviços de segurança julgaram surpreender uma... uma ligação de Aurora com um tenente dos arqueiros.

Os olhos negros de Tefnakt ficaram sombrios.

— Tem provas do que afirma?

— Infelizmente, tenho. Se quiser seguir-me...

Aurora continuava a achar extremamente sedutor o arqueiro que ia tornar-se seu amante. Na sala dos tecidos, onde flutuavam deliciosos perfumes e um agradável aroma de roupa lavada, o rapaz avançava para ela, louco de desejo.

— Você veio... É um sonho, um sonho maravilhoso!

Ela sorriu.

— Não, eu não sou um sonho.

Ele fechou os olhos.

— Deixe-me imaginá-la para depois contemplá-la tal como você é... Será a minha mais bela conquista!

— Foram assim tão numerosas?

— Diante de você, nenhuma mulher existe!

Ele fez deslizar lentamente a alça esquerda da túnica e depois, ainda mais lentamente, a alça direita, descobrindo o busto maravilhoso de Aurora.

Trêmula, a jovem baixou os olhos, enquanto ele lhe beijava o bico dos seios. Inebriada, ela olhou nos olhos dele.

E o que ela descobriu aterrorizou-a.

Havia nele o mesmo desprezo, a mesma arrogância, a mesma brutalidade do seu violador, Nartreb. O oficial não a amava, desejava apenas possuí-la da maneira mais bestial.

De repente, ela compreendeu.

— Vire-se de costas — disse ela —, vou tirar a túnica.

— Não a julgava tão pudica.

— Por favor...

Divertido, ele obedeceu.

Aurora pegou uma tira de couro que amarrava os tecidos e, com essa arma improvisada, estrangulou o arqueiro.

O rapaz se debateu, mas as mãos de Aurora foram implacáveis. E a sua força aumentou mais ainda quando viu Tefnakt, que, de braços cruzados, observava a cena.

Com a laringe esmagada, o arqueiro parou de resistir e morreu sufocado.

— Este homem me ameaçou, trouxe-me até aqui e tentou violentar-me. Humilhando-me, era a você que queria atingir, pois este traidor confessou-me que estava sendo pago por Piankhy.

Aurora cuspiu sobre o cadáver antes de se desmanchar em lágrimas nos braços de Tefnakt.

Com a cabeça envolta numa toalha úmida e o torso coberto por um unguento que descontraía os seus músculos tensos, Yegeb sofria de uma crise de fígado que o fazia produzir uma bílis dolorosa.

— Aquela peste da Aurora me obrigou a lhe apresentar as minhas desculpas, e o general me ordenou que verificasse melhor as minhas informações antes de macular a reputação da futura rainha do Egito! Tenho medo de cair em desgraça...

Nartreb encolheu os ombros e continuou a massagear os tornozelos doridos.

— Tefnakt não pode passar sem nós, porque nos confia o trabalho sujo... Mas como essa moça conseguiu reverter a situação a seu favor?

— Aurora é uma assassina.

— Tem medo dela?

— Não tenho o hábito de fracassar... agora, Aurora nos odeia.

— Que novidade! Se ela acha que Tefnakt levará, realmente, em consideração as suas opiniões, está redondamente enganada. A única amante do general é a ambição. E nós estamos ao lado dele para satisfazê-lo. O grande confronto aproxima-se, Yegeb, e vamos tirar o máximo de benefícios disso!

Otoku havia perdido pelo menos dois quilos, e as refeições já não tinham o mesmo sabor. Consciencioso, o obeso administrava a capital da Núbia com atenção constante. Dignitários e funcionários sentiam falta de Piankhy, que, apesar da severidade, se mostrava menos exigente do que Otoku.

Não seriam as notícias provenientes de Tebas que devolveriam ao obeso o apetite de outrora. E não era a visita do velho Kapa que o tornaria mais otimista.

Otoku pousou o prato de alabastro no qual o desafiava uma coxa de ganso assada.

— Se tem censuras a fazer-me, Kapa, este não é um bom momento! Estou sobrecarregado de trabalho.

— Por que o prefeito de Napata está tão nervoso? Tanto a sua administração como eu podemos nos orgulhar de você. Vim simplesmente felicitá-lo.

Otoku não acreditou no que ouviu. Não seria uma provocação? No entanto, o velho tinha posto de lado a sua ironia habitual. Não, não estava zombando do novo edil e, além disso, estava tão triste quanto ele.

— Você também, Kapa, acha que Piankhy não voltará.

— Por que nos iludir? Ou ele perderá a guerra e será morto ou reinará em Tebas, de onde nunca mais sairá.

— Nunca mais...

— É verdade, Otoku, você será prefeito de Napata até o fim dos seus dias! Confiando-lhe essa tarefa, Piankhy acertou a mão.

— Ainda haverá felicidade para esta cidade? Sem o faraó negro, ela não passa de um povoado perdido num oásis.

— Faça como eu, Otoku: envelheça, e aceitará o inaceitável.

47

Na proa da nau capitânia, em forma de serpente com cabeça de carneiro coberta de ouro e fazendo lembrar o pico da Montanha Pura, o faraó e a grande esposa real olhavam para o norte, para o Médio Egito e para a província da Lebre, que alcançariam dentro de aproximadamente dez dias.

O rei usava a coroa branca, símbolo do Alto Egito, encaixada na coroa vermelha, símbolo do Baixo Egito; nelas estavam presas duas najas fêmeas, os *uraeus*, cuja fúria dispersaria os adversários do monarca, vestido com um colete de plumas com alças atadas nos ombros e uma tanga de linho. Nos pulsos, braceletes de ouro e pasta de vidro; na articulação, uma representação de Nut, a deusa do céu. Por baixo do colar de ouro formado por um *uraeus* em miniatura, um amuleto de faiança azul-esverdeada, com cerca de dez centímetros, representava uma cabeça de carneiro encimada pelo disco solar. Assim eram evocados o segredo do divino e a sua luminosa revelação.

Ao lado do marido, cujo braço esquerdo enlaçava com dignidade, a rainha Abilé envergava uma longa túnica vermelha presa na cintura por uma faixa branca com longas pontas. Nas orelhas, brincos de ouro com o formato da chave da vida lembravam que o nome hieroglífico das orelhas era “as vivas”; adornando o pescoço, um colar de contas de vidro, faiança e cornalina, entre as quais haviam sido dispostos pequenos escaravelhos, que encarnavam a ideia da mutação, e os pilares, a ideia da estabilidade. Quanto ao seu pingente, era um lótus ladeado por olhos de falcão, que supunha-se conter todas as medidas do universo.

— Amon vem no vento — disse Piankhy —, mas os olhos não o veem. A noite está cheia da sua presença, e o dia o glorifica. O que está no alto é como o que está embaixo e é ele que o faz funcionar.

— Você, a grande alma do Egito — suplicou a rainha Abilé —, dê o sopro da vida a todos os que vão combater para que as Duas Terras sejam reunidas.

De um estojo de prata dourada, Piankhy tirou uma adaga. No cabo da lâmina, um leão devorava um núbio! Mas a arma datava da gloriosa XVIII dinastia e fora piedosamente guardada no templo de Amon de Napata.

E o sol fez cintilar a lâmina longa e grossa, dando o sinal de partida.

Os campos de cevada dourados, as garças-reais sobrevoando os maciços de papiros, os falcões deixando-se planar ao vento, a doçura das margens... A beleza da paisagem induzia ao sonho, mas nenhum dos soldados núbios sentia disposição para se entregar a ele. Cada um deles tinha em mente o terrível confronto que se aproximava, cada um deles pensava numa esposa, numa mãe, num pai, num filho que talvez nunca mais voltasse a ver.

Antes do desembarque, Piankhy falou longamente com o seu cavalo, cujos olhos brilhantes de inteligência estavam turvos de inquietação. Não escondeu a verdade e o preveniu que enfrentaria terríveis perigos. Valente acalmou-se e ergueu a cabeça com orgulho. Também ele estava preparado para combater.

Na margem, na fronteira sul da província da Lebre, os capitães Lamerskeny e Puarma estavam emocionados e inquietos ao mesmo tempo. Emocionados por verem o faraó negro aparecer, que havia arreado pessoalmente o seu cavalo; inquietos porque teriam de ouvir as suas censuras.

— Tefnakt continua a ser um homem livre? — perguntou o faraó, visivelmente enraivecido.

— Sim, Majestade — respondeu Puarma.

— Eu não lhes dei uma missão e ordenei que acabassem com esta revolta? Confiava em vocês porque tinha a certeza de que haveriam de dispersar esses nortistas! Mas, hoje, as cidades de Hermópolis e Heracleópolis estão ocupadas pelo inimigo e a fama do faraó, ofuscada por causa da incapacidade de vocês!

Puarma baixou a cabeça, mas Lamerskeny protestou:

— Não poupamos esforços, Majestade, mas Tefnakt não é um insignificante chefe de clã à frente de um bando de rebeldes desorganizados. É um verdadeiro exército que temos diante de nós.

— Acha que não tenho consciência disso?

— O cerco de Heracleópolis será longo e difícil — afirmou o capitão de infantaria. — Perderemos muitos homens, mas espero descobrir um meio de vergar essa cidade rebelde. Quando nos apoderarmos dela, Tefnakt será obrigado a render-se.

— Pesadas perdas em perspectiva...

— Sim, Majestade! As muralhas de Heracleópolis são grossas, e os arqueiros líbios, hábeis.

— Mande os batedores imediatamente. Eles que se mostrem bem para que as sentinelas notem a sua presença.

Lamerskeny ficou espantado.

— Mas, Majestade, era preferível...

— Amanhã, quero que um pequeno batalhão se instale ruidosamente a boa distância da cidade.

— Um pequeno batalhão... Para nos apoderarmos de Heracleópolis vamos precisar de todas as nossas forças!

— Que os soldados da infantaria ergam muitas tendas, criando um enorme acampamento, como se todo o meu exército se preparasse para atacar.

— Nós... nós não vamos atacar?

— Claro que sim, capitão Lamerskeny. Mas não no lugar onde o inimigo nos espera.

Nervoso, irritável, Nartreb passeava pelas muralhas de Heracleópolis quando uma sentinela detectou dois batedores núbios que se dissimulavam desajeitadamente por trás de um maciço de espinheiros. Ela avisou imediatamente o conselheiro de Tefnakt:

— Há mais dois, lá embaixo... E mais dois, no limite dos campos.

Nartreb desceu das muralhas e correu até a caserna principal, onde Tefnakt e Aurora faziam preleções aos soldados.

— Eles chegaram! — anunciou o semita. — Um grande número de batedores... Em outras palavras, o exército de Piankhy estará aqui amanhã ou nos próximos dias.

Aurora sorriu, Tefnakt controlou a sua alegria.

— Esta noite — declarou o general —, carne e vinho tinto para todos, tanto para os oficiais como para qualquer soldado! Piankhy caiu na nossa armadilha. A vaidade do faraó negro o fará lançar-se contra esta fortaleza inexpugnável. Massacraremos milhares de núbios, e o Norte será vencedor!

Depois de ter sido aclamado pelos seus homens, Tefnakt retirou-se para os seus aposentos com Aurora. Ambos estavam no auge da excitação, e a jovem tremia, apesar do calor.

— O seu sonho vai realizar-se, Tefnakt, esse sonho que se tornou meu também...

Aurora despiu o general, desatou as alças do seu próprio vestido e fez amor apaixonadamente com o homem que ia vencer Piankhy e impor a sua lei ao Egito reunificado.

* * *

Yegeb fazia os últimos ajustes no projeto de governo de Tefnakt: coroação do faraó em Tebas e em Mênfis, eliminação de todos os núbios, incluindo os civis, destruição de Napata, apropriação das minas de ouro, desenvolvimento do exército e da polícia, estabelecimento de um estado civil rigoroso, que permitiria controlar bem a população, supressão das liberdades individuais e do direito de propriedade, abolição dos privilégios concedidos aos inúmeros templos, dos quais a maior parte seria transformada em casernas, proibição de sair do Egito, exceto para os militares devidamente autorizados por Tefnakt, aumento dos impostos e das taxas para facilitar a vida dos funcionários inteiramente dedicados ao rei, intensificação da produção de armas defensivas e ofensivas, construção de fortalezas e prisões, condenação imediata de qualquer contestatário.

Ao realizar este programa, Yegeb, futuro ministro da Economia, e Nartreb, futuro chefe da Segurança do Estado, ficaram satisfeitos com o seu trabalho.

Um último detalhe, no entanto, ainda perturbava Yegeb: era preciso enquadrar certos chefes de clã líbios que prezavam demasiadamente a própria independência e acreditavam, ingenuamente, que Tefnakt tinha intenções de respeitá-la. A maioria dos casos seria resolvida com a autoridade do novo senhor do Egito, ou com a distribuição de presentes que pudessem fazer calar os recalcitrantes.

Restava o príncipe Akanosh, nem corrupto nem corruptível e suficientemente teimoso para protestar abertamente contra a nova política. Em vez de pensar numa morte súbita, que provocaria desagradáveis agitações no momento em que Tefnakt se instalava no poder, talvez fosse possível detectar uma falha nos que o rodeavam e desacreditá-lo definitivamente.

48

Nemrod, príncipe de Hermópolis, estava de excelente humor. Como tivera razão em trair Piankhy e apostar em Tefnakt! De acordo com as previsões do general nortista, o faraó negro iria quebrar a cara na praça-forte de Heracleópolis e compreenderia, tarde demais, que havia enfraquecido o seu exército, a ponto de lhe retirar qualquer possibilidade de vencer.

Mais sedutor do que nunca, com o cabelo perfumado, manicurado com extremo cuidado, Nemrod estava tão contente consigo mesmo que se lembrara da existência da esposa, Nezeta, esquecida havia muito tempo em favor de uma corte de amantes mais ou menos hábeis nos jogos do amor.

Tendo ultrapassado os cinquenta, não faltavam a Nezeta nem elegância nem encanto, mas não podia rivalizar com as belas intrigantes de vinte anos que, erradamente, esperavam conquistar o senhor de Hermópolis. Sobriamente vestida, com uma peruca à moda antiga, Nezeta não mostrava nenhum sinal de revolta.

— Por que me chamou, Nemrod?

— Em breve Tefnakt será coroado faraó e me oferecerá um lugar de destaque no governo. Para não chocar os cortesãos, eu deveria levar pelo braço uma esposa submissa e discreta. Aceita desempenhar esse papel?

— E se eu recusar?

— Eu a repudiarei com um pretexto qualquer, mas legal, e outra tomará o seu lugar. É evidente que você perderá todos os privilégios e terá de viver de forma muito mais modesta.

— Quais serão as minhas obrigações?

— Simplesmente aparecer a meu lado, demonstrar ser feliz e falar apenas de banalidades. Há empregos mais desagradáveis, Nezeta. Com você, pelo menos, não terei de suportar dramas nem censuras. Para exercer as nossas futuras responsabilidades, preciso de calma. Está de acordo?

— Estou.

— Perfeito!

Tudo sorria para Nemrod. Graças à intuição que o arrastara para o campo de Tefnakt, a sua cidade se tornaria uma das mais ricas do Egito, e ele, um dos personagens mais em evidência na corte do novo faraó.

Quando o príncipe, todo animado, se dirigia para o quarto de uma das suas últimas amantes, uma tocadora de alaúde síria com dedos de agilidade incomparável, o chefe da sua guarda barrou-lhe a passagem:

— Príncipe Nemrod...

— Mais tarde. Estou com pressa.

— Príncipe Nemrod, estamos cercados!

— Cercados... Mas por quem?

— Por núbios... Milhares de núbios!

— Que imaginação; o exército de Piankhy avança sobre Heracleópolis!

— Não, príncipe Nemrod! O faraó negro está aqui, com os seus soldados!

Arriscando-se a ficar sem fôlego, Nemrod subiu até o alto da torre mais alta das fortificações.

E o que viu o apavorou.

Cavalgando um magnífico corcel baio de crina fulva, o faraó negro avançava à frente das suas tropas.

De pele muito negra, faces escarificadas, pequenas argolas de ouro nas orelhas, a parte anterior da cabeça raspada, cabelos curtos e encaracolados, envergando uma tanga curta presa por uma faixa vermelha, os guerreiros do extremo sul pareciam invulneráveis. Eles, que os nortistas designavam por "portadores de tranças" e por "faces queimadas", avançavam sem pressa para Hermópolis.

Os oficiais eram identificáveis pela túnica branca, pelo colar de contas multicores e pela peruca vermelha.

— São muitos, príncipe, são muitos! — gemeu o chefe da guarda.

Petrificado, Nemrod tentou manter a aparência de calma:

— As nossas fortificações são sólidas.

— Dizem que os núbios arrancam as entranhas das vítimas para dá-las aos crocodilos, dizem que os ataques deles são acompanhados por uma chuva de sangue, dizem que...

— Basta! Que cada um fique no seu posto e defenda esta cidade como o seu bem mais precioso. Repeliremos os sulistas.

Então, Piankhy fizera crer que cairia sobre Heracleópolis como uma ave de rapina para melhor concentrar os seus esforços em Hermópolis, a cidade do deus Toth. Era a proteção desse deus que o faraó negro queria garantir. Inserindo-se na tradição, como poderia Piankhy avançar sem o auxílio do mestre do conhecimento? Nem Tefnakt nem Nemrod haviam detectado essa faceta da personalidade do núbio. Rebaixando-o ao nível de um simples conquistador, haviam esquecido a dimensão sagrada da sua função.

Mas não era hora para recriminações. Nemrod tinha de salvar a sua cidade e a salvaria: as suas fortificações não tinham a capacidade de dissuadir o ataque inimigo como as de Heracleópolis?

Mais mal trajado do que os soldados sob as suas ordens, o capitão Lamerskeny esquecera-se de fazer a barba. O seu único luxo: uma tira de linho grosseiro ocultando o braço de acácia.

Havia longos minutos que o oficial olhava com atenção uma zona determinada das muralhas.

— Na sua opinião, devemos concentrar o nosso ataque naquele ponto? — perguntou Piankhy.

— Ao contrário, Majestade. Aquela é a parte das fortificações que foi voluntariamente destruída por Nemrod para atrair o corpo expedicionário numa emboscada. Estou convencido de que o príncipe de Hermópolis, ao constatar o fracasso da sua artimanha, mandou consolidar aquele muro com um cuidado muito particular.

— Que estratégia você aconselha?

— Se fizesse o que gostaria, avançaria em frente... Mas não se trata de uma pequena praça-forte como a Falésia-das-Grandes-Vitórias! Repare na altura das muralhas e na sua espessura! Nos lançarmos de cabeça sobre Hermópolis seria um desastre. Perderíamos muitos homens sem termos a certeza de pormos os pés nas muralhas. Sinceramente, Majestade, estou pronto para o combate, mas por que morrer no fim de uma arrancada tão heroica quanto estúpida?

— Alguma outra opção?

Contrafeito, Lamerskeny abanou a cabeça negativamente. Puarma teria gostado de lhe passar a perna e brilhar perante o soberano, mas ele também estava sem ideias. Apesar do número, os núbios não tinham nenhuma chance de se apoderar de Hermópolis. Certamente lhe infligiriam severos golpes, mas a que preço?

— Mandem armar as tendas — ordenou Piankhy.

Lamerskeny vigiou pessoalmente o trabalho dos homens da engenharia: eles molharam o chão para fazer baixar a poeira, traçaram aleias e instalaram as tendas de tamanhos diversos, desde a maior, destinada ao casal real, até o pequeno abrigo dos oficiais de categoria inferior. Eles deram de comer aos cavalos, aos burros e aos bois, montaram os carros que tinham sido transportados em peças separadas nos barcos de carga, os médicos trataram dos doentes e jogaram os dados com muitas discussões para esquecer os combates sangrentos do dia seguinte.

A rainha Abilé não ficou inativa. Na tenda real, espalhou taças de faiança, frascos de vidro com perfumes, vasos com a tampa em forma de cabeça de carneiro e pequenos leques com o formato de lótus, sem falar das caixas de toalete com potes de maquiagem e unguentos. Um bailado de servas levou as indispensáveis arcas de roupa e de serviços de mesa de ouro e de alabastro.

Quando Piankhy entrou nos seus domínios privados, ficou deslumbrado:

— Você recriou o nosso palácio de Napata, Abilé!

— Só alguns aposentos, e muito imperfeitos. Esta campanha militar contra a injustiça não implica que nos deixemos soçobrar na barbárie. Mas... você parece muito preocupado!

As doces mãos de Abilé pousaram nas faces de Piankhy.

— Como poderei ajudá-lo?

— Hermópolis parece inexpugnável. Até mesmo Lamerskeny está prestes a desistir.

— Mas você não!

— Assaltos repetidos teriam como único resultado pesadas perdas. Para nos apoderarmos de Hermópolis, é preciso descobrir outra solução.

— Quando um obstáculo intransponível se ergue, não é conveniente contorná-lo ou suprimir a própria natureza desse obstáculo?

— Fazer com que as muralhas deixem de ser muralhas... Sim, tem razão!

49

Os carpinteiros núbios trabalharam dia e noite para montar catapultas gigantes, enquanto os soldados de infantaria erguiam plataformas elevadas montadas sobre rodas e os condutores de burros faziam com que os seus animais transportassem pesados cestos cheios de terra.

Encostado a uma palmeira e mastigando uma haste de papiro, o capitão Lamerskeny assistia àquela agitação com ceticismo.

— Tenha confiança — recomendou Puarma. — São ordens de Piankhy.

— Conquistar uma fortaleza com burros... Acredita realmente nisso?

— Está esquecendo as catapultas!

— Não conheço o funcionamento desses engenhos.

— Entre os soldados vindos de Napata, há uma unidade especializada na utilização dessas máquinas de guerra.

— Areia nos olhos, nada mais.

— Está aborrecido porque os seus homens, pela primeira vez, não estão na linha de frente!

Lamerskeny resmungou como um urso sírio.

Do alto da torre de vigia, Nemrod observava os preparativos dos núbios, dos quais não compreendia nada. O comandante da guarnição estava igualmente perplexo:

— Por que não se lançam ao ataque?

— É realmente surpreendente... Pois os hábitos dos guerreiros núbios são bem conhecidos!

— Para que servem essas estranhas máquinas?

— Nunca vi nada semelhante, príncipe Nemrod. Na minha opinião, não sabem como nos atacar e procuram impressionar-nos.

Lançada por uma catapulta, uma enorme pedra destruiu várias ameias de tijolos crus, matou dois arqueiros líbios e feriu uma dezena.

Desde o primeiro disparo, os atiradores núbios haviam acertado a distância.

Vinte catapultas entraram então em ação e causaram graves estragos nas muralhas.

Piankhy fez sinal aos condutores de burros para avançar, seguidos pelos bois que puxavam carroças carregadas de toneladas de terra. Para proteger o comboio e a descarga, os arqueiros de Puarma, em pé nas plataformas elevadas, abateram os líbios, dos quais muito poucos tiveram a possibilidade de usar os arcos. Apanhados sob o assalto intenso e preciso das catapultas e dos arcos, muitos defensores de Hermópolis foram abatidos, enquanto os cavadores construíam uma rampa que rodearia as muralhas e chegaria a três quartos da sua altura.

A muralha de Hermópolis não era mais um obstáculo.

Sem perderem um único guerreiro, os arqueiros de Puarma tomaram posição nas muralhas. Quando Piankhy se uniu a eles, constatou que as defesas da cidade não estavam totalmente destruídas. Os sobreviventes ainda controlavam o palácio, o arsenal, a caserna e os celeiros. Mas um cheiro pútrido se elevava já das ruelas e das praças onde os cadáveres se acumulavam. Em breve, Hermópolis não conseguiria respirar.

Lamerskeny estava impaciente:

— Agora, Majestade, é comigo! Os meus soldados não demorarão muito para desalojar esses medrosos!

— Não se iluda, capitão. Eles defenderão a própria vida com afinco... Por que arriscar a dos nossos?

— Então... quais são vossas ordens?

— Esperar pela reação de Nemrod, o nosso ex-aliado.

— Nós todos vamos morrer — previu o comandante da fortaleza. — Poderemos resistir um mês, talvez dois, mas em seguida...

Todos os oficiais partilhavam a opinião do seu superior. Quanto aos dignitários, eles gemiam prevendo a sorte que lhes reservaria o faraó negro.

— É preciso resistir — considerou Nemrod, cujo rosto se enchera de rugas. — Melhor, é preciso contra-atacar! Visto que Piankhy já se considera vencedor, vamos provar que está enganado!

— Hermópolis está cercada — objetou o comandante — e perdemos metade dos nossos homens, enquanto o exército de Piankhy continua intacto. Se tentarmos uma saída, seremos destruídos.

— O que propõe?

O comandante baixou a cabeça.

— Negociar, príncipe Nemrod.

— Quer dizer... nos rendermos?

— É a melhor solução.

— Você enlouqueceu? Piankhy nos massacrará a todos.

Um dignitário tomou a palavra:

— Você era aliado dele, Nemrod, e o traiu. O faraó negro vai considerar você como responsável, não a cidade. Ele não tem nenhuma razão para atacar os habitantes, se eles se submeterem humildemente à sua vontade.

— Sou o príncipe e é a mim que devem obedecer!

— O comandante tem razão: é preciso negociar.

* * *

Com o cabelo trançado, a barba fina e talhada em ponta, envergando túnicas decoradas com motivos florais, as personalidades mais ricas de Hermópolis atravessaram as portas do muro do palácio de Nemrod.

Imediatamente os arcos núbios se retesaram.

— Não atirem — ordenou Puarma. — Não estão armados.

Com os braços carregados de cofres contendo ouro, pedras preciosas e tecidos de grande valor, os embaixadores atravessaram uma esplanada juncada de cadáveres líbios e saíram por uma porta secreta onde estava Lamerskeny. O mais idoso deles se dirigiu ao capitão:

— Conceda-nos o privilégio de depositar estes presentes aos pés de Piankhy.

— Primeiro vou revistá-los.

Os dignitários sofreram a humilhação sem protestar. Depois, Lamerskeny conduziu-os até o centro do acampamento.

Piankhy estava sentado num trono de madeira dourada, e os Porta-Leques proporcionavam-lhe um pouco de ar fresco.

O porta-voz dos dignitários se inclinou diante do faraó negro.

— Majestade, aceitai os presentes da cidade de Hermópolis. Eis os tesouros que reunimos para vos oferecer. A nossa cidade se prostra por terra para venerar a vossa grandeza e implorar clemência.

— Foram enviados por Nemrod?

— Nós mesmos tomamos a decisão que o príncipe aprovou.

— Por que ele não os acompanhou?

— Ele teme a vossa cólera e...

— Ele está certo — cortou Piankhy. — Quando me abrirá as portas da cidade que é minha e que ele me roubou?

— Majestade, é preciso compreender os temores de Nemrod.

— O seu príncipe não passa de um revoltado e, pior ainda, um traidor! Que rei seria suficientemente fraco para lhe conceder o perdão que ele não merece?

O porta-voz dos embaixadores estava aterrorizado, mas tentou, mesmo assim, defender a causa da sua cidade:

— Nemrod cometeu uma falta grave, Majestade, e nós lamentamos que isso tenha acontecido. Mas deve Hermópolis sofrer as consequências da vossa justa cólera? As muralhas foram destruídas, metade da sua guarnição foi exterminada. Agora, as nossas famílias estão com medo, e ninguém sabe o que o futuro lhes reserva.

O faraó negro se ergueu.

— Nemrod e Hermópolis violaram a lei de Maat e esqueceram o juramento de fidelidade que me fizeram. Semelhante traição não exige o mais severo dos castigos?

50

A amante de Nemrod massageava-lhe as costas com o raro e precioso óleo de moringa, mas não conseguia descontrair o príncipe de Hermópolis. Ternas carícias também foram ineficazes, e a jovem sentiu-se rejeitada, quando Nemrod a afastou com brusquidão.

No limiar da porta, encontrava-se a sua esposa legítima, Nezeta.

— O que quer?

— Voltarei mais tarde, se perturbo os seus amores.

— Vá embora — ordenou Nemrod à amante.

Ofendida, ela desapareceu.

— Todos nós vamos morrer — disse o príncipe a Nezeta. — Piankhy não terá piedade de mim nem dos habitantes desta cidade. Lamento, minha querida. Você nunca será uma grande dama na corte de Tefnakt.

— Já que não há nenhuma esperança de escapar à fúria do faraó negro, você me autoriza a tentar uma última negociação?

Nemrod ficou espantado:

— Como?

— Considerando que sou sua esposa, encabeçarei um cortejo de mulheres e crianças e implorarei a piedade de Piankhy.

— Você não tem a mínima chance de sucesso.

— Pelo menos, terei tentado.

Incrédulo, Lamerskeny viu passar o estranho cortejo liderado por uma mulher altiva, de cabeça erguida, vestida com simplicidade. O capitão da infantaria não ousou revistá-la, mas recomendou a Puarma que se mantivesse preparado para derrubá-la com uma flecha, se ela se mostrasse ameaçadora. Atrás de Nezeta, marchavam cerca de cinquenta mulheres e crianças, umas chorosas, outras quase satisfeitas por verem tão de perto os impressionantes guerreiros núbios. Uma garotinha tocou no escudo de um soldado de

infantaria, que a pegou no colo e se juntou à procissão contando-lhe uma história da sua longínqua Núbia.

A rainha Abilé recebeu a surpreendente embaixada.

Nezeta se ajoelhou.

— Sou a esposa de Nemrod. Vim suplicar-vos que salve nossas vidas.

— Levante-se.

— Não antes de obter a palavra do faraó.

— Acha que ele pode ser clemente?

— Um rei do Egito não governa com o coração?

— Siga-me.

A rainha Abilé introduziu Nezeta na tenda onde Piankhy, sentado num banco de sicômoro cujos pés tinham a forma de cascos de touro, se refrescava tomando uma taça de leite fresco.

A nobreza da visitante o impressionou.

— O meu nome é Nezeta, Majestade. Para a minha infelicidade, casei-me com Nemrod porque o amava. Ele me fez tão infeliz que perdi o gosto pela vida... Agora, quero defender a causa da minha cidade e dos seus habitantes. Eles estão sob o jugo de um traidor e obrigados a obedecer-lhe. Por que hão de sofrer um injusto castigo? Nemrod, e só ele, deve responder pelos seus atos.

— Nesse caso — considerou Piankhy —, que ele compareça diante de mim.

Nemrod ouviu a esposa com atenção, sem ousar interrompê-la. O que ela lhe propunha não era uma condenação à morte? Comparecer perante Piankhy equivalia a suicídio. Sem a sombra de um sorriso, Nezeta fizera apelo à coragem do príncipe graças à qual salvaria milhares de vidas, pouparia horríveis sofrimentos à cidade e daria provas de dedicação aos seus súditos.

Nenhuma mulher havia zombado dele como ela, nunca ninguém o colocara em semelhante posição de inferioridade sem sequer elevar o tom de voz.

Nezeta saíra deixando Nemrod sozinho consigo mesmo, frente a frente com as suas responsabilidades.

Nemrod amava a sua cidade, mas não tanto quanto a si próprio. Portanto, só lhe restava uma saída: tentar fugir e se reunir a Tefnakt.

A mudança da guarda era realizada logo depois da aurora. Durante alguns minutos, o acesso a uma porta baixa estaria livre. Vestido como um camponês, Nemrod seguiria rente aos celeiros, passaria pelo campo de manobras, pela muralha exterior e atravessaria as linhas inimigas. Uma empreitada arriscada, mas não tinha mais nada a perder.

Nemrod abriu a porta do quarto.

A esposa e vários guardas esperavam por ele.

— Os altos funcionários, os oficiais e a população são unânimes — disse Nezeta. — O príncipe de Hermópolis deve comparecer perante o seu rei.

O medo.

Um medo terrível que colava a túnica de cerimônia à pele e provocava suores acres, um medo contra o qual a vontade de Nemrod nada podia... Se, ao menos, desmaiasse e mergulhasse no vazio! Mas continuava a avançar como um homem embriagado que, infelizmente, mantinha plena consciência ao entrar no campo núbio sob os olhares de ódio de milhares de guerreiros.

Se Lamerskeny não houvesse recebido ordens para conduzir Nemrod até junto do faraó são e salvo, teria, com prazer, lhe esmagado a cabeça com o seu braço de acácia. Mas o capitão tinha de aceitar que Piankhy desejasse dar largas à sua cólera... Talvez o monarca oferecesse às suas tropas um grandioso suplício que fizesse Nemrod lembrar que a palavra tinha um valor sagrado.

Puarma ergueu o pano de entrada da tenda real para deixar passar o príncipe de Hermópolis, que estacou.

— Entre! — disse Lamerskeny empurrando o prisioneiro pelas costas.

Nemrod fechou os olhos, na esperança de que aquele pesadelo se dissipasse. Quando os reabriu, o faraó negro estava na sua frente e dominava-o com toda a sua estatura de atleta.

— Continua sempre elegante, Nemrod. A sua reputação é justificada.

— Majestade... Podeis admitir que o coração é um leme que por vezes faz naufragar o seu detentor, porque está nas mãos do deus? É ele que decide o nosso destino e faz de nós aquilo que somos. O coração me traiu, me arrastou pelo mau caminho... Graças a Sua Majestade, eu me conscientizei das minhas faltas e venho implorar o vosso perdão.

Piankhy tirou a adaga da bainha e contemplou a lâmina.

— Tem razão, Nemrod. O coração concebe, pensa, dá ordens aos membros, comanda a língua e cria a capacidade de conhecer. "Segue o teu desejo durante a tua existência", escrevia o sábio Ptah-hotep; "não faça nenhum excesso, mas não reduza o tempo de seguir o coração, porque o *ka*, o poder criador, detesta ser destruído por um instante que seja." Aquele cujo coração é poderoso e estável, aquele que não é escravo das exigências do seu ventre, pode esperar receber o divino e ouvir a sua voz. É esse o seu caso, Nemrod?

— Não, Majestade.

— Os anciãos afirmam que os nossos quatro inimigos são a avidez, a surdez, a negligência e a teimosia. Você não foi vencido por todos eles, um após o outro?

— Majestade, sois atualmente o único vencedor e desejo voltar a ser vosso servo.

— A vida é comparável a um tabuleiro formado de casas brancas e pretas. Algumas nos são favoráveis, outras não. E depois vem a morte... Não é ela que é importante, mas o estado de espírito no qual ela nos pega de surpresa. Está preparado para morrer, Nemrod?

Com os olhos fixos na lâmina da adaga, o príncipe de Hermópolis se ajoelhou.

— Não, Majestade, não estou preparado! A morte me aterroriza e nem mesmo a velhice me tirará o gosto de viver.

— O que pode oferecer-me um traidor?

— Todos os tesouros de Hermópolis vos pertencem: o ouro, a prata, o lápis-lazúli, a turquesa, o bronze... Os impostos vos serão pagos com regularidade, e todos vos obedecerão cegamente, eu em primeiro lugar!

— Já escolhi o seu sucessor, Nemrod.

Lentamente, o príncipe se ergueu, hipnotizado pela adaga. Queria pelo menos morrer de pé, e, apesar do medo, fez a pergunta que lhe queimava os lábios:

— Quem... quem é, Majestade?

— Você mesmo, Nemrod. Quem melhor do que você saberia governar Hermópolis com prudência?

51

Cabeça-Fria estava de mau humor ao redigir o relatório que entraria nos arquivos reais.

— Qual a razão desse descontentamento? — perguntou Piankhy.

— Não me obrigueis a criticar as vossas decisões, Majestade. Sempre vos servi com fidelidade e continuarei a fazê-lo.

— Deixe-me adivinhar, Cabeça-Fria: você queria que Nemrod fosse supliciado diante de todo o exército, não é verdade?

— Não tenho nenhum gosto pela crueldade... Mas deveis compreender que confirmar um traidor no seu posto pode ferir muitas consciências!

— A minha verdadeira decisão ainda não foi apreciada na sua justa medida. A rainha está pronta?

— Ela vos espera, Majestade.

Sentados no trono, Piankhy e Abilé viram Nemrod, o príncipe de Hermópolis, e Nezeta, sua esposa, que segurava um sistro de ouro na mão direita e outro de lápis-lazúli na esquerda, caminharem até eles. As hastes metálicas dos dois instrumentos musicais vibravam docemente e espalhavam ondas que afastavam as influências nocivas.

Por trás dos soldados núbios, comprimia-se a população de Hermópolis, ansiosa por ouvir as palavras do faraó negro:

— Esta cidade sofreu graves ferimentos por causa da atitude de Nemrod — declarou Piankhy. — Portanto, cabe a ele tratá-las e tornar Hermópolis próspera graças à paz que acabo de restabelecer. Todo homem que reconhece as suas faltas pode emendar-se, desde que não mais saia do caminho de Maat. Compromete-se, finalmente, a cumprir os seus deveres, Nemrod?

— Comprometo-me pelo nome do faraó e pela minha vida!

— Diante dos graves erros que cometeu, não é conveniente que governe sozinho. Por isso a sua esposa será a minha delegada particular e me prestará contas das suas ações e gestos. Em caso de litígio, a opinião dela prevalecerá. À frente do conselho dos anciãos, ela administrará as riquezas da cidade e zelará pelo bem-estar dos seus habitantes, que, a partir de agora, será a sua única preocupação.

Nenhuma emoção transpareceu no nobre rosto de Nezeta. Como se tivesse sido atingido pelo cetro do faraó, Nemrod cambaleou.

— Controle-se — recomendou-lhe a esposa em voz baixa. — Não se esqueça de que o príncipe de Hermópolis deve dar o exemplo.

Um cântico brotou do peito dos cidadãos: "Como a tua ação é perfeita, Piankhy, Filho da Luz! Oferecei-nos a paz, protegei a província da Lebre e a nossa cidade e permiti-nos celebrar uma festa!"

Sob a vigilância de Cabeça-Fria, um sacrificador abateu ritualmente um boi considerado puro pelo veterinário. Cortou-lhe a pata anterior direita, símbolo da força, depois mergulhou a mão no sangue do animal e estendeu-a a um sacerdote da deusa Sekhmet, que a cheirou e imediatamente deu o seu veredicto: a energia do animal estava sã e forneceria o *ka* aos que se alimentassem com sua carne.

Tranquila, liberta e feliz, Hermópolis abriu as grandes portas para o faraó negro, que seguiu por uma aleia de tamargueiras para ir ao templo de Amon. Em frente ao pilono de acesso, dois colossos de Ramsés, o Grande.

Depois de venerar o deus oculto, Piankhy avançou até o grande templo de Toth. Aos pés de um babuíno de pedra com cinco metros de altura, ele foi recebido pelo sumo sacerdote, um velho sorridente iniciado aos dezoito anos nos mistérios do deus do conhecimento. Ele viu que a sombra do deus protegia o faraó negro e que o *ka* celeste guiava as suas ações.

Maravilhado, Piankhy viu os jardins onde estavam o lago dos lótus, local de nascimento do primeiro sol, a ilha do clarão e o lago das duas facas, locais do seu combate vitorioso contra as trevas, e o santuário do ovo primordial, que continha todos os elementos da criação.

Nemrod tentava ser razoável.

Embora houvesse sido humilhado diante de todos os habitantes de Hermópolis, a sua vida estava salva e ele conservava certos privilégios nada desprezíveis. É verdade que teria de obedecer à esposa, mas conservava o título de príncipe de Hermópolis. Será que Nemrod não teria nenhuma possibilidade de convencer Piankhy de que só ele seria um bom governante, como no passado, e que Nezeta não teria nem força nem competência para governar uma cidade tão grande?

Para isso era preciso que o faraó negro saísse do templo de Toth, onde, havia vários dias, estudava os antigos textos mitológicos e conversava durante longas horas com os sacerdotes para desfrutar da imensidão da ciência deles.

Finalmente, o rei reapareceu e concordou em visitar o palácio.

— Majestade — declarou Nemrod com entusiasmo —, eu vos mostrarei maravilhas! Se conseguir deslumbrar-vos, permitis que eu defenda melhor a minha causa?

O rosto de Piankhy permaneceu indecifrável.

Agitado, Nemrod o precedeu em cada um dos 150 aposentos do palácio, todos eles floridos e perfumados. Na sala de audiências, nos salões de recepção, nos aposentos, haviam sido colocados cofres abertos, contendo ouro, joias, tecidos e unguentos.

Mas Piankhy não manifestava qualquer sinal de admiração. Passava por eles, indiferente, como se aqueles esplendores não lhe interessassem.

Decepcionado, Nemrod não se desencorajava. Talvez o monarca ocultasse os seus verdadeiros sentimentos... E depois, faltava um último tesouro que enfeitiçaria o mais austero dos homens.

Com ostentação, o príncipe de Hermópolis ergueu um reposteiro.

— Majestade, eis o meu bem mais precioso... Ele vos pertence.

Dez mulheres deslumbrantes, nuas e maquiadas com esmero, recostavam-se em almofadas multicores. Umas liam poemas, e outras tocavam doces melodias em alaúdes e pequenas harpas.

— Leve-me aos estábulos, Nemrod.

— Aos estábulos... Se desejais um cavalo, mandarei trazê-lo imediatamente!

— Detesto repetir as minhas ordens.

— Muito bem, muito bem...

Nem uma só vez Nemrod se aventurara naquele lugar malcheiroso reservado aos palafreneiros. Sem dúvida, Piankhy queria pô-lo à prova... Por isso ele o guiou, jovial e falante.

O faraó parou em frente ao depósito de forragem e de grãos. Pegou um punhado e deixou-o cair na laje.

— Eles ficam colados — constatou.

— Isso é... importante?

— Se os grãos estivessem perfeitamente secos, como deve ser, teriam ricocheteado. Este alimento é de má qualidade.

— Cuidarei disso, Majestade.

Piankhy se aproximou de um cavalo com um olho inchado por um edema. Na cabeça e nas patas, tinha manchas escuras. De início receoso, o animal se deixou acariciar.

— Ele está com febre… Por que não é tratado?

— Será, eu prometo!

O rei entrou num estábulo onde viu um cavalo com uma entorse na anca e os músculos distendidos.

— Tragam-me unguento!

O rei massageou pessoalmente o quadrúpede, cujo dorso estava tão sensível que não deveria ter sido montado. O olhar reconhecido do animal doente comoveu Piankhy.

— Cavalos feridos, esfomeados, maltratados… Tão certo como eu estar vivo e o deus Rá me amar, é mais doloroso para mim ver o descaso por estes animais do que enumerar os crimes que você cometeu! Todos os seus tesouros, Nemrod, serão levados para o templo de Karnak. E você, príncipe indigno, fique feliz com a minha clemência.

52

Os núbios festejaram até alta noite, empanturrando-se com as suas iguarias preferidas: ovos, leite coalhado e cabrito. Razoavelmente embriagado, Lamerskeny mantinha, no entanto, lucidez suficiente para arengar aos seus soldados semiadormecidos e prometer-lhes um fabuloso combate na tomada de Heracleópolis. Desta vez, provariam o seu valor realizando façanhas que as futuras gerações guardariam na memória.

Do terraço do palácio de Hermópolis, Piankhy contemplava a cidade em festa. A esposa, Abilé, pendurou-se ternamente no seu braço esquerdo.

— Você evitou um massacre, Piankhy.

— E os cavalos foram tratados... Mas tivemos sorte. Nemrod gosta tanto de si mesmo e tem um tal gosto pelos compromissos que não se atreveu a arriscar a destruição desta cidade magnífica. Não é esse o caso de Tefnakt: ele persegue um verdadeiro objetivo e preferirá sacrificar todos os seus homens a renunciar.

— Pensei muito em Nemrod...

— Censura-me por não lhe haver infligido um castigo suficientemente severo?

— A sua evidente propensão para a traição poderia ser útil à causa da paz, não acha?

— O que quer dizer, Abilé?

À medida que a rainha expunha o seu plano, Piankhy agradecia aos deuses por lhe terem permitido casar com uma mulher tão excepcional.

Tefnakt estava furioso.

— Graças a mim — disse ele a Nartreb e a Yegeb —, vocês se tornaram homens ricos e influentes e aumentam constantemente a fortuna por meios que prefiro ignorar! Mas exijo ser informado sobre os movimentos do exército de Piankhy.

A voz de Yegeb ficou melosa:

— Senhor, não temos o direito de iludi-lo... Não temos certeza de nada, tão contraditórias são as indicações que chegam até nós! Segundo algumas, o faraó negro já teria regressado à Núbia; mas segundo outras, ele cerca Hermópolis há vários dias.

— Essa incerteza é insuportável! Arranjem-se como quiserem, mas quero saber!

Radiosa, Aurora entrou no escritório do general e lançou um olhar desdenhoso aos dois conselheiros.

— Em vez de dar ouvidos a discursos inúteis, meu querido, deseja conhecer a sorte de Hermópolis?

As narinas de Nartreb contraíram-se.

— Com o devido respeito, estamos tratando de assuntos sérios e...

— O pedido de audiência do príncipe Nemrod lhe parece suficientemente sério?

A notícia circulou em Heracleópolis à velocidade de um chacal em plena corrida. Tefnakt considerou, portanto, conveniente convocar a sua corte para a grande sala de colunas do palácio, onde Nemrod surgiu elegante e descontraído, cuja atitude tranquilizou a assistência.

— Que alegria revê-lo, general Tefnakt!

— A sua presença nos enche de júbilo, príncipe Nemrod. Significa que Hermópolis está livre e que Piankhy levantou o cerco?

— O faraó negro fez uma grande demonstração de força, os homens dele se lançaram ao ataque das minhas muralhas e fracassaram de forma lamentável. Diante da dimensão das suas perdas, o núbio bateu em retirada. A partir de agora, é em Tebas que iremos buscá-lo!

Fortes aclamações saudaram o discurso marcial do príncipe de Hermópolis. Tefnakt avançou para ele, cumprimentou-o e prometeu-lhe um banquete inesquecível.

Em festa, rapazes e moças de Heracleópolis, coroados com grinaldas de flores, perseguiam-se, encontravam-se e voltavam a fugir uns dos outros sob o olhar divertido dos foliões que esvaziavam sem controle as ânforas de cerveja generosamente distribuídas à população.

Enquanto Tefnakt e Aurora, triunfantes, se livravam das inúmeras pessoas que os abordavam com pedidos, Nemrod se refrescava sob uma grande palmeira em companhia de Akanosh e de Peftau, o príncipe de Heracleópolis.

Peftau havia engordado, e o seu rosto corado exprimia intensa satisfação.

— Que noite maravilhosa, meus amigos! E como acertamos ao seguir Tefnakt, que nos conduziu a esta bela vitória! Ela será seguida de muitas outras. Agora, tenho a certeza de que muito em breve entraremos em Tebas e que seremos recebidos como libertadores.

— Essa campanha militar me cansa — confessou Akanosh. — Não vejo a hora de voltar para casa, para o Delta, e esquecer este conflito.

— Não fale assim — objetou Peftau. — Nenhum de nós pode abandonar Tefnakt no momento em que as nossas tropas se preparam para infligir uma pesada derrota ao faraó negro!

— Não se entusiasme — recomendou Nemrod.

— Sinto que a minha atitude lhe causa espanto, mas receava tanto que as muralhas de Hermópolis fossem frágeis para deter os soldados de Piankhy! Agora estou descansado e...

— Não me entendam mal.

O rosto de Peftau congestionou-se.

— Não compreendo.

— Ouça-me bem, príncipe de Heracleópolis, e você também, Akanosh. O nosso bem mais precioso não é a vida?

— Com certeza, Nemrod, mas qual a razão dessa pergunta?

— Porque irão perdê-la em breve se tomarem a decisão errada.

— É Tefnakt que toma as decisões — lembrou Akanosh —, não somos nós.

— Nas atuais circunstâncias, ele está enganado.

— Vai finalmente nos dar explicações?

— Eu menti.

Akanosh e Peftau se entreolharam, confusos.

— Mentiu...? A respeito de quê?

— O faraó negro apoderou-se de Hermópolis.

— Está zombando de nós, Nemrod!

— Tentei resistir, mas Piankhy dispõe de um armamento contra o qual as nossas defesas são inoperantes, em especial as catapultas que lançam pedras enormes e destroem as muralhas ao mesmo tempo que matam os soldados que estão nas ameias. E o que dizer então da intervenção da engenharia e dos arqueiros?

— Isso significa que nenhuma praça-forte poderá resistir a Piankhy? — inquietou-se o príncipe Peftau.

— Nenhuma das nossas praças-fortes, pode ter certeza. As muralhas da sua cidade, Peftau, não serão mais resistentes do que as minhas.

— O que... o que ocorrerá quando o faraó negro atacar?

— Milhares de líbios e de homens da sua província morrerão; Heracleópolis sofrerá graves danos e cairá nas mãos de Piankhy.

— Temos de evitar esse desastre!

— Foi por essa razão que vim revelar-lhes uma verdade que Tefnakt não seria capaz de admitir. Esta noite regresso a Hermópolis, para prestar contas da minha missão a Piankhy, o único senhor do Egito.

O príncipe Peftau estava desnorteado:

— Mas... o que devemos fazer?

— Você mesmo disse: evitar um desastre.

53

Depois de uma noite de amor durante a qual Aurora tocara todos os registros do desejo, Tefnakt tomou uma decisão: atacar Tebas com o grosso das suas tropas, às quais se juntariam as guarnições das cidades de Heracleópolis e Hermópolis. Em plena retirada, Piankhy não esperaria uma ofensiva brutal e massiva. Ou continuaria a fugir, deixando o campo livre aos nortistas, ou o choque seria de uma extrema violência e causaria numerosas vítimas. Mas a derrota dos sulistas era inevitável, desde que a ofensiva fosse organizada em Mênfis.

— Vou com você — disse Aurora. — Lá, tratarei dos preparativos para a coroação.

O general acariciou-lhe um seio.

— Deseja realmente ser rainha do Egito?

— Faça de mim o que quiser, mas ganhe esta guerra!

— Você é muito mais nova do que eu, Aurora... Suponhamos que se apaixone por outro homem.

Os olhos verdes brilharam de cólera.

— Acha que uma rainha do Egito pode ser suficientemente estúpida para se tornar escrava dos seus sentidos? Ela só pensará em reconstruir este país e talvez uma longa vida não baste para isso.

Tefnakt se afastou e a contemplou.

— Sei o que quero fazer de você, Aurora, e sei também que ocupará o seu lugar melhor do que qualquer outra mulher.

Nartreb e Yegeb tinham dois grandes inimigos, particularmente difíceis de combater: as mulheres e o calor. Este último fazia inchar os tornozelos e os dedos dos pés, e até deixava o pensamento mais lento. Partir para o Norte, mesmo apenas por alguns dias, parecia-lhes um presente maravilhoso, embora ainda não houvessem conseguido se livrar de Aurora, cuja influência continuava a ser incômoda.

Nartreb e Yegeb arrumavam pessoalmente os potes com unguentos refrescantes numa caixa de madeira quando um homenzinho com cara de rato lhes trouxe o seu relatório.

— Descobriu finalmente elementos que possam comprometer o príncipe Akanosh? — perguntou Nartreb, enervado.

— Infelizmente não, mas...

— Partimos daqui a uma hora e não temos tempo para discutir. Continue e trate de ser mais eficiente!

O investigador insistiu:

— A vida do príncipe Akanosh parece sem mácula, mas há um pormenor que me intriga.

— Qual? — perguntou Yegeb.

— É a propósito da mulher dele... Ninguém consegue falar sobre as suas atividades antes do casamento.

— Isso não interessa — considerou Nartreb.

— Talvez não — interveio Yegeb. — Suponhamos que a esposa de Akanosh tenha alguma coisa a ocultar... Continue a investigar — ordenou ao homem com cara de rato. — Quando voltarmos do Norte, trate de conseguir um bom resultado, se quiser uma boa recompensa.

Tefnakt e sua corte, à qual pertencia Akanosh, abandonaram Heracleópolis às primeiras horas do dia com uma escolta formada por carros e arqueiros. Dentro em pouco, o poderoso exército líbio sairia da sua base recuada para atravessar o Médio Egito e conquistar o Sul.

Piankhy deixara em Hermópolis apenas uma centena de soldados sob o comando da esposa de Nemrod que, desde que assumira as suas funções, demonstrara autoridade e rigor. Entre as suas mãos, o marido não pesaria mais do que um pincel de escriba, mesmo continuando a ser o árbitro das elegâncias.

De regresso de Heracleópolis, Nemrod mostrara-se cético. É fato que havia cumprido a missão mentindo a Tefnakt e revelando a verdade a Akanosh e ao príncipe Peftau, mas como reagiria este último? Peftau estava fascinado por Tefnakt e acreditava na vitória final dos nortistas. Segundo Nemrod, o general fingiria sair da cidade para melhor preparar uma emboscada.

Apesar do desprezo que sentia pelo príncipe de Hermópolis, o capitão Lamerskeny partilhava a sua opinião. Peftau, outro traidor, era obrigado a prevenir Tefnakt, que, como é evidente, deixara partir Nemrod para que acreditasse no êxito da sua missão.

Quando os núbios fizessem o cerco a Heracleópolis com as suas catapultas e as plataformas elevadas, os carros de Tefnakt atravessariam os flancos das tropas de Piankhy e tentariam destruir as máquinas de guerra. Lamerskeny imaginara, portanto, uma grande atuação.

Abilé se recusara a permanecer em Hermópolis, e Piankhy não tentara dissuadi-la. Uma vez mais, a esposa confirmara a sua intenção de permanecer a seu lado durante toda aquela perigosa viagem para o Norte. E havia muito tempo que o faraó sabia que a magia da Grande Esposa Real era uma das armas mais eficazes.

Com a estada em Hermópolis, Cabeça-Fria tivera tempo de pôr em dia o seu diário de campanha e os seus relatórios. Um Estado cujos arquivos não estavam corretamente organizados não tinha nenhuma possibilidade de perdurar. Infelizmente, era preciso partir para Heracleópolis e verificar os mil e um pormenores da intendência aos quais, erradamente, os guerreiros não davam a mínima atenção.

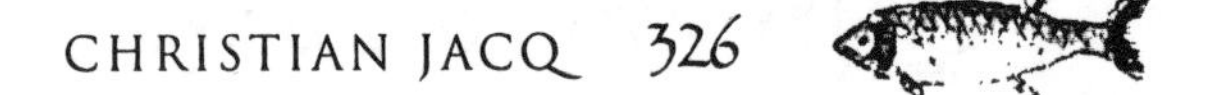

E Cabeça-Fria sentia saudades da família, que ficara em Napata. Quantos dias ainda ficaria sem beijar a mulher e os filhos?

Piankhy cavalgava Valente, o magnífico cavalo baio, feliz por devorar grandes espaços. A boca sorridente e os olhos brilhantes exprimiam de forma contagiante uma alegria de viver. Quem via passar a sua brilhante crina fulva sentia-se cheio de uma nova energia.

Heracleópolis estava à vista.

As muralhas não pareciam menos sólidas do que as de Hermópolis, mas não impressionavam os soldados de Piankhy. A técnica utilizada no cerco anterior não daria os mesmos resultados? O fato de o faraó tomar a seu cargo a vida dos seus homens tranquilizava a todos. Nas fileiras sulistas, a confiança era elevada.

— Não vamos avançar mais, Majestade — recomendou o capitão Lamerskeny. — Temos primeiro de garantir o controle do canal e da planície, e depois barrar o caminho dos carros de Tefnakt, que só podem surgir do oeste. Só então instalaremos as catapultas e as plataformas móveis.

Piankhy admirava Heracleópolis, "a cidade do filho real", construída no seio de uma região próspera, com vastas zonas agrícolas e, também, milhares de fazendolas de diferentes tamanhos que pequenos proprietários cultivavam havia várias gerações. O monarca apreciava a suavidade daquela paisagem que teria de transformar em campo de batalha.

— Os meus homens estão prontos — afirmou o capitão Puarma.

— Os meus também — reforçou Lamerskeny.

— Montem as tendas e organizem o acampamento.

Lamerskeny lamentava essa perda de tempo. Uma "limpeza" imediata, do lado das colinas onde deviam estar emboscados os carros de Tefnakt, teria sido um excelente aperitivo para a tomada de Heracleópolis. Mas o rei se preocupava com o bem-estar dos seus homens.

— Majestade — exclamou Puarma, estupefato —, a grande porta da cidade acaba de abrir-se!

A rainha Abilé sorriu. Estava convencida de que o seu plano daria certo e que Heracleópolis se ofereceria a Piankhy sem que fosse vertida uma gota de sangue.

O príncipe Peftau, cujo nome significava "o Ventoso", optara abertamente por mudar de ares. Ele foi o primeiro a sair da cidade, à frente de uma procissão de dignitários e de soldados sem armas, com os braços carregados de ouro, prata e pedras preciosas. Traziam também dez magníficos cavalos novos com saúde perfeita.

— E se for uma armadilha? — sugeriu Lamerskeny, desconfiado.

Em passo regular, com uma rara nobreza, Valente avançou pela esplanada que precedia a cidade e imobilizou-se a dois metros de Peftau, que, imediatamente, se prostrou por terra.

— Saudações, poderoso soberano! — disse ele, tão alto quanto lhe permitia a voz, sufocada e trêmula. — As trevas se apoderaram do meu coração, a escuridão me invadiu, mas compreendi o meu erro! Possa o fulgor do vosso rosto conceder-me a luz de que tanto necessito! A partir de agora, serei vosso servo fiel, pois Sua Majestade é o deus longínquo à frente das estrelas imortais.

Desdenhando os presentes, o faraó negro entrou na Heracleópolis reconquistada, onde os habitantes lhe haviam preparado um tapete de íris.

54

A guarnição de Heracleópolis havia confraternizado com os núbios. Durante o banquete, a que assistiam todos os dignitários da cidade, vestidos com túnicas de mangas largas e as suas encantadoras esposas com um lótus no cabelo, Peftau não cessara de entoar louvores a Piankhy. Apesar de estar com a barriga cheia, o mangusto do faraó dormia com um olho fechado e outro aberto.

Quando Abilé e Piankhy ficaram finalmente a sós no aposento mais luxuoso do palácio, reservado permanentemente para o casal real, o faraó deitou na cama de madeira dourada cujos pés tinham a forma de patas de leão. Não eram dois leões, Ontem e Amanhã, que protegiam o sono do adormecido para fazê-lo morrer ontem e renascer amanhã?

Abilé sentou-se na altura do quadril do marido a lhe acariciou docemente o peito. Quanto mais os anos passavam, mais ele encarnava uma força serena contra a qual a maldade vinha esbarrar.

— Por que está tão preocupado? — perguntou ela. — Acabamos de reconquistar Hermópolis e Heracleópolis. A partir de agora, graças às medidas que foram tomadas, essas duas cidades lhe permanecerão fiéis e o Médio Egito será de novo um baluarte contra a invasão nortista.

— Nem *todo* o Médio Egito, Abilé.

— Quer dizer... que pensa em prosseguir para o Norte?

Piankhy não respondeu, e Abilé se exaltou:

— Reconquistamos as nossas posições, Tefnakt não ameaça Tebas... Continuar esta guerra por quê?

— Porque fui egoísta e covarde. O meu pai Amon quis que eu fosse faraó do Alto e do Baixo Egito, mas, no remanso da minha felicidade, esqueci metade do meu país. Foi por isso que surgiu um demônio vindo das trevas: Tefnakt veio recordar-nos brutalmente os nossos deveres, Abilé.

A tristeza inundou o belo rosto da rainha.

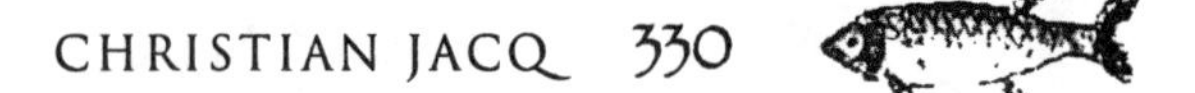

— Eu esperava residir em Tebas, perto da nossa filha, a Divina Adoradora, e passar o resto da nossa vida venerando os deuses.

— Se não reduzirmos Tefnakt à impotência, como a serpente Apófis, que tenta impedir a navegação da barca do sol, ele recuperará as forças e novamente semeará distúrbios em todo o país, e até mesmo na Núbia. Não se trata de uma simples revolta, como eu havia suposto, mas de uma verdadeira guerra. O exército de Tefnakt está intacto, reunido mais a norte.

— Está pensando em... Mênfis?

— Sim, em Mênfis, a capital da idade do ouro, a cidade de paredes brancas fundada por Djoser, a cidade luminosa do tempo das pirâmides, chamada de "a Balança das Duas Terras", no ponto de equilíbrio e de junção entre o Delta e o vale do Nilo.

Abilé sentiu um nó na garganta.

— Entre Mênfis e nós há ainda várias praças-fortes nas mãos dos nortistas... E todos sabem que a fortaleza menfita é inexpugnável! Há muito que a nossa linhagem renunciou a ela.

— Tempo demais, Abilé.

— Piankhy...

— Está com medo, rainha do Egito?

Ela se aconchegou nele.

— Sim, tenho medo... medo de perdê-lo num combate, medo dos sofrimentos infligidos ao nosso exército e ao nosso povo, medo das consequências terríveis de uma derrota!

— Eu também estou com medo, medo de uma tarefa que vá além das nossas capacidades, em homens e em material, mas eu me recuso a aceitar esses medos.

— Por que, meu amor?

— Porque trairíamos Maat, se não fôssemos até o fim do caminho por ela traçado. E esse fim é a destruição de Tefnakt e a volta à harmonia de um país reunificado com o Baixo Egito e as províncias do Norte.

De rostos colados, com o braço pousado no peito de Piankhy, a esplêndida núbia deixou de lutar.

— Nem eu conseguirei fazê-lo mudar de opinião...

— Não, porque você aprova a minha decisão. Você, que é depositária da magia de Ísis, sabe que a renúncia dos indiferentes conduz ao fracasso e à desgraça. Empenharemos todas as nossas forças nesse combate, Abilé. Se tivermos de morrer, morreremos juntos, agradecendo aos deuses por nos terem concedido tanta felicidade.

O homem com cara de rato não tivera tempo de terminar a investigação sobre a esposa de Akanosh, pois havia algo muito mais urgente: deixar o mais rapidamente possível Heracleópolis e reunir-se a Yegeb para lhe contar a verdade sobre os trágicos acontecimentos que acabavam de ocorrer. A tarefa era difícil e arriscada, mas ele conseguiu ultrapassar a linha da frente sob o pretexto de visitar a família, que residia numa aldeia situada a menos de um quilômetro ao norte da cidade e que se supunha estar de novo submetida à autoridade de Piankhy. Com cinismo, o oficial que deixou passar o viajante achou que se tratava da melhor forma de verificar isso: se ele fosse morto, conviria cercar a aldeia.

Vencida essa primeira etapa, o homem com cara de rato atravessou os campos cultivados, roubou cebolas e figos, e alcançou a margem do Nilo numa zona que os sulistas não controlavam. Entre os barqueiros circulavam notícias alarmantes: falava-se de bandidos núbios que não tardariam a incendiar as aldeias, a violentar as mulheres e a massacrar a população. O fugitivo conseguiu convencer um deles a levá-lo a toda a pressa a Mênfis para alertar o general Tefnakt e pedir-lhe que interviesse sem demora.

O barco foi detido numerosas vezes por patrulhas fluviais que obrigaram o homem com cara de rato a justificar-se, por vezes durante várias horas. Ele perdeu assim um tempo precioso, que, com certeza, o faraó negro aproveitaria para avançar pelo Médio Egito. A interminável viagem não terminou às portas de Mênfis, porque, ali, ainda foi submetido a um interrogatório e depois a uma pena de prisão de quinze dias.

Finalmente, o informante foi recebido por um oficial que levou o seu relato a sério e o conduziu até Yegeb, instalado num escritório de escriba, nas proximidades do templo de Ptah.

— Por que não esperou pelo meu regresso a Heracleópolis? Trouxe boas notícias, espero!

— Oh, não, meu senhor! O príncipe Peftau abriu as portas da cidade a Piankhy. Antes disso, o faraó negro se havia apoderado de Hermópolis.

— O quê? O príncipe Nemrod...

— Nemrod mentiu! Ele obedece novamente a Piankhy, bem como Peftau.

Yegeb sentiu os tornozelos incharem e teve vontade de vomitar. Mas a hora era tão grave que não tinha tempo de se tratar. Depois de alertar Nartreb, que se embriagava numa taberna, levou o informante ao quartel-general de Tefnakt.

O general ouviu com atenção o homem com cara de rato.

— Paguem-lhe — ordenou ele — e deem-lhe um alojamento na cidade.

— Assumimos muitos riscos — declarou Yegeb logo depois da partida do seu sequaz —, mas conseguimos as informações corretas.

— Tem certeza?

— General, estou convencido de que esse homem disse a verdade!

— Eu também, mas quais são os planos de Piankhy?

— Ele reconquistou as duas cidades que considerava dele e restabeleceu a sua antiga fronteira, com a certeza de que não poderá mais atravessá-la.

— Se ele compreendeu bem o que eu quero, sabe que nunca me contentarei com este *statu quo* e que recomeçarei os meus ataques.

— Piankhy prosseguiria mais para o norte? Seria loucura!

— Esse núbio se considera rei do país inteiro, tanto do Baixo quanto do Alto Egito!

— Ele queimará algumas aldeias — admitiu Nartreb — e depois rezará aos deuses na sua querida cidade santa de Tebas. Quando se convencer de que a situação se acalmou, nós lhe faremos uma bela surpresa!

Tefnakt imaginou Piankhy se apoderando do Médio Egito e, depois, dirigindo o olhar para Mênfis... No seu lugar, seria assim que agiria. Mas ele, Tefnakt, era um verdadeiro chefe de guerra e Piankhy um homem do Sul apegado à paz, ao passado e ao sagrado.

55

A frota de Piankhy desceu o rio Nilo até à cidade de Illahun, na entrada da rica província do Fayum. A bordo, a atmosfera era das mais alegres. Embora lamentasse a capitulação de

Heracleópolis, que impedira os seus soldados de provarem a sua valentia, o capitão Lamerskeny se conformava com a situação e jogava contra Puarma encarniçadas partidas de damas, que acabava ganhando sempre.

O prestígio de Piankhy crescia cada vez mais. Não só conseguia incríveis vitórias, como poupava a vida dos seus soldados! Lamerskeny reavivara o entusiasmo prometendo duros combates: se Nemrod de Hermópolis e Peftau de Heracleópolis, renegados arrependidos, haviam oferecido apenas uma medíocre resistência, o mesmo não aconteceria com os reizinhos que reinavam nas outras grandes cidades do Médio Egito. Esses sempre foram fiéis aos líbios e tinham muito a temer do exército sulista. Portanto, defenderiam furiosamente as suas posições.

O discurso de Piankhy não era diferente. Em vez de tranquilizar as suas tropas, anunciava que o mais difícil ia começar. Não se aventuravam numa região desconhecida onde nenhum núbio entrava havia décadas? Mas a severa advertência apenas servira para reforçar a convicção dos sulistas: lutariam pela liberdade e pela alegria das Duas Terras, mesmo se tivessem de pagar com a própria vida. Servir sob as ordens do faraó negro era uma honra que faria inveja às futuras gerações.

No entanto, à vista da cidade de Illahun, caiu um pesado silêncio sobre os barcos de guerra. Todos sabiam que a cidade fortificada estava cheia de soldados nortistas que se bateriam até a morte. Como as muralhas eram mais altas do que as de Hermópolis, não tinham certeza de que as catapultas seriam tão eficazes. Restava a esperança de que o faraó negro descobrisse um meio de vencer.

— O que sugere, capitão Lamerskeny? — perguntou o rei.

— Podemos experimentar as nossas máquinas... Mas não devemos esperar um milagre!

— Sou da sua opinião. E que mais?

— As flechas dos nossos arqueiros não farão muitas vítimas... Repare na cobertura do caminho de ronda!

— Bem observado, Lamerskeny.

— Vai ser preciso um cerco, que poderá ser longo... Em outras palavras, Tefnakt terá tempo de enviar reforços.

— Se a engenharia erguer rampas de terra junto das muralhas — propôs Puarma —, as nossas dificuldades serão resolvidas.

— Os trabalhadores serão abatidos pelos arqueiros líbios — objetou Lamerskeny. — Esqueceu que, desta vez, não terão nenhuma proteção?

— Deixem-me sozinho — cortou Piankhy. — Preciso refletir.

Illahun... Perto dali o faraó Amenemhat III mandara construir o famoso labirinto, um imenso palácio com centenas de aposentos. E, impulsionado por ele, o Fayum havia sido transformado num imenso jardim de lendária fertilidade. Reserva de caça e de pesca, o Fayum estava sob a proteção do deus-crocodilo Sobek, que fazia surgir do lago primordial um sol regenerado para colocá-lo no alto do céu. Por isso, a província não merecia o seu cognome de "Belo Rosto"?

A reflexão do faraó negro foi de curta duração. Quando ele saiu da tenda do conselho, Abilé interpelou-o:

— Quais são as suas intenções?

— Você não me aprovaria.

— Piankhy... Você é o rei, o chefe deste exército, e não tem o direito de arriscar a sua vida!

— Que a sua magia me proteja, Abilé.

Cavalgando o seu cavalo baio, tão rápido como um chacal de orelhas vermelhas e semelhante à tempestade quando desencadeia, Piankhy partiu sozinho em direção a Illahun, sob o olhar estupefato dos soldados. Excitado pela velocidade, Valente dava asas a toda a potência das suas patas longas e musculosas.

Para fazê-lo parar perto da grande porta de acesso da fortaleza, bastou Piankhy dar-lhe uma pequena palmada no pescoço.

Pelo seu porte, pela largura dos ombros, pela cota de malha dourada e o luxo da túnica de linho real, os arqueiros das muralhas de Illahun identificaram o faraó negro e não se atreveram a disparar as suas flechas.

A potente voz de Piankhy encheu os ouvidos dos defensores de Illahun.

— Vocês, que são mortos-vivos sem o saberem, infelizes e homens perdidos, escutem-me, escutem o seu rei! Se passar mais um minuto sem que estas portas se abram e vocês me jurem fidelidade, serão exterminados. Não fechem as portas das suas vidas se recusando a me obedecer, não apostem as suas cabeças! Se oferecerem a sua cidade ao faraó do Alto e do Baixo Egito respeitando a lei de Maat, ninguém será morto, ninguém será espoliado e a paz reinará. Espero a sua resposta, mas a minha paciência já se esgotou.

Nas muralhas houve correria em todas as direções. Oficiais e dignitários correram para a sala de audiências de Osorkon, o príncipe de Illahun, um líbio de velha cepa, a quem foram relatadas as palavras de Piankhy.

— Então ele veio... e veio sozinho!

— Podemos abatê-lo facilmente — considerou o comandante da fortaleza. — Se ele morrer, os núbios fugirão em debandada.

— Imbecil! Nunca ouviu falar do poder sobrenatural que o faraó possui e que lhe permite ser a unidade vencedora da multiplicidade? Foi graças a esse poder que Ramsés, o Grande, venceu os hititas em Kadesh, e é por possuí-lo que Piankhy nos desafia dessa maneira. Nenhuma flecha o atingirá, nenhuma lança trespassará a sua couraça porque ele é como um fogo devorador que nenhum humano pode apagar.

— Então... o que decide?

O príncipe Osorkon saiu do seu palácio, ordenou a abertura da grande porta da fortaleza e se prostrou diante do faraó negro.

— Que a sombra do deus Amon vos proteja — disse. — É o céu que vos confere o vosso poder e o que o vosso coração imagina se realizará imediatamente. Se somos capazes de ver a realidade tal como ela é, é porque vós assim ordenais. Esta cidadela, esta cidade, os seus tesouros e os seus habitantes vos pertencem. Entrai em paz, Majestade.

Valente galopou até a acrópole de Illahun, de onde Piankhy olhou uma cidade cujas principais artérias, traçadas com cuidado geométrico, se cruzavam em ângulo reto. Grandes vilas com setenta aposentos se misturavam a modestas casas de pouco mais de cem metros quadrados. Saindo do seu estupor e do seu receio, os habitantes da cidade aclamaram o libertador, enquanto os soldados da guarnição, que haviam substituído as armas por folhas de palmeira, abraçavam os núbios.

Em menos de uma hora, a festa se espalhou por toda a cidade. Dos porões do palácio vieram centenas de jarras de vinho e de cerveja, carne e peixe seco foram dispostos em mesas baixas, figos, tâmaras e uvas foram espalhados em cestos no chão, e todos cantaram a felicidade de viver sob o reinado de Piankhy.

— O que há com você? — perguntou Puarma a Lamerskeny. — Parece embriagado, mas ainda não bebeu nada!

— Você é realmente o maior dos idiotas, arqueiro. A você, nada espanta. Eu, nunca vi um homem como esse.

— É você que é um pobre de espírito, Lamerskeny. De quantos anos vai precisar para compreender que ele é o faraó?

56

— Illahun caiu — disse Tefnakt a Aurora.

— Essa má notícia não parece entristecê-lo em nada.

— O príncipe Osorkon é um homem velho que tem medo do futuro...

Piankhy não deve ter tido nenhuma dificuldade para convencê-lo a lhe abrir as portas da cidade.

— Esse maldito núbio agora controla o Fayum!

— Apenas em parte... Se ele quiser continuar, a fortaleza de Meidum se erguerá no caminho dele. Nomeei para lá um dos meus oficiais mais aguerridos. Ele dirige os exercícios diários pessoalmente e matou com as próprias mãos os recrutas que considerava muito fracos. Meidum talvez não detenha o avanço de Piankhy, mas o imobilizará durante longas semanas e o fará perder muitos homens.

— Por que não envia reforços?

— Creio que um sonho insensato persegue o espírito do núbio: conquistar Mênfis.

— Piankhy não é louco! — objetou a jovem. — Ele sabe perfeitamente que isso é impossível.

— As medíocres vitórias o embriagaram... Prefiro que se desgaste em objetivos menores e que continue a acreditar na sua invencibilidade. Aqui, em Mênfis, ele vai se deparar com muros intransponíveis e com um exército descansado e mais bem equipado do que o dele. Esta velha capital será o túmulo de Piankhy.

O Vermelho comandava a guarnição de Meidum havia cinco anos. Pouco lhe interessava que a antiga cidade fosse "a morada de Aton", o princípio criador; o seu único centro de interesse era a caserna, onde treinava os soldados para o combate que se aproximava. Vinte por cento de perdas não o incomodavam, pois formava verdadeiros combatentes, de extrema dureza. Desde a sua nomeação, nem sequer lhe passara pela cabeça ir ao local onde tinha sido

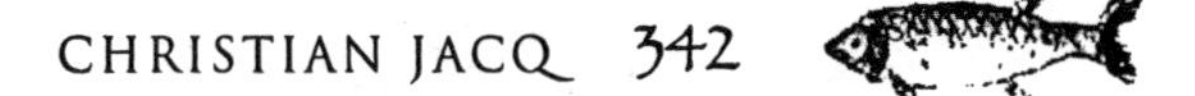

erigida uma grandiosa pirâmide, a primeira de faces lisas, na qual se inspirara o arquiteto de Quéops. O Vermelho só sonhava com conflitos sangrentos e, desta vez, a ocasião era magnífica!

Desde o momento em que os vigias lhe haviam anunciado a chegada iminente do exército de Piankhy, o comandante da fortaleza de Meidum não conseguia ficar parado. Corria de uma ameia para outra, verificava o equipamento dos homens e gritava ordens, incitando cada homem a se mostrar mais vigilante do que o vizinho.

Inicialmente, ele achou que estava enganado; depois, observou o mesmo fenômeno em quase todos os defensores: eles tremiam.

O Vermelho os teria abatido de bom grado, para fazê-los sentir o gosto do medo, mas precisava de todos eles. Ao clamar que a sua fortaleza nada tinha a recear das catapultas e das flechas núbias, sentiu que ninguém lhe dava ouvidos.

Quando Piankhy, cavalgando o seu cavalo baio, se apresentou sozinho diante da grande porta, um arqueiro líbio se ajoelhou. Sob o olhar horrorizado dos seus companheiros, o Vermelho lhe cortou o pescoço.

— Dois caminhos surgem diante de vocês: — declarou o faraó negro — ou abrem as portas de Meidum, e viverão, ou persistem em mantê-las fechadas, e morrerão. Como rei do Alto e do Baixo Egito, não posso permitir que uma cidade me impeça o livre acesso.

O Vermelho retesou o arco do homem que acabara de matar e mirou em Piankhy.

Mas a flecha não chegou a ser disparada, porque três arqueiros se precipitaram sobre o líbio, espancaram-no até a morte e lançaram o seu cadáver por sobre as muralhas.

Imediatamente, os soldados abriram as grandes portas da fortaleza para deixar entrar Piankhy, cujo cavalo soltou um relincho de alegria.

* * *

— Meidum caiu sem lutar — confessou lastimosamente Yegeb, seguido como uma sombra por Nartreb, cada vez mais nervoso.

— O que aconteceu? — perguntou Tefnakt, furioso.

— O Vermelho foi traído pelos próprios soldados! Piankhy os aterroriza... Correm as lendas mais loucas a respeito desse colosso negro! Afirmam que o deus Amon arma o seu braço, que ele lê o pensamento dos adversários, que...

— Chega de criancices! Antes que Piankhy tome o caminho de Mênfis, só resta um obstáculo: Licht.

— Não tenhamos ilusões, general.

Angustiada, Aurora interveio:

— Não está sendo derrotista?

— Apenas realista... A cidadela de Licht é menos importante do que a de Meidum e...

— A sua guarnição talvez se mostre mais corajosa!

— É o que esperamos, Aurora, é o que esperamos...

— Não me trate pelo meu nome, Yegeb. Você não é um dos meus familiares. Tenho um título: Alteza.

Yegeb engoliu em seco.

— Muito bem, Alteza. Mas continuo a dizer que Licht não resistirá muito tempo ao faraó negro.

— Essa falta de otimismo poderia alterar o moral das nossas tropas, não acha? Às vezes, pergunto a mim mesmo se você e Nartreb não fazem o jogo do inimigo.

— Alteza, essas afirmações...

— Basta! — cortou Tefnakt. — No momento em que precisamos unir esforços, não podemos nos atacar mutuamente. Que os meus conselheiros zelem pela prosperidade do país. Eu me encarregarei dos problemas militares.

Yegeb e Nartreb, de mãos dadas, retiraram-se.

Tefnakt agarrou Aurora pelos ombros.

— Nunca mais faça isto! Não lhe compete criticar os meus colaboradores.

— Estes dois hão de traí-lo!

— Eles são dedicados a mim como os cães ao seu dono. Sem mim, não existiriam.

A jovem libertou-se.

— Um dia, você terá de escolher entre mim e eles. Eu o amo, Tefnakt. Mas eles usam você.

— Pensa que não sei disso? O poder não se exerce sem aliados e eles são competentes.

Licht, "A que se apodera das Duas Terras", havia sido a capital de Amenemhat I, faraó da XII dinastia. Perto da cidade, ele mandara edificar a sua pirâmide, tal como Sesóstris I, que marcara com o seu selo a época clássica do Médio Império, na qual haviam sido redigidas diversas obras-primas da literatura, entre elas o célebre *Conto de Sinuhé*. Depois de ser rebaixada de categoria, Licht se transformara numa simples etapa entre o Fayum e Mênfis, num povoado cada vez mais abandonado às próprias recordações.

A sua cidadela, no entanto, não deixava de ter um ar digno. Ela chegou a inspirar a cobiça do capitão Lamerskeny.

— Podeis deixar esta para mim, Majestade? Alguns lançamentos de catapulta, e eu cuido do resto!

— Não, Lamerskeny. Por que modificar a estratégia que tem dado tão certo?

— Com o devido respeito, não deveis desafiar demasiadamente a sua sorte... Sem Sua Majestade, ficaríamos desamparados.

— Por que o comandante desta fortaleza seria mais insensato do que os de Illahun e de Meidum?

Antes mesmo de o faraó negro montar seu cavalo, as portas da cidade de Licht se abriram, e o seu comandante, seguido pelos soldados e por boa parte da população, se submeteu a Piankhy.

— As Duas Terras vos pertencem — declarou ele. — O Sul e o Norte são vossos, as riquezas que contêm são vossa propriedade, a terra inteira se prostra diante de Sua Majestade.

Logo depois de transpor a entrada da cidade, o faraó negro ofereceu um sacrifício aos seus deuses protetores e prestou homenagem a Amon.

Todo o Médio Egito se havia submetido. O caminho para Mênfis estava livre.

57

O batedor entrou a galope no pátio da caserna, parou o carro em frente ao quartel-general e saltou para o chão.

— Tenho uma mensagem para o capitão Lamerskeny — anunciou à sentinela.

— Está descansando... Mas o capitão Puarma está aqui.

— Perfeito.

Puarma estava exatamente praguejando contra Lamerskeny, que, em vez de se ocupar das tarefas administrativas às quais era teoricamente obrigado, se entregava ao prazer com as empregadas da casa de cerveja próxima da caserna. E ele, Puarma, nem sequer tinha tempo para fazer uma corte assídua à filha do prefeito de uma povoação vizinha que ficara extasiada com o seu porte.

— Eis as informações recentes e detalhadas — disse o batedor, entregando a Puarma um espesso papiro selado.

— Até que enfim... Nós as esperávamos há várias semanas!

De posse do precioso documento, o capitão dos arqueiros correu até o palácio.

Abilé nadava nua, sem esforço, com a graça incomparável das mulheres do extremo sul que, desde a infância, aprendiam a brincar com as correntes do rio. Quando o calor se tornava sufocante, a rainha esquecia as preocupações no lago do palácio de Licht.

E Piankhy tentava esquecer as suas admirando aquela esposa sublime, cuja alma e corpo revelavam uma beleza inalterável.

Ia fazer um ano que a guerra entre o Sul e o Norte havia começado. Depois de conquistar o Médio Egito, o faraó negro nomeara administradores oriundos de antigas famílias locais e firmemente decididos a impedir que príncipes como Peftau e os seus semelhantes saíssem do caminho de Maat. Piankhy havia acabado com os longos anos de corrupção, de poder pessoal sem limites e de exploração dos mais humildes. A sua estada no Médio Egito fizera os dignitários compreenderem que, a partir daquele momento, o faraó governaria com autoridade e rigor, sem dar ouvidos à voz dos clãs, preocupados apenas com os próprios interesses. Durante esse período de reconstrução do Estado, o exército núbio gozara de uma vida agradável da qual, no entanto, o exercício quotidiano não estava ausente. Os feridos e os doentes tiveram tempo para recuperar a saúde, enquanto os seus camaradas, embora mobilizados, desfrutavam a suavidade do clima da região.

Se Piankhy não havia atacado Mênfis logo depois da tomada das praças-fortes do Médio Egito, era porque queria ter a certeza da estabilidade da região. Agora, isso era um fato, e o monarca podia sonhar com a etapa mais perigosa da sua missão: a batalha de Mênfis.

Ainda seria necessário obter informações confiáveis sobre as fortificações e a capacidade defensiva da maior cidade do país. Os batedores se contradiziam, os relatórios tinham falhas, e o rei não se meteria naquela temível aventura antes de saber a extensão das dificuldades.

— Majestade — disse Cabeça-Fria —, o capitão Puarma pede para vos falar com urgência.

— Que ele entre.

O escriba estava de excelente humor porque Piankhy o havia autorizado a ir a Napata, onde passara alguns dias, breves demais, na companhia da mulher e dos filhos. Recebido como um herói, Cabeça-Fria não se fizera de rogado para narrar as proezas do faraó negro. Não ocultara, no entanto, que o mais difícil estava para vir e que, tendo em vista os acontecimentos, Napata não era mais do que uma longínqua capital provincial para Piankhy. Lutando contra a tristeza, Otoku havia engordado alguns quilos num copioso banquete e continuava a administrar a cidade com uma competência com a qual o velho Kapa se congratulava.

Puarma estava excitadíssimo.

— Majestade, aqui está finalmente o relatório que tanto esperávamos!

— Sente-se e beba um copo de cerveja fresca.

O anão retornou.

— O capitão Lamerskeny também deseja vos falar, Majestade.

Com o rosto amarfanhado, mal barbeado, uma velha tanga de couro amarrada de lado, o homem do braço de acácia avançava com um andar hesitante.

— Tive um sonho, Puarma... Você ia ao encontro do rei e lhe mostrava o mapa da fortaleza de Mênfis na minha ausência, sendo que foram os meus batedores que obtiveram essas informações fundamentais, com risco da própria vida e por indicação minha.

— Sente-se imediatamente — recomendou Piankhy —, senão poderá cair.

— Sim, Majestade — aquiesceu Lamerskeny, deixando-se afundar numa poltrona de vime com o encosto arredondado.

— Não deveria se lavar? — sugeriu a rainha, saindo do lago e envolvendo-se num manto de linho transparente.

— A água é contraindicada para o meu reumatismo, Majestade. Na véspera de partir em campanha, o chefe dos soldados da infantaria do rei não tem o direito de correr o mínimo risco.

— Acho que já bebeu demais.

— Enganai-vos, Majestade! Com este calor cada vez mais intenso, convém lutar constantemente contra a desidratação, esse mal traiçoeiro que nos espreita a cada instante.

— Vejamos esse documento — exigiu Piankhy.

Puarma quebrou o selo de argila e desenrolou o papiro.

— O mapa de Mênfis — constatou Lamerskeny com avidez.

— Essa cidade é imensa — observou a rainha, quase assustada com o tamanho da primeira capital dos faraós, que continuava a ser o centro econômico das Duas Terras.

Igualmente impressionado, Puarma leu as inscrições em hieróglifos cursivos no papiro.

— Ao sul, uma linha de fortificações que impede o acesso às docas do porto de Peru-Nefer, "Boa Viagem", por via terrestre. A oeste, um canal entre os bairros residenciais e o deserto.

— Um ponto fraco — observou Lamerskeny.

— Só aparentemente, pois é vigiado por uma guarnição próxima. E a sua ligação com o pequeno canal que rodeia o bairro sul está bloqueada por barcos de carga onde existem arqueiros permanentemente. Ataque impossível.

O homem do braço de acácia fez uma careta.

— Se compreendo bem, só nos resta o Nilo, a leste.

— Três canais partem daí: o primeiro vai dar nas docas, o segundo, no palácio, e o terceiro, na antiga cidadela de muros brancos, no bairro norte. Mas os habitantes de Mênfis construíram muralhas possantes, que impedem qualquer invasão pelo rio.

— Contornaremos então a cidade pelo deserto do leste, passando pela necrópole de Saqqara, ao norte de Mênfis, onde ninguém nos espera.

— Engana-se, Lamerskeny. Em primeiro lugar, teremos de atravessar o canal sob os disparos do inimigo; depois, as fortificações do Norte, embora mais antigas do que as do Sul, não são menos sólidas.

Lamerskeny esvaziou nervosamente o copo de cerveja.

— Então não há nenhuma solução?

— Estudando este mapa, é a conclusão a que temos de chegar.

Lamerskeny gostaria de encontrar um argumento para demonstrar que Mênfis não passava de uma fortaleza semelhante às outras. Mas permaneceu calado.

Desta vez, tinha que render-se à evidência: o exército sulista não ultrapassaria aquela fronteira.

— Aguardaremos as vossas ordens — disse Puarma, desapontado.

Os dois capitães se retiraram, e Piankhy se debruçou demoradamente sobre o mapa de Mênfis.

— Puarma e Lamerskeny não hesitariam em dar as suas vidas se tivéssemos uma única chance de vencer — disse Abilé.

— Enquanto Mênfis estiver nas mãos de Tefnakt, a paz e a justiça não reinarão no Egito. Graças às riquezas dessa cidade, ele equipa e alimenta o seu exército.

— Você se recusa a desistir... Mas que caminho vai seguir?

— Se o caminho não existe, Abilé, eu o criarei.

58

Quando anoitecia, Yegeb e Nartreb faziam as contas dos ganhos do dia. Com um sorriso nos lábios, viam a sua fortuna aumentar em ritmo acelerado desde que residiam em Mênfis. Haviam inventado um novo imposto, a contribuição geral para o esforço de guerra, variável de acordo com a sua vontade e sem limite, que lhes permitia extorquir legalmente ricos e pobres. Como os dignitários e comerciantes menfitas desejavam preservar a estima e a confiança de Tefnakt, o seu único protetor contra a invasão núbia, tinham de satisfazer as exigências dos dois conselheiros, cuja seriedade e competência todos gabavam.

— Durante quanto tempo vamos suportar a presença dessa Aurora? — inquietou-se Nartreb, massageando os tornozelos inchados com um precioso unguento oferecido pelo perfumista do templo de Ptah.

— Essa mulher é mais implacável do que eu havia imaginado — confessou Yegeb —, mas o general a colocou no devido lugar.

— Amanhã, ela será rainha!

— Tem razão em inquietar-se... Tentar apanhá-la com um novo apaixonado seria inútil, porque ela desconfiaria.

— Não podemos aceitar esta situação — irritou-se Nartreb, cujo rosto de lua cheia inchava de raiva. — Essa moça nos odeia e tentará nos destruir!

— Fique certo de que não subestimo o perigo.

O homem com cara de rato bateu à porta do quarto dos dois conselheiros, que se apressaram a enrolar os papiros nos quais estava a relação dos seus bens.

Nartreb abriu a porta.

— Ah, é você... O que quer?

Numa espécie de ricto, ele mostrou os dentes pequenos e pontiagudos.

— Se me pagarem bem, terei coisas interessantes a lhes contar.

Nartreb agarrou o informante pela gola da túnica e o atirou no meio do quarto como se fosse um embrulho qualquer. O homem se levantou com a testa sangrando.

— Você vai falar, e agora! Depois, nós decidiremos o montante da sua eventual recompensa. Guarde bem isto: quem tentar nos chantagear não viverá o suficiente para se vangloriar.

Aterrorizado, o homem ferido se refugiou num canto do aposento.

— Pronto, senhor, pronto... Sabendo que eu andava à cata de informações sobre o passado da esposa de Akanosh, um homem que aluga burros me contatou. Fiz despesas...

— Fale!

— Sim, está bem... Esse homem conheceu os pais dela, que morreram quando ela era adolescente. Um casal muito unido...

— Foi tudo o que conseguiu saber?

Nartreb ergueu o punho.

— Não, não, meu senhor! A esposa de Akanosh tem a pele bronzeada como a sua e a minha, mas o seu pai era originário da Núbia.

— O pai dela é um núbio? — espantou-se Yegeb. — Tem certeza?

— Existe essa testemunha, e poderá haver outras...

— Pague-lhe — ordenou Yegeb a Nartreb. — Creio que encontramos a solução para todas as nossas preocupações.

Tefnakt acariciou as curvas dos quadris de Aurora, subindo carinhosamente ao longo das costas, e depois agarrou-a pelos cabelos e obrigou-a a se virar.

— Você é um selvagem! — exclamou ela, divertida, pronta a receber o amante cuja fogosidade a encantava.

O general estava louco por Aurora. Com ela, cada encontro amoroso era diferente. Via-se obrigado a reconquistá-la constantemente, e aquela guerra o rejuvenescia.

— O que Piankhy faz? — perguntou a jovem, quando repousavam lado a lado num vasto aposento do palácio dos Tutmés, cujas janelas davam para o Nilo.

— Afunda-se no marasmo, pois compreendeu que o seu exército era incapaz de se apoderar de Mênfis. Com certeza, vai precisar de muito tempo para admitir a derrota, devido ao seu orgulho desmedido.

— E se se contentasse com a conquista do Médio Egito?

— Conquista momentânea, Aurora! Piankhy não permanecerá nessa região; vai se retirar para Tebas. Então, eu contra-atacarei, e os traidores o trairão de novo, desta vez a meu favor. Mas não cometerei o mesmo erro desse mau estrategista. Mandarei executar a todos e poremos em ação o governo previsto pelos meus conselheiros.

Ele lhe beijou os seios, semelhantes a maçãs douradas pelo sol.

— Você não conhece Saís, a minha cidade natal, da qual farei a capital do Egito. Amanhã a levarei até lá!

Aurora ficou surpresa:

— A sua presença aqui não é indispensável?

— Essa viagem estava prevista há muito tempo e possui um caráter estratégico.

— E se Piankhy atacasse?

— Tranquilize-se. Ou ele desistiu ou ficou louco. Nesse caso, o ataque dele terminará num desastre.

— Ver o Delta e Saís... Nunca imaginei...

— Uma região magnífica, cem vezes mais bela do que o vale do Nilo! Assim, apresentarei a minha rainha aos meus súditos.

— Quer dizer...

— Sim, Aurora, vamos casar em Saís.

Piankhy passava horas galopando no deserto e conversando com Valente, ao qual deixava a iniciativa do itinerário. O cavalo se divertia com as dunas, evitava as zonas de areias movediças, parecia saltar até o sol e conquistar as extensões sem fim onde, na luminosidade absoluta do ar, as vozes dos deuses pronunciavam palavras eternas.

Dez vezes, vinte vezes, Piankhy desenrolara o mapa de Mênfis e consultara Lamerskeny e Puarma. Apesar da vontade de se lançar ao assalto da cidade, os dois capitães não tinham nenhuma estratégia a propor.

Abilé permanecia silenciosa. Também ela, apesar da sua magia, era incapaz de detectar a brecha que permitiria esperar uma vitória. No acampamento núbio, a atmosfera tornava-se cada vez mais pesada. Ficariam acampados naquelas posições durante muitos meses ainda, até mesmo anos? Todos aguardavam um discurso do faraó negro, sabendo que uma retirada seria sinônimo de derrota. A brilhante campanha do Médio Egito parecia apenas uma ilusão, uma vez que o exército nortista, sob o comando de Tefnakt, inabalável, permanecia intacto.

Com o tempo, o balanço era quase negativo: é verdade que Tebas estava livre; é verdade que o Médio Egito fora reconquistado. Mas não se trataria de uma ilusão que uma invasão nortista dissiparia rapidamente? Ao manter Mênfis, Tefnakt possuía a chave das Duas Terras, o polo de riqueza e de equilíbrio cujo controle era indispensável para governar o país.

Sem ouvir a opinião de ninguém, Piankhy avançou para o norte, para Mênfis. Valente adotou, por si mesmo, um passo moderado que lhe permitiu percorrer sem fadiga cerca de quarenta quilômetros.

Mênfis! Como era bela e imponente a rainha do Império Antigo, precedida por um palmeiral que atenuava a austeridade das suas muralhas, fora do alcance das catapultas e dos arqueiros! O "muro branco" edificado por Djoser, o Magnífico, preservava templos prestigiados onde Piankhy gostaria de venerar os deuses ancestrais, mas ele se erguia à sua frente como uma barreira intransponível.

O faraó negro avançou até o primeiro posto de guarda.

Assustadas, convencidas de que os dois *uraeus* que se erguiam na fronte do monarca as destruiriam, as sentinelas avisaram o seu superior, que solicitou imediatamente a intervenção do comandante da fortaleza, um escriba ambicioso que optara por fazer carreira na administração militar.

Ele saiu da sua residência e dirigiu-se às muralhas. Na ausência de Tefnakt, competia-lhe tomar as decisões.

A visão do faraó negro paralisou o escriba.

— Sou o seu rei — afirmou Piankhy — e deve-me obediência! Ouça-me, Mênfis! Não se feche, não combata, morada da luz do tempo primordial. Que aquele que deseja entrar, entre, que aquele que deseja sair, saia, que ninguém restrinja a liberdade daquele que quiser ir e vir. Tenho um único objetivo: oferecer um sacrifício ao deus Ptah, o senhor de Mênfis, e aos deuses que residem na sua cidade. Nas províncias do Sul, nenhum habitante foi morto, com exceção dos que se revoltaram contra Maat. Que as portas sejam abertas!

O escriba saiu do seu torpor. Por sua ordem, as portas do posto de guarda se abriram, mas para deixar passar um grupo de cavaleiros decididos a aprisionar o faraó negro.

59

Eles eram cerca de cinquenta homens, dispostos a executar a façanha: dominar o atleta núbio que os desafiava, impassível.

Piankhy tirou lentamente a espada curta da bainha e, com um gesto rápido e preciso, cortou o pescoço do primeiro agressor. O segundo achou que atingiria o faraó negro com a ponta da sua lança, mas o rei se desviou no último instante para melhor desferir sobre ele um golpe fatal, antes de atravessar com a espada um terceiro líbio.

Apesar da sua rapidez e da do seu cavalo, Piankhy sabia que sucumbiria, pois eles eram muitos, se o seu pai Amon não viesse em seu auxílio. Este se manifestou sob duas formas estranhas: a do capitão Lamerskeny, à frente dos seus soldados de elite, cujas fundas dizimaram o inimigo, e a do capitão Puarma, cujos melhores arqueiros exterminaram o que restava dos cavaleiros menfitas.

Quando uma nuvem de flechas partiu das muralhas, os núbios recuaram para ficar fora de alcance.

— Como não tínhamos recebido ordens, Majestade — explicou Lamerskeny —, achamos aconselhável seguir-vos. Certamente não precisaríeis da nossa ajuda para exterminar esses covardes, mas por que fatigar-vos inutilmente?

Piankhy sorriu. No entanto, o seu coração estava triste porque Mênfis recusava a paz.

A exaltação estava no auge em todo o Delta. Tefnakt fazia-se aclamar como o futuro senhor do Egito e anunciava o seu casamento com Aurora, cuja elegância deslumbrava os chefes de clã.

Com o arrebatamento de um vencedor, o general pregava a luta sem trégua contra Piankhy, incapaz de se apoderar de Mênfis. Para desencorajá-lo definitivamente, bastava aumentar o número de soldados acantonados na grande cidade. A força da convicção de Tefnakt varreu as hesitações, e ele conseguiu, sem dificuldade, criar um exército de reserva enquanto Aurora, deslumbrada, descobria a cidade de Saís, onde a deusa Neith criara o mundo com sete palavras. Uma legião de servos dedicados satisfazia os mínimos desejos da futura rainha.

Tefnakt se reuniu a ela na sala de recepções do palácio, cuja decoração ela mandava modificar. Aurora queria substituir os habituais frisos de papiros e aves migratórias por representações do marido, de pé no seu carro e esmagando o exército núbio em debandada.

— Essas cenas não são excessivamente... guerreiras? — inquietou-se ele, irônico.

— A confiança animará o braço de cada um dos nossos soldados. É aqui, no nosso palácio, que deve ter as suas raízes.

— Como quiser... Amanhã, parto para Mênfis.

— Vai deixar-me aqui, sozinha?

— Você é ou não uma futura rainha? Na minha ausência, governará a minha capital.

Aurora sustentou o olhar do amante.

— Dê-me as suas instruções e as farei respeitar.

O escriba comandante da guarnição de Mênfis tentou demonstrar um otimismo decidido:

— General Tefnakt, rechaçamos sem nenhuma dificuldade o primeiro assalto do faraó negro.

— Quantos homens mandou?

O escriba pigarreou.

— Na verdade... bem poucos.

— Seja mais preciso!

— Bem... no princípio ele estava sozinho, mas depois...

— Piankhy ousou apresentar-se pessoalmente às portas de Mênfis?

— Um desafio insensato, general!

— Como você reagiu?

— Quando me ordenou que abrisse as portas, eu concordei, mas para deixar passar os nossos cavaleiros. Se os núbios não tivessem acorrido em socorro de Piankhy, nós o teríamos detido. Diante da firmeza e da rapidez da nossa intervenção, fugiram e nunca mais voltarão.

— Não vamos poupar precauções: vou conseguir um reforço de oito mil homens. Desta forma, as forças reunidas em Mênfis dissuadirão Piankhy de tentar um ataque, inevitavelmente fadado ao fracasso.

— Devo compreender que deveríamos... informá-lo disso?

— É claro. Que os arautos revelem à população o tamanho das nossas tropas e vamos deixar duas ou três caravanas partirem para o Sul. Os núbios certamente as interceptarão e interrogarão os mercadores. Pela boca deles ficarão sabendo uma verdade que os aterrorizará.

Com as suas grandes extensões cultivadas, as imensas palmeiras e os inúmeros canais, os campos de Saís encantavam Aurora. Passeava com as servas durante longas horas naquela risonha paisagem que proporcionava inúmeros abrigos contra os ardores do sol e depois percorria as salas do palácio para apressar os trabalhos de decoração. Estucadores e pintores restauravam as velhas instalações, e arquitetos e talhadores de pedra ampliavam o templo da deusa Neith.

À noite, antes do jantar, Aurora desfrutava do prazer de uma ducha tépida que lhe escorria pelo corpo ambarino. Ela sempre recebia à sua mesa os dignitários fascinados e enaltecia diante deles os méritos da política de Tefnakt.

Quando se preparava para escolher um dos pratos do cardápio, Aurora ficou indignada por encontrar Yegeb na sua antecâmara, com um sorriso ambíguo.

— Saia imediatamente dos meus aposentos!

— Alteza, deveria ouvir-me.

— Vá se juntar ao seu amigo Nartreb. Ele deve estar se sentindo só.

— O assunto lhe diz respeito diretamente, Alteza.

— Ah, é?... De que forma?

— Confesso que Nartreb me aconselhou a não tomar esta iniciativa. Como não lhe quero nenhum mal, achei preferível avisá-la dos graves perigos que a espreitam. É melhor parar de sonhar antes que a catástrofe desabe.

— A que perigos se refere?

— Você não foi feita para reinar. Deixe Tefnakt e desapareça.

— Você enlouqueceu!

— Siga o meu conselho. Caso contrário, irá se arrepender.

Vendo Aurora pegar um vaso de prata pesado, Yegeb fugiu. Sabia que a jovem não levaria em consideração as suas ameaças e que não podia impedi-lo de executar o seu plano: era por isso que proporcionava a si próprio o inestimável prazer de torturá-la antes de triunfar.

* * *

O calor havia aumentado mais com a aproximação do fim do ano. O Nilo estava no seu nível mais baixo, e as terras mais elevadas estavam secas e erodidas.

Embora houvesse aumentado o consumo de cerveja, Lamerskeny estava sempre com sede. E a detenção e interrogatório de um mercador ambulante vindo de Mênfis não haviam contribuído para melhorar o seu humor.

— Majestade — disse a Piankhy —, a guarnição de Mênfis acaba de receber o reforço de oito mil homens, líbios originários das províncias do Delta e bem treinados.

— Tem certeza?

— Receio que sim, e há outra coisa: os celeiros da cidade estão cheios de trigo, cevada e espelta, os estábulos, de vacas, e os arsenais, de armas.

— Portanto, um cerco, mesmo de longa duração, não daria nenhum resultado.

— Não conseguiríamos deixar Mênfis com fome, nem privá-la dos seus meios de defesa.

O faraó negro contemplava o Nilo.

— Quando um faraó não encontra nenhuma solução para as suas dificuldades, por que não pode fazer o céu descer à Terra?

60

Ao entrar em Saís, Tefnakt pensava na sua união com Aurora. O casamento seria grandioso, milhares de convidados participariam da festa cuja recordação perduraria durante séculos. Apesar da atração que sentia pela jovem, o general não se deixava levar apenas pelo desejo: ele sabia que Aurora era tão ambiciosa quanto ele e que saberia conquistar o coração dos egípcios dando-lhes um herdeiro.

No final do período de festa, Tefnakt regressaria a Mênfis para falar com a guarnição e prometer uma vitória que já considerava como certa. Piankhy não tentaria nada porque a fortaleza de Mênfis era inexpugnável. A dúvida e o cansaço corroíam o moral das tropas do faraó negro. Quando batessem em retirada, a sua capacidade de combate diminuiria rapidamente.

Apesar do desejo de lutar, Tefnakt soubera mostrar-se paciente e usar o tempo a seu favor. Em breve seria recompensado por tal lucidez.

Uma vez que o cerco de Mênfis iria durar todo o tempo que Piankhy continuasse a acreditar na possibilidade de se apoderar da cidade, o príncipe Akanosh decidira passar alguns dias com a mulher na sua província de Sebenitos. Para eles, o espectro da guerra se afastava: quando, decepcionado, o faraó negro desse meia-volta para regressar ao Sul, Akanosh não se juntaria ao exército de conquista nortista e permaneceria no Delta. O antigo guerreiro havia definitivamente perdido o gosto pelas armas e só desejava o sossego, longe de qualquer conflito.

Enquanto os servos do príncipe terminavam de preparar as suas bagagens, Nartreb irrompeu nos aposentos de Akanosh à frente de uns vinte policiais armados com bastões.

— Perdeu a cabeça? Saia daqui imediatamente!

— Estamos em guerra, príncipe, e a fidelidade absoluta ao general Tefnakt é a lei de todos nós.

— Atreve-se a me acusar de não respeitá-la?

— Você, não... Mas a sua esposa...

O príncipe Akanosh esbofeteou Nartreb.

— Saia daqui, sua ratazana!

Os lábios grossos do conselheiro de Tefnakt incharam de raiva.

— Tenho a prova de que a sua esposa é uma núbia, portanto uma aliada de Piankhy. O general exige que ela compareça imediatamente diante dele.

— Não aceito!

Nartreb esboçou um sorriso feroz.

— Se persistir nessa atitude, usarei de força.

— Com que direito?

— São ordens de Tefnakt.

Apesar das cruéis recordações que ainda lhe perturbavam o sono, Aurora era feliz. No dia seguinte, ela se tornaria esposa de Tefnakt e seria associada à reconquista do seu país. Sem sombra de dúvida, essa guerra provocaria muito sofrimento, mas não havia outro meio de eliminar o faraó negro. Mesmo condenado à derrota, Piankhy lutaria até o fim, com o orgulho insensato de um líder derrotado. No momento de desferir o golpe final, Aurora seria útil a Tefnakt para que o braço dele não fraquejasse.

A cabeleireira ajustava, na cabeça de Aurora, uma magnífica peruca trançada formada de cabelos humanos quase louros: uma peça de valor inestimável que suavizava o rosto da jovem e lhe dava o aspecto de uma grande dama.

— Alteza, está pronta para a prova?

As tecelãs de Saís, as melhores do Egito, haviam criado um vestido de linho digno de uma rainha que moldaria perfeitamente as formas de Aurora e a tornaria deslumbrante.

— A prova pode esperar — decretou Yegeb, hipócrita.

Como se tivesse sido picada por um inseto, Aurora se virou.

— Quando vai parar de me importunar?

— O general Tefnakt deseja vê-la imediatamente.

— Ainda não acabei de me vestir.

— O general insistiu no termo: "imediatamente".

— Teria acontecido algum incidente grave?

— Não sei, Alteza.

Aurora ficou abalada. Piankhy teria lançado um ataque suicida contra Mênfis? Nervosa, envergando apenas uma camisa e uma saia curta, ela correu para a sala de audiências, precedendo Yegeb, que trotava, com dificuldade para segui-la.

Assim que entrou no aposento fracamente iluminado por causa das espessas cortinas que tapavam as janelas, Aurora sentiu uma forte tensão.

Tefnakt andava de um lado para outro. Sentado à maneira dos escribas, Nartreb fixava o príncipe Akanosh, de pé e com os braços cruzados.

— Finalmente você apareceu!

— Estava ocupada... O que há?

Tefnakt apontou o indicador para Akanosh.

— Conhece este homem?

— Sim, claro...

— Tem certeza, minha querida Aurora?

— Não compreendo.

— Eu também julgava conhecê-lo! Pensava até que fosse um aliado fiel e que nunca me trairia.

A jovem estava aterrada:

— Você não, príncipe Akanosh...

— Oh, não, ele não! — interveio Tefnakt. — Ele não, mas a mulher... A mulher, que é uma núbia! Uma núbia, compreende? Uma aliada de Piankhy aqui, no meu próprio palácio!

— Compete a mim, e apenas a mim, defender a minha esposa contra essas acusações inadmissíveis. O fato de ter ascendência núbia não faz dela uma traidora. A palavra dela e a minha não valem mais do que as de dois conselheiros miseráveis que só pensam em enriquecer?

— Infelizmente para a sua esposa — lamentou Yegeb —, possuímos a prova da sua culpa.

O príncipe Akanosh cerrou os punhos.

— Você mente!

— Os nossos serviços de espionagem interceptaram uma carta que acusa formalmente a sua mulher... O texto demonstra que ela servia de agente de ligação, evidentemente sem o seu conhecimento.

— De ligação... com quem? — interrogou Aurora.

Tefnakt trespassou-a com o olhar.

— Não acha que devia parar de representar?

— Representar... O que quer dizer?

Tefnakt apertou os pulsos de Aurora até quase quebrá-los.

— Você é a autora dessa carta... Traiu-me porque me odeia! Queria me matar e utilizou esse meio para se vingar.

— Está enganado... Juro que está enganado!

— Reconheci a sua caligrafia, Aurora.

Tefnakt afastou-se da jovem e ameaçou-a com um punhal, cuja ponta penetrou no seu pescoço, fazendo aflorar uma gota de sangue.

— Devia matá-la, vadia... Mas a morte lenta numa masmorra será um castigo melhor. Hora após hora, ali perderá a juventude e a beleza.

Por um instante, Aurora sentiu vontade de se lançar aos pés de Tefnakt e implorar piedade. Mas optou por enfrentá-lo:

— Se me amasse, veria a verdade.

— Levem-na — ordenou Tefnakt aos conselheiros, que sentiram grande prazer em agarrar a Alteza desacreditada para entregá-la aos guardas.

Ao ficar a sós com o príncipe Akanosh, abalado, o general adotou um tom conciliador:

— Como eu, você também foi ludibriado... Livre-se da sua mulher, e depressa!

— Confio nela, sei que não traiu.

— Renda-se à evidência, Akanosh, mesmo que sofra com isso. A carta interceptada prova que Aurora, com o auxílio da sua núbia, recomendou aos comandantes das fortalezas que abrissem as portas a Piankhy. Aja rapidamente: esse é o preço da sua vida.

61

Cabeça-Fria não parava quieto no lugar. Perguntava dez vezes por dia aos seus ajudantes se o mensageiro proveniente do Sul já havia chegado. Piankhy não cessava de contemplar o rio, perdido na sua meditação a ponto de esquecer Mênfis, cuja fortaleza branca brilhava ao sol.

E o mensageiro chegou, trazendo uma tabuinha de madeira redigida pelos especialistas de Assuã.

Piankhy examinou o documento coberto de números.

— Então, Majestade?

— Perfeito, Cabeça-Fria. Amon respondeu ao meu apelo.

— Quanto tempo ainda teremos de esperar?

— Alguns dias.

Um prazo curto seria suficiente. Piankhy reuniria Lamerskeny, Puarma e os oficiais da engenharia para lhes transmitir as ordens: construir plataformas, levantar os mastros e requisitar todos os barcos, do menor ao maior, não sem antes fazer a lista dos proprietários, para que fossem indenizados.

Sob os olhos deslumbrados do faraó negro, o nível do rio aumentou e se lançou ao assalto das margens com a fúria do ano-novo. Graças aos controles efetuados no nilômetro de Assuã, os especialistas haviam previsto uma cheia magnífica, que transformaria o Egito num lago imenso, depositando nas terras o limo fertilizante. Atingiria a altura excepcional de 22 côvados.*

A terra bebia com avidez. A água enchia os canais e formavam-se remoinhos perto das margens. O fluxo purificador afogava os parasitas, os escorpiões, e as cobras fugiam para o deserto. Em breve, restariam apenas ilhotas e colinas nas quais as aldeias haviam sido construídas. Hapi, o dinamismo da cheia, realizava a sua obra

---

* 11,44 metros.

com entusiasmo, porque a estrela Sothis surgira no alto do céu, significando que Ísis havia ressuscitado Osíris.

Piankhy pediu à esposa que dirigisse o ritual de oferendas ao Nilo, sem o qual o rio não lhe seria favorável.

— Pela última vez — anunciou ele —, vou tentar evitar milhares de mortes.

— Tanto os seus capitães como eu mesma nos opomos a essa atitude — disse Abilé, inquieta.

Piankhy abraçou-a.

— Às vezes, os homens renunciam à sua loucura. Bem sabe que tenho de tentar.

A estatura do faraó negro era tão impressionante quanto a nobreza do seu cavalo. Os olhos do homem e do animal fitavam as muralhas onde acabava de surgir o escriba comandante da fortaleza.

— Abra imediatamente as portas desta cidade que é minha, e os habitantes de Mênfis serão poupados. Quanto aos soldados, eles me jurarão fidelidade e esquecerei a sua desobediência.

— Retire-se, núbio! Os meus homens são mais numerosos do que os seus, e você não é capaz nem de arranhar os nossos muros.

Uma flecha voou e raspou na cabeça de Piankhy. Subitamente enraivecido como uma pantera, ele se exprimiu com uma cólera que paralisou a guarnição menfita.

— De acordo com a ordem do meu pai Amon, eu me apoderarei desta cidade como uma tromba-d'água.

O faraó negro deu meia-volta.

Quando os nortistas voltaram a si e lançaram as suas flechas, ele estava fora de alcance.

* * *

Quando a terra se iluminou, no fim da madrugada de um novo dia, imensos pontões formados por barcos de todos os tamanhos foram arrastados pela corrente até às muralhas de Mênfis. O nível do Nilo havia subido tanto que as muralhas não passavam de uma barreira sem importância, poucos metros acima dos guerreiros núbios. Os especialistas de engenharia colocaram mastros, paliçadas e escadas de encontro à parte dos muros da imponente fortaleza que ainda estava fora da água, ao mesmo tempo que começava a luta dos arqueiros.

Os homens de Puarma se mostraram mais rápidos e mais precisos do que os nortistas. Assim que disparavam as flechas e abatiam adversários, eles recomeçavam. Assistentes enchiam constantemente as aljavas.

— Vamos entrar em Mênfis! — ordenou Piankhy, cuja fúria se transmitia a todo o exército sulista. — Vamos atravessar estas muralhas vencidas pelo Nilo e que nenhum inimigo nos detenha!

Em ondas de assalto ininterruptas, formando a tromba-d'água que Piankhy havia anunciado, os soldados da infantaria de Lamerskeny tomaram as muralhas, ao mesmo tempo que a frota núbia, comandada pelo faraó negro em pessoa, atacava o porto.

Submersos, os defensores tentaram em vão repelir os sulistas, que já prendiam a corda da proa dos seus barcos nas casas construídas perto do rio, cuja soleira estava rente ao nível da água.

Lamerskeny estava dominado por tal entusiasmo que um ferimento que recebera na perna nem sequer lhe doía. Apesar disso, enquanto recuperava o fôlego, um enfermeiro pôs uma compressa com mel na ferida.

— É o dia mais belo da minha vida, enfermeiro! Quem poderia acreditar que acabaríamos conseguindo conquistar a cidade de Mênfis?

— Não se mexa, capitão... Senão o curativo sairá do lugar.

— Rápido! Quero ser o primeiro a transpor o "muro branco". Não vou deixar essa honra para Puarma.

Incansáveis, os arqueiros núbios continuaram a atirar, até o momento em que não houve mais resposta. No seu foro íntimo, Lamerskeny teve que reconhecer que Puarma comandara os seus homens com extremo rigor.

Os dois capitães trocaram um sinal com a mão e, do alto das muralhas juncadas de cadáveres, contemplaram Mênfis. Viram Piankhy atracar e entrar na cidade pela porta dupla que dava para a aleia que conduzia ao templo de Ptah. Assustados, os habitantes da cidade corriam em todas as direções e dificultavam as manobras dos soldados que já não sabiam a que ordens deviam obedecer.

Achando que já havia repousado o suficiente, Lamerskeny arrastou os seus soldados para a luta, para abrir passagem para o faraó negro. Dos bastiões, dos caminhos de ronda, do alto das portas monumentais e das torres desceu uma coorte de guerreiros núbios, gritando de alegria pela conquista. Entraram na caserna, nas salas dos escribas, nos depósitos de papiros e na casa do comandante. Os que tentaram impedir o avanço foram massacrados com golpes de machado, de maça e de espada.

Lamerskeny viu tarde demais o arqueiro que o visava e demorou para se desviar. A flecha se cravou na sua coxa esquerda e o obrigou a parar. Os seus homens rodearam-no imediatamente.

— Mirra! — exigiu o capitão.

O próprio Lamerskeny rasgou a carne com o seu punhal, retirou a flecha, lavou a ferida com água morna que um soldado lhe trouxera e colocou no ferimento uma raiz de chicória amarga dada pelo enfermeiro e, por cima, uma camada de mirra. A dor atenuou-se, o ferimento cicatrizaria rapidamente.

O capitão retomou o avanço, não sem ter lançado um olhar satisfeito ao cadáver do arqueiro abatido por Puarma.

— Você está envelhecendo, Lamerskeny. Da próxima vez...

— Da próxima vez será a vitória, como hoje! O que temos a temer, uma vez que servimos sob as ordens de um rei que sabe fazer do rio seu aliado?

Receando um massacre geral, a população obrigava os últimos nortistas a se renderem.

Quando Piankhy, ladeado pelos seus dois capitães, se apresentou diante do último núcleo de resistência, a antiga cidadela de muros brancos, o escriba comandante encarregado da defesa de Mênfis apresentou-se diante dele.

— Aceita finalmente se render?

— Sim, Majestade. Permiti que me curve perante Sua Majestade.

O escriba se aproximou demais do rei. Ao se dobrar, ele tirou da manga da túnica um punhal de lâmina dupla para cravá-lo no peito de Piankhy.

Mas a lâmina entrou no braço de acácia de Lamerskeny, que o estendera para salvar o faraó.

Aterrorizado, o escriba não esboçou o mínimo gesto de autodefesa quando o capitão lhe esmagou o crânio com uma pancada brutal desferida com o mesmo braço.

— Acha mesmo que sou muito velho para defender a vida do faraó? — perguntou Lamerskeny a Puarma.

Das ruas e ruelas ergueram-se clamores, que se transformaram rapidamente em aclamações à glória de Piankhy, o novo senhor de Mênfis.

62

O príncipe Akanosh recebeu Yegeb nos seus aposentos particulares do palácio de Saís. O conselheiro de Tefnakt, de rosto longo e braços intermináveis, interrogava-se,

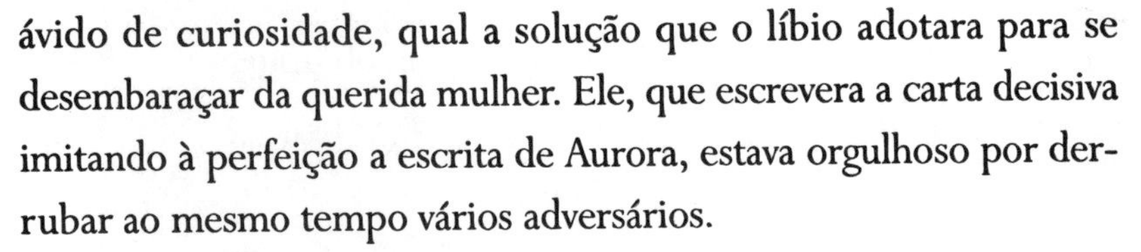

ávido de curiosidade, qual a solução que o líbio adotara para se desembaraçar da querida mulher. Ele, que escrevera a carta decisiva imitando à perfeição a escrita de Aurora, estava orgulhoso por derrubar ao mesmo tempo vários adversários.

— Deseja ver-me, príncipe Akanosh?

— Queria agradecer-lhe por me abrir os olhos. Eu conhecia a origem da minha mulher, mas havia decidido, erradamente, esquecê-la. Esta guerra é uma prova de verdade, e você teve razão em desmascará-la.

Yegeb curvou-se.

— Apenas cumpri o meu dever.

— Amei sinceramente a minha esposa, Yegeb. Agora, não sei como agir. Aceita ajudar-me?

— De que forma?

— Sou incapaz de eliminá-la pessoalmente, como Tefnakt me pediu. Em troca de uma alta recompensa, poderia encarregar-se dessa tarefa?

— Qual é a sua proposta, príncipe Akanosh?

— Um saco de ouro e uma vila no meu principado.

Yegeb refletiu:

— Digamos... dois sacos de ouro, a vila e uma percentagem nas colheitas.

— Você exige demais.

— Não é uma retribuição justa?

— Venha, Yegeb.

— Quer que eu aja... imediatamente?

— Não vamos perder mais tempo.

Akanosh guiou Yegeb e abriu a porta do quarto onde estava a núbia, sentada e resignada.

Yegeb decidira estrangulá-la. Seria uma morte lenta e dolorosa.

Ao dar um passo na direção da vítima, foi brutalmente puxado para trás por uma tira de couro que se enterrou nas carnes flácidas do pescoço.

— Como me sinto feliz em matá-lo — murmurou o príncipe Akanosh. — Graças à cheia, os parasitas desapareceram... Graças a mim, Tefnakt ficará livre de uma pessoa ignóbil.

Com a laringe esmagada e a língua tumefacta saindo da boca, Yegeb morreu num estertor.

— Senhor, é horrível, abominável!

— Por que essa excitação? — perguntou Tefnakt a Nartreb.

— É Yegeb...

— Fale de uma vez!

— Ele está morto, senhor! Acabaram de encontrar o cadáver numa ruela, perto do palácio. Alguém o estrangulou.

— São os riscos da profissão — avaliou o general. — Yegeb tinha muitos inimigos.

— É preciso prender o culpado o mais rapidamente possível!

— De quem suspeita?

— Do príncipe Akanosh! Ele partiu esta manhã para a sua província de Sebenitos, em companhia da esposa.

— Excelente iniciativa. Fechada no seu palácio, a núbia não voltará a nos prejudicar. Os chefes de clã líbios estimam muito Akanosh e não tenho intenção de condená-lo, e sim de lhe oferecer um cargo de responsabilidade no meu governo. Os homens honestos não andam por aí aos montes.

— Mas... ele é um criminoso!

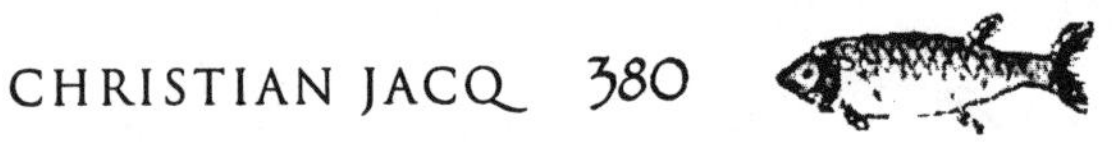

— Preocupe-se com a sua sorte, Nartreb, e deixe-me decidir a dos meus súditos.

Tefnakt nunca se sobrecarregaria com uma Grande Esposa Real. Contrariando as exigências da tradição, reinaria sozinho e se contentaria com concubinas para as exigências dos seus desejos. A traição de Aurora lhe abrira definitivamente os olhos: não devia confiar em ninguém. O verdadeiro poder não se reparte.

O desaparecimento de Yegeb lhe era conveniente: formava com Nartreb uma dupla temível, que, mais cedo ou mais tarde, conspiraria contra ele. Manipular Nartreb, um ser perverso e violento, não apresentaria nenhuma dificuldade: Tefnakt o usaria como executor das manobras mais baixas. No momento certo, iria substituí-lo por outro mais ávido do que ele.

— Senhor...

— O que quer, Nartreb? Já lhe disse que Akanosh era um aliado precioso. Não perca mais o seu tempo tentando comprometê-lo.

— Senhor... Mênfis caiu!

Apesar do esmagador calor do verão, uma sensação de frio invadiu Tefnakt.

— Um assalto de Piankhy...

— Não, não foi um assalto. Ele se tornou senhor da cidade.

— Mas a guarnição, as muralhas, o exército de reforço...

— O faraó negro usou a cheia para reduzir a zero as defesas de Mênfis. Milhares de nortistas foram mortos, os sobreviventes se renderam e foram recrutados pelos núbios.

— Mênfis... Mênfis era inexpugnável!

— Exceto durante este período em que o rio se transformou em aliado de Piankhy.

— As perdas dele devem ter sido enormes!

— Não, senhor. Foi um cerco fácil, uma vitória rápida.

— A população vai revoltar-se!

— Seria massacrada. Mas ainda não fomos vencidos: o exército líbio dispõe da força de um grande número de soldados prontos para combater. O Delta nunca se renderá.

— Você tem razão, Nartreb: é preciso continuar a luta.

A terra iluminou-se e foi verdadeiramente um novo dia. O faraó designado por Amon reinava finalmente sobre Mênfis, a "Balança das Duas Terras", que, assim, recuperava o seu ponto de equilíbrio. No entanto, muitos menfitas receavam a vingança do faraó negro. Ao se recusar, por duas vezes, a lhe abrir as portas, não estariam expostos a atrozes represálias?

Muitos dignitários já haviam implorado a clemência da rainha Abilé, mas ela nada prometera. Instalado no palácio de Tutmés I, próximo da cidadela de muros brancos, Piankhy avaliou a grande cidade antes de adotar uma linha de conduta. As tropas núbias, em estado de alerta, patrulhavam a cidade.

Quase curado dos ferimentos, Lamerskeny interpelara um a um os líbios que queriam entrar para o exército do faraó negro. Os que lhe pareciam duvidosos, haviam sido desarmados e colocados no serviço de reparação dos diques. Quanto aos soldados vitoriosos, eles apreciavam o conforto da grande caserna de Mênfis e a qualidade da alimentação que os habitantes de Mênfis lhes ofereciam para amansá-los.

A madrugada assinalava o triunfo da luz sobre as trevas, e Piankhy anunciou a sua decisão.

— É preciso limpar Mênfis.

A rainha Abilé, Lamerskeny, Puarma e Cabeça-Fria estremeceram. Por que tanta crueldade, quando a população não esboçara o mínimo movimento de revolta?

— Majestade, será realmente necessário?... — interveio Puarma.

— Indispensável — cortou Piankhy. — Este conflito conspurcou a cidade de Ptah. Vou, portanto, purificar-me na "morada da manhã", no interior do seu templo, oferecer-lhe bois, gado sem chifres, aves, fazer uma libação para a assembleia das divindades e por fim purificar o santuário e toda a cidade com natrão e incenso. Depois, e só depois, nos preocuparemos com os problemas materiais.

No templo de Ptah, os rituais de coroação foram realizados por Piankhy, tornando-o, aos olhos de todos os habitantes das Duas Terras, rei do Alto e do Baixo Egito. O faraó e a esposa mostraram-se na "Janela das aparições" do palácio ligado ao templo, sob as aclamações dos principais dignitários. Convencida de que se abria uma nova era de prosperidade, a cidade estava em rebuliço.

Adornado com vários colares de ouro, como os capitães Lamerskeny e Puarma, Cabeça-Fria recebeu uma mensagem cujo teor comunicou imediatamente ao soberano:

— Majestade, todas as guarnições da província de Mênfis abandonaram as suas cidadelas e se puseram em fuga!

A novidade não pareceu alegrar Piankhy.

— Você sonha com a conquista do Delta, não é verdade? — perguntou Abile.

— A fortaleza de Babilônia* barra o caminho do Delta ocidental. Um duro combate nos aguarda.

* Babilônia é o nome posterior da antiga fortaleza de Kher-Aha.

63

Nas fileiras líbias, aos poucos, todos se recuperavam da queda de Mênfis. É evidente que a derrota foi grande, mas Tefnakt conseguira manter a esperança, reunindo os chefes de província do Delta que continuavam a lhe ser fiéis. De Piankhy só podiam esperar o castigo reservado aos rebeldes; de Tefnakt, o desejo de vencer e reconquistar o terreno perdido. Já que Mênfis não era inexpugnável, por que não haviam de seguir o exemplo dado pelo faraó negro? Quando chegasse o momento propício, a cidade voltaria para as mãos dos líbios.

— Apesar das adversidades — declarou o general com um entusiasmo que transmitiu segurança aos aliados —, as nossas forças ainda são consideráveis e perfeitamente capazes de impedir Piankhy de invadir o Delta. A estratégia que lhes proponho é a seguinte: bloquear o avanço dos núbios em duas etapas, imobilizá-los num determinado ponto e surpreendê-los com um contra-ataque. Primeira etapa: a fortaleza de Babilônia. Ela é uma das mais antigas e das mais sólidas do território. Como foi edificada em cima de uma colina, a cheia não será útil ao agressor.

Aos sessenta anos, recém-completados, rico e mais gordo, o príncipe Petísis, senhor da cidade de Atribis, tomou a palavra:

— Esse Piankhy tornou-se faraó, e ninguém duvida de que é realmente o protegido do deus Amon... Ele não vai apoderar-se dessa fortaleza, como todas as outras?

— Para ser sincero — respondeu Tefnakt —, penso que conseguirá. Mas essa nova vitória vai enfraquecê-lo, porque o cerco será longo e difícil.

— Isso é certo... E a segunda etapa?

— Um cerco ainda mais difícil!

— Qual, general?

— Depois de conquistar a Babilônia, Piankhy vai querer tornar-se senhor da grande cidade mais próxima: Atribis. É por isso que o seu papel será decisivo, Petísis.

— Aguentarei o maior tempo possível, mas...

— E eu intervirei com todas as minhas tropas, arqueiros, soldados da infantaria e marinheiros, que vou começar a reunir desde já em Mostai, a sessenta quilômetros a sudeste de Saís, a minha capital. Atacaremos o acampamento de Piankhy com a rapidez do falcão e faremos em pedaços o seu exército imobilizado diante da sua fortaleza.

— Esse plano é hábil e deve dar certo — admitiu o príncipe Petísis, com a aprovação dos outros chefes de província.

Piankhy deu sal a Valente. Nos períodos de intenso calor que provocavam transpiração abundante, o cavalo precisava desse complemento alimentar. Para evitar perturbações digestivas, Valente bebia cerca de cinquenta litros de água por dia, comia grãos de cevada bem seca, frutos e legumes variados. À noite, Piankhy o esfregava com um punhado de relva fresca, que absorvia a umidade e o suor, e conversava com ele para fazer um balanço do dia. Até então, os olhos do animal sempre estiveram risonhos. Naquela noite, o seu olhar pareceu quase sério.

— Ele está ansioso? — perguntou Abilé.

— Não, mas teme o Delta, como todos nós. É uma região que nenhum dos nossos soldados conhece e que está certamente cheia de armadilhas.

— Hesita em conquistá-la?

— A hesitação não é admissível, Abilé. O Baixo Egito faz parte do reino que Amon me confiou e não pode, portanto, permanecer nas mãos dos rebeldes. Mas a tarefa pode ser dura... Vamos combater Tefnakt no seu próprio território, depois de termos perdido muitos homens no cerco da fortaleza de Babilônia.

— Eles vos seguirão para onde quer que os conduza, Majestade. Sabem que vós sois o filho da luz, o irmão do rio e o servidor de Maat.

Piankhy acariciou docemente o rosto de Abilé.

— Sem você, um único dos meus atos poderia ser coroado de êxito?

Nartreb recompunha-se rapidamente da morte de Yegeb e havia abandonado as investigações. Afinal, arranjava-se muito bem sem o seu cúmplice, que, muitas vezes, o olhara com profundo desprezo por ser mais instruído do que ele. Os conhecimentos de matemática de Yegeb haviam permitido que ele estabelecesse o valor exato da sua fortuna, mas atualmente ela era de Nartreb! E como se sentia com alma de tesoureiro, não perderia uma migalha dos seus haveres.

Em Saís, a maior e a mais rica cidade do Delta, Nartreb não corria qualquer risco. O faraó negro nunca conseguiria se aventurar até lá, sobretudo depois dos rudes golpes que Tefnakt infligiria ao exército núbio, amontoado diante de Atribis. O plano do general era realmente excelente, e as tropas líbias reunidas em Mostai tinham sede de vingança.

Pensando bem, Yegeb estava envelhecendo e não tinha mais ambição. Ele se teria contentado em contemplar os seus bens, enquanto Nartreb queria ter um destino político. A guerra duraria muito tempo, pois Tefnakt, depois da vitória de Atribis, tentaria reconquistar as posições perdidas.

Precisaria, então, de um primeiro-ministro que permanecesse na retaguarda e se ocupasse exclusivamente da gestão administrativa.

Como o programa de governo de Nartreb estava pronto, o lugar lhe pertencia por direito.

— A prisioneira deseja vê-lo — avisou o carcereiro-chefe.

— Aurora? Mas essa prisão é suja e malcheirosa...

— É por isso que, se aceitar vê-la, mandarei transferir a prisioneira para um lugar digno do senhor.

— Hummm... Que ela seja lavada e perfumada.

— Às suas ordens.

Uma distração inesperada... Quando tentara violentá-la, a vagabunda se defendera. Desta vez, estaria à sua mercê. Mas o que ela teria a lhe dizer?

Encantadora, apesar de o rosto revelar traços de cansaço, usando uma túnica curta de um amarelo pálido que deixava os ombros à mostra, descalça, Aurora parecia uma jovem recém-saída da infância.

Nartreb sentiu crescer dentro de si um desejo violento. Os espessos lábios ficaram tumefactos, o pescoço engrossou, e os dedos gorduchos fremiram como serpentes.

— O que quer me dizer, pequena?

Aurora evitou o olhar ávido de Nartreb.

— Você e Yegeb têm razão... Queria vingar o meu pai, como lhe havia prometido.

— Muito bem, muito bem... Mas esse arrependimento é muito tardio, não acha?

— O meu castigo é horrível! Não suporto aquela cela, aquela imundice, aquela umidade... Saiba perdoar, Nartreb!

— É impossível, pequena. Trata-se de uma condenação dada por Tefnakt e não tenho nenhuma possibilidade de modificá-la.

— Eu suplico... Tranque-me em outra cela, limpa e sem parasitas!

— O que tem para me oferecer, em troca de semelhante privilégio?

Aurora fez deslizar o vestido ao longo do corpo juvenil.

Nartreb engoliu em seco.

— Terá de me deixar fazer tudo o que eu quiser...

— Aceito.

— E terá também de participar... Detesto as mulheres passivas.

— Farei o melhor que puder.

Nartreb não tinha a mínima intenção de transferir Aurora para outra prisão. Se Tefnakt viesse a saber, ficaria furioso com o seu conselheiro. Como mentir era um dos seus talentos, Nartreb teria belas horas de prazer pela frente.

— Venha cá, pequena, e beije-me — ordenou.

Aurora agiu com a rapidez de um réptil. Cravou profundamente os dentes no pescoço de Nartreb, fazendo jorrar o sangue.

Louco de dor, ele a repeliu a socos e a pontapés. Desmaiada, Aurora não sentiu chegar a morte que Nartreb lhe infligiu pisoteando-a com uma raiva próxima da loucura.

— Qual o estado de Nartreb? — perguntou Tefnakt.

— A infecção se espalhou e será difícil combatê-la — diagnosticou o cirurgião. — Seria necessária uma grande quantidade de produtos raros e dispendiosos.

— Não os desperdice, pois o meu exército precisará deles.

— Compreendo...

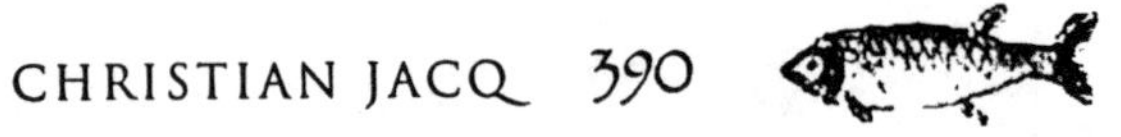

— Deixe-o morrer e não atenue o seu sofrimento. Quando um homem atinge tal ponto de ignomínia e barbárie, é porque não tem alma há muito tempo.

Tefnakt vira o cadáver de Aurora. Em nome do amor que tinham partilhado, lhe devia essa última vingança.

64

Quando acariciou o pescoço do cavalo, ao se aproximarem de Babilônia, Piankhy pensou na cidade santa, Heliópolis, cujo acesso essa fortaleza impedia.

Heliópolis, a cidade de Rá, a luz divina, onde nascera a espiritualidade egípcia. Heliópolis, onde haviam sido concebidos e redigidos os *Textos das Pirâmides*, consagrados às incessantes transmutações da alma real no Além. Fora ali que, pela primeira vez, a voz do divino se fizera ouvir na terra do Egito.

O coração do faraó negro ficou apertado, como se ele se aproximasse do ponto culminante da sua vida. Como poderia ele, o filho da longínqua Núbia, imaginar que estaria um dia tão próximo da fonte dessa civilização, o seu modelo e razão de viver?

Não conseguiu dissipar a tristeza que o invadia. Para alcançar Heliópolis, quantos cadáveres de soldados seriam necessários?

Abilé tomou docemente a mão de Piankhy entre as suas.

— Tenha confiança — murmurou.

— Lá estão eles! — anunciou um vigia ao oficial encarregado de distribuir as sentinelas nas muralhas de Babilônia.

O oficial se dirigiu imediatamente à casa do comandante da fortaleza, um quarentão líbio de pele muito fina e maneiras de aristocrata. Filho de uma família rica do Delta, pai de três crianças, ele tivera uma carreira fácil e sem sobressaltos.

— Quantos são?

— Na minha opinião, todo o exército núbio.

— E o faraó negro?

— Cavalga à frente.

— Os nossos homens estão preparados?

— Eles lutarão até o fim, meu comandante. E matarão muitos núbios, até o momento em que os reforços de Saís acabarão de destroçar os invasores.

— Não haverá reforços.

— Não? Mas...

— Recebemos ordem para aguentar o maior tempo possível e causar o maior número de baixas ao adversário. Mas não poderemos contar com nenhuma ajuda.

— Entendido, meu comandante. Temos víveres e água para vários meses.

— O que acha da eficácia das catapultas núbias?

— Temível.

— Do seu armamento?

— De primeira qualidade.

— Qual o moral da nossa guarnição?

O oficial hesitou.

— Quero saber a verdade.

— Não é lá muito alto... Os nossos homens conhecem a coragem dos guerreiros núbios e a obstinação do faraó negro. Não dizem que o céu o protege e que a magia da esposa lhe permite sempre encontrar o caminho que conduz à vitória?

— Que cada um ocupe o seu posto sem fraquejar e que os deuses nos sejam favoráveis.

— Que belo animal! — exclamou Lamerskeny ao ver a fortaleza de Babilônia. — Mênfis foi fácil demais... Desta vez, vamos lutar de verdade.

Puarma fez uma careta.

— Para erguer uma única escada, sacrificaremos cinquenta homens, pelo menos... Os arqueiros de Babilônia ocupam uma posição ideal, e os meus podem ser ineficazes.

— Quando deixará de ser pessimista? Esqueceu que é Piankhy que comanda a manobra?

Com os olhos voltados para as muralhas de Babilônia, Puarma não conseguia acalmar-se:

— A engenharia terá dificuldades, talvez insuperáveis, para ajuntar os montes de terra perto dos muros... As nossas perdas podem ser pesadas. Supondo que quebremos esse bloqueio defensivo, com que exército atacaremos o Delta?

— Piankhy encontrará a solução.

O capitão dos arqueiros se irritou:

— O que fez do seu ceticismo, Lamerskeny?

— Se você fosse meu superior, eu afundaria no desespero. Mas um faraó reina e, amanhã, o sol brilhará.

A manhã estava esplêndida, e uma brisa suave atenuava a ardência do sol. Milhares de núbios se preparavam para dar a vida para abrir o acesso ao Delta e às ricas províncias do Baixo Egito, ocupado pelos líbios.

Os arqueiros de Puarma tentariam cobrir os técnicos de engenharia e os soldados de Lamerskeny, mas Piankhy sabia que muitos dos seus companheiros de armas cairiam junto da fortaleza de Babilônia.

Antes de o faraó dar o sinal de ataque, fez-se um profundo silêncio nas fileiras núbias.

Valente relinchou, empinou e depois ficou calmo, fitando as grandes portas da fortaleza, que se abriram lentamente, como num sonho. O comandante líbio saiu para o adro pavimentado, lançou ao chão uma espada e um arco, avançou na direção de Piankhy e se prostrou.

— O faraó foi coroado em Mênfis — declarou o líbio. — Deus ordenou a ele que governasse o Egito e o tornasse feliz. Por que eu semearia a morte e a infelicidade, se me basta obedecer para evitar um desastre? Aceitai a rendição da fortaleza de Babilônia, Majestade.

O silêncio ainda durou alguns instantes, como se todo o exército núbio houvesse parado de respirar. Depois, o medo foi dissipado, uma intensa alegria inflamou os peitos e, numa algazarra indescritível, os soldados de Babilônia e os de Piankhy se encontraram para se congratular.

O faraó negro transpôs a colina fortificada de Babilônia e lavou-se no lago de Kebeh, onde a luz divina limpou o seu rosto com a água proveniente da energia primordial. Assim purificado, Piankhy se dirigiu para a colina de areia de Heliópolis onde a vida surgira pela primeira vez. Voltado para o sol nascente, ofereceu ao princípio criador bois brancos, leite, mirra, incenso e perfumes, antes de entrar no templo de Aton, sob as aclamações dos sacerdotes. Reconheceram-no como faraó, irmão da corporação das nove divindades que criavam o mundo a cada instante.

O rei pronunciou as palavras rituais destinadas a afastar os inimigos visíveis e invisíveis, vestiu roupas purificadas na morada da manhã, atou na cabeça a tira que lhe proporcionava a visão do mundo dos deuses e subiu a longa escada que conduzia ao terraço do templo, de onde viu um obelisco de granito, a pedra primordial na qual se havia materializado a luz da origem.

Só lhe restava entrar sozinho no santuário secreto de Aton, cujo nome significava simultaneamente o "Ser" e o "Não Ser". Piankhy quebrou o selo que fechava o *naos*, abriu as portas de ouro e viu o mistério da criação, movimento eterno que se encarnava na incessante viagem da barca da manhã e da barca da noite.

Então o faraó soube por que empreendera a sua longa e perigosa viagem, por que arriscara a sua vida e a dos seus, por que era necessário que as Duas Terras fossem unidas e governadas pelo amor.

65

Sob o encanto de Heliópolis, a secreta, sombreada por acácias e tamargueiras, o casal real celebrara os rituais nos templos de Ramsés II e de Ramsés III, colocara flores nas moradas eternas do Antigo Império e prestara homenagem ao touro Mnevis, encarnação terrestre do poder da luz.

Piankhy apreciava particularmente o pavilhão de "Aton do sicômoro" e a capela da árvore sagrada, nas folhas da qual um sacerdote, usando a máscara de Toth, inscrevera os nomes de coroação do faraó negro. Bosques, pomares, olivais e lagos faziam de Heliópolis um lugar agradável para se viver, onde a presença dos deuses era perceptível a cada passo.

Só o capitão Lamerskeny estava de mau humor:

— Estamos perdendo tempo — lamentava-se ele a Puarma. — Olhe para os nossos soldados: usam camisas de mangas largas, saiotes plissados adornados com motivos em forma de chocalho e bordados representando gazelas saltando na savana, e até são perfumados por donzelas enamoradas ao longo do dia! E todos esses dignitários, do chefe dos escribas ao Portador da Coroa, que não cessam de entoar louvores a Piankhy! Estamos adormecendo sobre os nossos colares de ouro e perdemos o gosto pela luta. Não será assim que tomaremos Atribis.

Puarma sorriu.

— Tenha confiança, capitão. O faraó não encontrará a solução?

Atribis, simbolizada por um touro negro, era uma cidade rica e poderosa na qual reinava, com orgulho, o príncipe Petísis, cujo nome significava "o dom de Ísis". Apesar da anarquia econômica que acompanhava a ocupação líbia, ele podia gabar-se de haver alimentado todos os habitantes da sua capital provincial cuja guarnição lhe era fiel.

Depois de desfrutar do prazer de uma ducha tépida, o príncipe Petísis tinha o hábito de se sentar à mesa bem fornida do desjejum da manhã, que os egípcios chamavam a "lavagem da boca", porque, antes de comer, era conveniente purificá-la com natrão. Ele apreciava particularmente o queijo de cabra e o peixe seco.

Mas a notícia que o seu secretário particular dava-lhe tirava o apetite de Petísis.

— A fortaleza de Babilônia se rendeu sem luta... É impossível!

— O comandante reconheceu a soberania do faraó negro. Não tinha, portanto, razão nenhuma para sacrificar a sua guarnição.

— Tefnakt ordenara que resistisse, e ele sabia o preço dessa coragem! Onde está Piankhy?

— Reside em Heliópolis.

— Não tardará a nos atacar... Convoque todos os oficiais da guarnição.

— O príncipe Akanosh acaba de chegar de Sebenitos e deseja lhe falar.

— Mande-o entrar.

Os dois homens se cumprimentaram de modo amigável. Havia muito que se admiravam mutuamente.

— Viajou de noite, Akanosh?

— Pus-me a caminho logo que soube da queda de Babilônia. A notícia foi confirmada?

— O comandante da fortaleza abriu as portas para o faraó negro. Piankhy nem sequer foi obrigado a atacar e não perdeu nenhum soldado.

— Portanto, a primeira parte do plano de Tefnakt resultou num fracasso retumbante.

— E o exército de Piankhy vai apresentar-se intacto diante dos muros da minha cidade...

— É preciso pôr fim a esta guerra — declarou Akanosh.

— Está sugerindo que...?

— Abra também as portas da sua cidade e se submeta ao faraó legítimo.

— Tem plena consciência do que implica esse conselho?

— Não é uma traição, Petísis. Sob o comando de Tefnakt, tentamos vencer Piankhy e fracassamos. Agora, ele é o faraó e lhe devemos obediência. Por que fazer sofrer em vão as nossas províncias?

Akanosh correra um risco enorme. Petísis podia ordenar a sua prisão e enviá-lo para Saís, onde seria executado.

— Tenho um segredo a lhe confiar, Akanosh: não sou líbio, mas egípcio. Que Atribis regresse ao domínio de um autêntico faraó é a alegria da minha velhice.

— Você está deslumbrante — disse o capitão Puarma ao seu colega Lamerskeny. — Essa camisa de mangas curtas e largas lhe fica muito bem.

— Basta, arqueiro! Odeio essas mundanidades.

— Esta não é banal! Ver o príncipe de Atribis entregar a sua cidade a Piankhy não é um espetáculo comum.

— Somos soldados, não cortesãos. Preferia ter conquistado essa fortaleza na ponta da espada.

— Guarde as suas forças para Saís... Pode ter certeza de que Tefnakt não se renderá.

A bordo da nau capitânia, Piankhy e Abilé atracaram no porto de Atribis. O príncipe Petísis mandara erigir um pavilhão de madeira dourada para receber o casal real ao abrigo dos raios do sol.

— Entrai em vossa casa, Majestade. Os tesouros vos são oferecidos: eis os meus lingotes de ouro, grande quantidade de turquesas, colares, amuletos, baixelas de mesa de ouro, vestuário de linho, roupas de cama confeccionadas com linho fino, óleo de olíbano, potes com unguentos e inúmeros cavalos das minhas estrebarias.

— Oferece-me os melhores deles?

— Quem vos ocultar a elite dos seus cavalos, Majestade, que morra de imediato!

— Levante-se, Petísis.

— Sou filho de egípcio, Majestade, e grato por devolverdes a liberdade a Atribis. Quanto aos filhos de líbios, submetem-se hoje à vossa autoridade.

O primeiro a avançar foi o príncipe Akanosh, na companhia da esposa. Piankhy admirou a sua nobreza desprovida de covardia.

— Fomos vencidos. A partir de agora, a província de Sebenitos pertence ao faraó do Egito. Possa ele se mostrar indulgente para com os meus súditos e a minha esposa, de origem núbia, mas fiel ao seu clã.

— Louvada seja a sua sabedoria — respondeu Piankhy. — Sirva fielmente a este país e ao seu rei e continue a ser o governador de Sebenitos.

— Confiais em mim, um líbio?

— Confio num homem preocupado em proteger a sua província e seus habitantes. Visto que coloca a vida deles à frente da sua, saberá torná-los felizes.

Prefeitos, administradores, conselheiros, juízes, oficiais, uns de origem egípcia e outros líbia, vieram sucessivamente prestar juramento de fidelidade ao faraó negro. O príncipe da rica cidade de Letopolis os imitou.

A cada um Piankhy determinou o papel a desempenhar, respeitando a lei de Maat e preservando a unidade das Duas Terras, da qual seria o inflexível responsável. A festa só começou tarde da noite, depois de o governo da maior parte do Delta haver sido estabelecido.

Mastigando uma coxa de pato assado regada a vinho branco doce, Lamerskeny não pôde deixar de refletir em voz alta:

— Falta Saís, a capital de Tefnakt... A última batalha e a mais bela de todas!

O mangusto de Piankhy pulou para o braço de acácia.

— Ora, aqui está você! Vai nos proteger até o fim, não é verdade?

O pequeno carnívoro subiu até o ombro e lambeu a face do herói.

— O faraó tem razão: é preciso terminar a obra. Seria uma pena morrer na última etapa.

66

Os últimos homens fiéis a Tefnakt estavam reunidos em volta do general no seu palácio de Saís. Os irredutíveis defendiam a luta derradeira contra os núbios.

— Atribis nos traiu — revelou Tefnakt —, e a maior parte dos chefes de clã líbios se submeteu a Piankhy.

— Que importa! — exclamou um velho oficial. — Não devemos lamentar esses covardes. Pelo menos, sabemos com o que contar. Venha a Mostai, onde estão reunidas as nossas tropas, general, e verificará que estamos prontos para a luta!

— Saibam que nunca me renderei. O nosso exército ainda é suficientemente forte para impedir que Piankhy se apodere de Saís, que ele sonha em pôr a ferro e sangue.

Um jovem oficial se indignou:

— Está errado, general! Piankhy não mandou matar nenhum civil, e todos os que reconheceram a sua soberania não tiveram razão para se queixar.

— Quem está errado é você. O núbio tem apenas um objetivo: destruir-me e fazer todos os líbios desaparecerem comigo. Até agora, ele usou de astúcia fingindo clemência. No futuro, revelará a sua verdadeira natureza: uma crueldade implacável.

— O seu discurso não é convincente, general. Fatos são fatos.

— Quer abandonar o meu exército?

— Aceitemos a derrota, general. Piankhy nos concederá o seu perdão.

O velho oficial cravou o seu punhal no peito do jovem, que caiu no chão com os olhos esbugalhados.

— Vamos lutar e venceremos — afirmou o assassino.

No mapa do Delta havia apenas uma única província que não se submetera: a de Saís, onde reinava Tefnakt.

— A última etapa — observou Lamerskeny.

— Tefnakt manteve junto de si os melhores homens — avaliou Puarma. — Até agora Sua Majestade tem poupado muitas vidas. Mas este confronto será sangrento.

Com o mangusto empoleirado no ombro, Piankhy estava pensativo.

— Se estivesse no lugar de Tefnakt, que estratégia adotaria?

Lamerskeny coçou o braço de madeira.

— Nem uma única fortaleza nos resistiu... Saís não será exceção à regra. Permanecer ali encerrado não lhe dará nenhuma garantia de sobrevivência.

— Portanto — continuou Puarma —, ele reuniu os seus homens noutro lugar, certamente num dos caminhos que conduzem a Saís.

— Posso até indicar o lugar exato onde ele nos espera: Mostai.

— Majestade, como...

— Foram os príncipes líbios que me deram essa informação. Queria, no entanto, verificar a capacidade de raciocínio de vocês.

Lamerskeny insurgiu-se:

— Já que ele sabe que os aliados o abandonaram, sabe também que revelaram o nome de Mostai! Tefnakt deve ter modificado o local da emboscada.

— Não é exatamente assim. Ele precisa de um terreno de manobra favorável ao movimento dos seus carros e deslocar simultaneamente soldados e barcos não é assim tão fácil.

— Permita-me que me certifique — solicitou Lamerskeny.

Cabeça-Fria estava dividido entre a alegria e a tristeza. Alegria por ver triunfar o faraó negro, tristeza por ser para sempre afastado de Napata e da Núbia. Como Piankhy decidira que ele se encarregaria de um ministério importante, o escriba pensava em trazer a família para o Egito.

Mas onde residiria o casal real, em Tebas ou em Mênfis? Certamente ao norte durante o verão e ao sul durante o inverno, desejando mostrar que o faraó não negligenciava nem o Baixo nem o Alto Egito. Ainda era preciso purgar o abscesso de Saís, o último que afetava o grande corpo da terra amada pelos deuses.

Apesar da atmosfera alegre e descontraída que reinava em Atribis, Cabeça-Fria sentia que Piankhy não estava calmo. Embora Tefnakt estivesse muito enfraquecido, o rei receava uma reação violenta e imprevista da parte do general líbio, um gesto de loucura que ensanguentaria o Norte. E o monarca também se preocupava por causa de Lamerskeny, cuja missão estava demorando mais do que o previsto.

Quanto a Puarma, ele fervia de impaciência. Se não fosse um soldado disciplinado, com certeza teria desobedecido às ordens de Piankhy e ido reunir-se ao seu colega, provavelmente em dificuldades.

De tanto desafiar a sorte, Lamerskeny talvez houvesse perdido o jogo.

Ele estava empoeirado, cansado, sedento e mau humorado, mas vivo.

Lamerskeny se recusou a falar, antes de tomar uma jarra de cerveja fresca e limpar o braço de acácia no qual estavam cravados muitos espinhos.

— Tive que seguir pelas moitas — explicou —, escapar de serpentes e de escorpiões, e depois afundei num pântano, próximo de

Mostai. E os vi: barcos num canal e um acampamento de soldados da infantaria.

— Muitos? — perguntou Piankhy.

— Não nos farão frente. Proponho que ataquemos simultaneamente o canal e o acampamento. Os nossos barcos forçarão a passagem com facilidade, os arqueiros eliminarão os dois postos de guarda, e os carros utilizarão a trilha do norte para dizimar os soldados.

Puarma não fez objeções.

— Eu bem que tiraria um dia ou dois de descanso — acrescentou Lamerskeny —, mas é preferível agir rápido.

Piankhy poderia exigir ajuda dos príncipes líbios, mas preferiu, nesse último combate, contar apenas com o próprio exército, que o havia servido com total fidelidade desde a partida de Napata.

O capitão Puarma ousou formular a hipótese que o angustiava:

— Majestade... Se essa batalha resultar numa derrota, toda a vossa obra ficaria reduzida a zero, e a anarquia reinaria de novo.

Lamerskeny se indignou:

— Fui eu que observei as posições e os efetivos do inimigo, não um dos seus arqueiros. Nenhuma armadilha nos espera.

— E se um exército líbio de reserva, com carros e...

— Não existe, Puarma! São as últimas forças de Tefnakt, e nós as esmagaremos.

Piankhy e Abilé passeavam de barco no lago de recreio do palácio de Atribis, com o próprio rei manejando os remos. Envergando uma vestimenta em forma de rede, que revelava e, ao mesmo tempo, ocultava o corpo, a rainha se protegia do sol com um guarda-sol.

— É a última etapa, não é verdade?

— De fato, creio que Lamerskeny tem razão.

— No entanto, os seus oficiais estão ansiosos.

— É verdade, Abilé. Poderia jurar que o espectro da derrota lhes rói a alma.

— O olho mau... É ele que tenta penetrar nas nossas fileiras. É preciso esconjurá-lo antes de lançar o ataque.

— O que propõe?

— Vamos celebrar o mais antigo dos nossos rituais: a quebra dos vasos vermelhos.

Durante a noite que precedeu a partida do exército núbio para Mostai, a rainha Abilé, agindo em nome da deusa Sekhmet, quebrou nas lajes do templo vários vasos vermelhos cobertos com o nome de Tefnakt. Privava assim o líbio do dinamismo e da violência do deus Seth, expressos pela cor vermelha.

Pouco depois do fim do ritual, o capitão Puarma se sentiu livre da opressão que, havia alguns dias, o impedia de respirar normalmente, e vários soldados sentiram o mesmo alívio.

A magia da rainha Abilé era mais eficaz do que a de Tefnakt. Por essa razão, o exército núbio partiu cantando para a conquista do último bastião nortista.

67

Não suportando mais o imobilismo, Tefnakt decidira atacar as tropas de Piankhy estacionadas em Atribis. Valendo-se do efeito surpresa, ele lhe infligiria pesadas perdas antes de se retirar e preparar outras operações de guerra.

Com um boldrié cruzado no peito, os cabelos trançados, a fina barba cortada em ponta, tatuagens guerreiras nos braços, peito e abdômen, só faltava aos soldados líbios prenderem duas plumas no cabelo. Nem os doentes nem os idosos quiseram ficar para trás, e até o ex-tenente da divisão de carros de guerra, Pisap, com setenta anos, saíra da sua reforma para participar do combate que devolveria a confiança às tropas de Tefnakt.

O general não conseguira conciliar o sono. A noite havia sido agitada, povoada de visões dolorosas que mostravam os núbios caindo sobre ele como as ondas do Nilo em fúria. Tefnakt passeou pelo acampamento adormecido, banhado pela luz da lua cheia, e, pela primeira vez, teve dúvidas.

Duvidou de si próprio, da legitimidade da sua ação e da utilidade do combate. O céu e os deuses não haviam mandado inúmeros sinais para lhe abrir os olhos? Enviado por Amon, reconhecido como faraó, Piankhy avançara pelo caminho dos justos espalhando a alegria e a paz, enquanto ele, o revoltoso e perturbador, estava sozinho à beira do abismo.

O dia nascia, mas os pássaros não cantavam. Ao longe, um ribombar os assustara. Um ribombar que aumentava a cada segundo... Os carros de Piankhy!

O general ordenou aos soldados com trombetas que soassem o alarme. Despertados em sobressalto, outros soldados se equiparam às pressas, enquanto as guarnições dos carros atrelavam os cavalos.

Os arqueiros de Puarma já haviam eliminado as sentinelas, ao mesmo tempo que a frota de Piankhy atacava os barcos de Tefnakt, cujas tripulações, em pânico, esboçavam uma medíocre resposta.

Tefnakt compreendeu rapidamente que a sua única chance de interromper o ataque núbio era vencer os carros inimigos. À frente do seu corpo de elite, o general não tinha outra opção além do choque frontal.

— Avante! — gritou.

Ao seu lado, o velho Pisap, solidamente amarrado à caixa do carro com uma tira de couro, segurava as rédeas com mão firme.

— Onde está o meu escudeiro?

— Está vomitando... Tem medo de morrer. Não tema, general: saberei guiar os seus cavalos. Mate o máximo de núbios!

Aos líbios não faltava coragem nem destreza, mas o terreno acidentado rapidamente lhes foi desfavorável. Várias rodas dos carros se partiram, enquanto as do exército de Piankhy, como prometera o carpinteiro de Napata, resistiam à velocidade e às irregularidades do caminho.

Desequilibrados, os arqueiros e os lançadores de dardos erravam a maioria dos alvos, enquanto os núbios acertavam na mosca praticamente todos os disparos. E depois, o milagre: a menos de cinquenta metros de Tefnakt estava Piankhy no seu cavalo baio! Piankhy ao alcance das suas flechas, inconsciente do perigo que corria.

O general retesou o arco, fez pontaria e disparou.

Valente deu um salto prodigioso para evitar um carro líbio que havia tombado, e a flecha raspou a nuca do faraó negro.

— General — constatou Pisap, desesperado —, temos de fugir.

Tefnakt se voltou. Os seus carros estavam fora de combate.

— Corra para o canal!

Julgando que o general havia concebido um plano de contra-ataque, Pisap se lançou a toda velocidade para abrir passagem.

Tefnakt saltou para o chão, correu para o primeiro barco fundeado, apoderou-se de uma tocha e incendiou a vela. O vento da manhã atiçou o fogo, a popa começou a arder, e as chamas se propagaram no barco vizinho.

Pisap estava aterrado.

— Por que, general...?

— Piankhy não vai apoderar-se da minha frota. Agora, vamos morrer. Regressemos ao combate.

— Não, vamos fugir!

— Impossível!

— Podemos seguir pelo atalho que serpenteia ao longo do canal e atravessar o campo de trigo em direção ao norte. Nos pântanos do Delta, estaremos protegidos. Conheço esconderijos que os soldados de Piankhy não descobrirão.

— O carro é grande demais.

— Vamos, meus lindos! — gritou Pisap. — Vamos!

Os cavalos partiram.

Do exército líbio restavam apenas raros sobreviventes, a maior parte mortalmente ferida. As forças de elite do general Tefnakt haviam sido aniquiladas. Piankhy ordenou aos médicos militares que cuidassem dos infelizes e depois se apresentou, a cavalo, diante dos seus soldados que o aclamavam.

— Vocês não combateram pela glória de um homem — declarou —, mas pelo Egito e pelo seu faraó, o representante na Terra da lei celeste de Maat. Esta guerra terminou e a partir de hoje vocês passam a ser os construtores da paz. Não cometam qualquer excesso, sejam protetores dos fracos, garantam a segurança da população: assim conseguirão a mais bela vitória!

Na companhia de Lamerskeny e de Puarma, Piankhy percorreu o campo de batalha em busca do cadáver de Tefnakt. Os núbios cortavam a mão direita dos mortos para fazer uma contabilidade fúnebre que os escribas anotavam nas suas tabuinhas.

Por duas vezes Puarma julgou identificar o general, de acordo com a descrição que lhe fizera um condutor de carros líbio, ferido no ombro. Mas, confrontado com os despojos, o homem desfez o engano do chefe dos arqueiros.

Reunindo vários testemunhos, Lamerskeny chegou à conclusão de que Tefnakt fugira num carro em direção ao norte. Com o auxílio de diversos batedores, descobriu a trilha com marcas das rodas do carro.

Piankhy não dissimulou a sua contrariedade:

— Então, Tefnakt continua vivo...

— Vou lançar diversas brigadas atrás dele — decidiu Puarma.

Enrolado numa bola, o mangusto dormia nos joelhos de Piankhy, sentado num trono de madeira de sicômoro dourado, na escuridão da sala de audiências de Saís onde, dantes, Tefnakt impunha a sua lei.

Submetida ao faraó negro, a cidade da deusa Neith mergulhara numa perfeita quietude, certa de que Piankhy pouparia os seus habitantes. Mas o faraó negro não conseguira adormecer e fora recolher-se naquele local onde o seu adversário concebera os seus planos insensatos.

No silêncio do palácio abandonado, Piankhy pensou no inimigo vencido, privado de todo o apoio. Tefnakt seguira a sua quimera até o limite extremo das suas forças com a convicção de que as sucessivas derrotas não o haviam abalado, mas se enganara acerca do seu próprio destino e do destino do Egito.

Descalça, a rainha Abilé avançou no escuro, sentou-se aos pés do trono e pousou a cabeça na perna do marido.

— Qual o resultado das buscas?

— Nenhum — respondeu Piankhy. — Tefnakt conhece bem os pântanos e as ilhas do Delta e saltará de esconderijo em esconderijo

— Por que não o abandona à própria sorte?

— Porque ele não se contentará com isso. Reunirá um bando de barqueiros e pescadores, pilhará as aldeias e espalhará a insegurança nas margens da região. Isso, eu não posso admitir.

68

Tefnakt não estava tão sozinho quanto Piankhy supunha. Avançando pelo mundo estranho e perigoso dos pântanos do Delta, pensava nas pequenas comunidades de pescadores que reuniria para lutar contra os núbios. O velho Pisap tinha família entre os barqueiros que percorriam os canais, ao norte de Saís, e eles o ajudariam.

Os dois líbios haviam abandonado o carro, que se tornara inútil, e se locomoviam entre as sebes de juncos com o auxílio de um barco de papiro. Nenhum núbio conseguiria segui-los naquele dédalo que era preciso conhecer à perfeição para chegar às ilhotas nas quais os pescadores haviam construído suas cabanas.

Foi para uma dessas ilhotas que Tefnakt e Pisap se dirigiram. Bem grande, oculta por maciços de papiros onde se abrigavam dezenas de pássaros, a ilhota havia sido nivelada para receber um santuário de pedra dedicado à deusa-serpente Uadjet, a que renovava a vida e a energia.

O tesoureiro do exército líbio ocultara ali ouro e pedras preciosas, quando ia caçar naquela região. Graças a essa pequena fortuna, Tefnakt poderia pagar os mercenários e chefiar uma guerrilha permanente contra Piankhy.

Depois de comerem peixe grelhado, os dois homens adormeceram.

No meio da noite, Tefnakt ouviu um ruído suspeito, semelhante a um bater de asas. Com a espada na mão, saiu da cabana.

Apesar da ausência de lua, oculta pelas nuvens, estava claro como em pleno dia. Empoleirada no alto de uma haste de papiro com seis metros de altura, uma andorinha com cabeça humana o fitava com olhar acusador.

Então o mito dizia a verdade... Quando os antepassados regressavam do Além, assumiam a forma de aves com rosto humano, sob o efeito da luz.

Os traços da andorinha se transformaram, e Tefnakt pensou distinguir as feições de Tutmés, de Amenhotep, de Ramsés, o Grande... E todos esses faraós o reprovavam.

Um vento violento começou a soprar, a escuridão engoliu a claridade, e a andorinha levantou voo, deixando atrás de si um rasto turquesa.

— Vou encarregá-lo de uma missão importante, Pisap: leve esta mensagem a Piankhy.

O ancião coçou a orelha.

— Devo ter ouvido mal, general.

— Compreendeu perfeitamente.

— Mas, Tefnakt, quer... render-se?

— Não, negociar. Como embaixador da província de Saís, você nada tem a temer.

— Então... desistiu de lutar?

— Sim, Pisap. Esta noite, os ancestrais apareceram e me convenceram de que eu estava no mau caminho. Agora, existe um rei legítimo, coroado em Heliópolis, em Mênfis e em Tebas, e é a ele que todos devemos obedecer. Foi o faraó negro que conseguiu realizar a unidade com que eu sonhava. Os meus olhos, que estavam fechados, acabam de se abrir. Se o Egito finalmente está em paz, por que continuar a comportar-me como destruidor?

— Com negociações ou sem elas, sabe o que o espera.

— Como rebelde, serei condenado à morte. O faraó é obrigado a tomar essa decisão. No lugar de Piankhy, eu agiria da mesma forma. Mas quero morrer de pé, na frente dos meus juízes, não como um fugitivo abatido pelas costas com uma flecha. Quero

também que a minha sujeição acalme os últimos revoltosos e que a guerra saia dos seus corações. Quero, enfim, que o faraó me conceda o seu perdão para que eu possa defender a minha causa perante o tribunal do outro mundo.

— Ande, Lamerskeny, vamos chegar atrasados! Já devia estar lavado, barbeado e vestido!

— Estou com sono, Puarma... Vá sozinho.

Delicadamente, Puarma obrigou a jovem de harmoniosos seios e ancas delicadas, que era a causa do cansaço de Lamerskeny, a sair da cama. Ela deu um sorriso maravilhoso ao capitão dos arqueiros, mas, infelizmente, o núbio não tinha tempo para homenagear os seus encantos.

Como Lamerskeny virasse para o outro lado, mergulhando novamente numa recordação de beatitude, Puarma virou a cama.

Ao cair no chão, Lamerskeny acordou um pouco.

— Odeio essas cerimônias militares — resmungou esfregando os rins.

— Um pouco de água gelada resolveria o caso?

— Ah, não, isso não!

— Então, ande!

— Você imagina como seremos criticados porque ainda não conseguimos interceptar esse maldito Tefnakt?

— É preferível obedecermos às ordens do faraó e irmos a essa cerimônia. Vou jogar uma túnica mais ou menos adequada nas suas costas, e você vai seguir-me sem discutir.

Com a mente embotada, Lamerskeny saiu do quarto.

* * *

Misturado com a multidão de cortesãos, ele dormia em pé quando Piankhy começou a distribuição das moscas de ouro que recompensavam os soldados distinguidos pelos seus atos de bravura e frequentes ataques ao inimigo.

— Chegou o momento de honrar os nossos oficiais superiores — declarou o faraó. — Em primeiro lugar, quem não hesitou em arriscar a vida diversas vezes para conter o inimigo antes de esmagá-lo. Graças à sua eficiência e à dos seus arqueiros, o capitão Puarma merece ser elevado ao posto de general.

Lamerskeny abriu os olhos, espantado. Viu Puarma destacar-se da multidão e apresentar-se diante do rei. Puarma general! Um arqueiro que não tinha nenhum sentido de estratégia e não seria capaz de tomar a mínima iniciativa!

Afinal, por que não? O arqueiro era jovem e não deixava de ter coragem. É certo que seria um mau general, mas não havia outro melhor do que ele.

— Os mesmos elogios e o mesmo posto devem ser concedidos a Lamerskeny — continuou Piankhy.

O homem do braço de acácia julgou ter ouvido mal. Imobilizado, sentia-se incapaz de dar um passo. Puarma foi buscá-lo e o conduziu diante do monarca, que o condecorou com a mosca de ouro.

— Estou orgulhoso de vocês, meus generais. Ambos comandarão o exército do Egito, no qual, atualmente, convivem núbios, líbios e egípcios. Cabe a vocês garantir a coesão das nossas tropas.

* * *

— General Lamerskeny — disse Cabeça-Fria, visivelmente agitado —, um embaixador de Tefnakt pede para ver Vossa Majestade!

— Estou em plena recepção oficial — resmungou Lamerskeny com voz pastosa.

— General, é sério!

Para festejar a promoção, Lamerskeny convidara os seus soldados para beberem vinho forte dos oásis sem diluí-lo com água. Como era de esperar, o novo general dera o exemplo sem fraquejar.

— O homem chama-se Pisap — continuou Cabeça-Fria — e traz um documento com o selo de Tefnakt.

Um segundo milagre no mesmo dia... Lamerskeny despejou um jarro de água na cabeça, mas a miragem não se dissipou: o escriba era bem real.

Tentando portar-se com a dignidade de um general, Lamerskeny ouviu as explicações do velho Pisap e concordou em conduzi-lo até o rei, que tratava do seu cavalo.

A estatura do faraó negro assustou o velho líbio que, de repente, sentiu-se incapaz de pronunciar uma única palavra.

— Este embaixador tem realmente algum pedido a fazer?

Lamerskeny tirou o papiro das mãos de Pisap, quebrou o selo de argila, desenrolou o documento e leu o texto em voz alta:

— "Do general Tefnakt para o faraó do Alto e do Baixo Egito, que viva, seja próspero e tenha boa saúde. Que a paz esteja com você, Piankhy, visto que ninguém pode olhá-lo de frente, visto que não poderá suportar o fogo que o move e que brilha nos seus olhos. Você é o touro de braço poderoso e vitorioso. O seu coração não vai serenar depois da derrota que me infligiu? Eu, Tefnakt, sou um homem perdido e arruinado. Julga-me com clemência, corte os ramos mortos da árvore, mas não arranque as suas raízes. Sim, tenho medo de você, e esse medo rasga-me o ventre e torna os meus ossos doloridos. Desde o dia em que me venceu, só comi para matar a fome, bebi para matar a sede, minhas roupas estão rasgadas, o meu corpo é só sofrimento. Poderá a deusa Neith, a protetora da minha cidade, perdoar o meu desvario? Você continua a me perseguir, me obriga a uma fuga interminável, e eu estou no limite das minhas forças. É por isso que suplico que me lave dos meus erros. Pegue os meus bens, os meus cavalos, que eles enriqueçam o seu tesouro, mas responda favoravelmente ao meu pedido para que a angústia abandone o meu coração."

Piankhy observara o mangusto, que, depois de farejar longamente o velho Pisap, adormecera. Portanto, ele não representava nenhum perigo.

— Tem outra mensagem a me transmitir? — perguntou o rei ao embaixador, que não parava de tremer.

— Sim, sim, Majestade... Tefnakt gostaria de encontrar-vos a sós, no templo da deusa Neith.

69

Sentados lado a lado no tronco de uma palmeira caída, o obeso Otoku e o rabugento Kapa, com as mãos nodosas apoiadas no castão da bengala, olhavam o deserto da Núbia.

— As notícias são excelentes — revelou Otoku. — A partir de agora, o norte, o sul, o oeste e o leste obedecem a Piankhy. Não há uma única província insubmissa, e todas as cidades homenageiam o senhor das Duas Terras.

— Muito bem, muito bem... — comentou Kapa. — De qualquer forma, eu teria cortado o pescoço de Peftau e o de Nemrod, esses príncipes tão predispostos à traição!

— Peftau está doente e não tardará a se afastar. Quanto a Nemrod, ele se tornou o mais inflamado partidário de Piankhy e... todos os seus movimentos são controlados.

— Onde o faraó vai instalar-se?

— Em Mênfis, para controlar permanentemente o Delta.

— Uma sábia decisão.

— Mênfis fica tão longe...

— Resigne-se, Otoku; você continuará a ser um bom prefeito, e envelheceremos juntos, tranquilamente, na nossa boa e velha cidade de Napata. Piankhy nos deixou tantas recordações boas que passaremos o tempo a desfrutá-las. Atualmente, a tarefa dele é vasta como o Egito.

— É verdade, é um triunfo, mas nos priva para sempre da presença do rei e da rainha.

— O destino deles não pode ser comparado ao nosso, pois eles não pertencem a si mesmos. Diante da felicidade e da prosperidade do país e do seu povo, os desejos deles não contam.

Com o coração entristecido, Otoku comeu vários bolos ainda quentes empilhados uns sobre os outros. Por que aquele velho sem pre tinha a última palavra?

* * *

Aprovado pelo companheiro Puarma, o general Lamerskeny manifestou a sua desaprovação:

— É excessivamente perigoso, Majestade! Não acredito nem por um instante no arrependimento de Tefnakt. Ele mentiu para comover-vos e prepara uma última emboscada. Se quer encontrar com Sua Majestade a sós é para vos matar.

— Considera-me incapaz de me defender?

— Por que correr riscos inúteis, quando o país precisa tanto de Sua Majestade?

— Permiti pelo menos que o reviste — solicitou Puarma.

— Ele chegou! — anunciou um vigia.

Conduzido pelo velho Pisap, o carro do general vencido estava num estado deplorável: a peça de comando estava rachada, a caixa deslocada e as rodas prestes a quebrar-se. Piankhy só notou o deplorável estado dos cavalos esgotados.

Conhecedores das exigências de Piankhy, os palafreneiros levaram imediatamente os animais para as estrebarias do palácio para tratá-los. Lamerskeny passou o braço pelos ombros do velho Pisap.

— O faraó negro vai matar Tefnakt, não é verdade?

— Conhece a lei da guerra, veterano. Venha matar a sede para esquecer o que vai acontecer.

Tefnakt estava desgrenhado, barbudo e vestido com farrapos. O tempo passado nos pântanos o transformara num miserável, mas ele mantinha o olhar orgulhoso.

O derrotado passou entre duas filas de soldados estupefatos e avançou até a soleira do templo, onde Puarma o esperava.

O núbio o revistou. Tefnakt não trazia nenhuma arma escondida.

Empoleirado na cabeça de uma estátua de leão, encarregado de afastar os profanos, o mangusto não manifestou nenhuma animosidade.

— O faraó o aguarda no interior do templo — disse Puarma.

Tefnakt passou pelo pórtico monumental, atravessou o grande pátio a céu aberto e entrou na primeira sala de colunas, cujas portas estavam entreabertas.

Com a coroa dupla, simbolizando o Alto e o Baixo Egito, um largo colar de ouro, tanga e sandálias brancas, o faraó negro estava imóvel sob um raio de luz.

Ao contemplá-lo tão de perto, Tefnakt compreendeu por que nunca teria conseguido vencê-lo. À sua compleição atlética, correspondia uma alma indomável, capaz de se aventurar por caminhos desconhecidos e enfrentar o impossível sem fraquejar. Piankhy não pensava no triunfo; avançava, quaisquer que fossem os obstáculos, e a vitória lhe era oferecida como um complemento natural.

— Estou nas suas mãos — declarou Tefnakt.

Da bainha de prata dourada, adornada com a representação do deus Amon com cabeça de carneiro, Piankhy tirou uma adaga.

Tefnakt estremeceu, mas não recuou. Tal como desejara, olhava a morte de frente.

— Exijo um juramento de fidelidade — disse o monarca.

Movido por uma força que o dominava, Tefnakt prostrou-se pela primeira vez na vida.

— Não transgredirei a lei de Maat — prometeu —, obedecerei as ordens do faraó, farei aplicar os seus decretos, não atacarei os seus aliados e agirei de acordo com a sua vontade.

Quando Tefnakt se ergueu, a adaga estava de volta na bainha.

— Príncipe Tefnakt, confio-lhe o governo da cidade de Saís, que você conhece melhor do que ninguém. Saiba tornar felizes os habitantes da sua província, aplicando com rigor as instruções que lhe vou transmitir. Você irá ao templo todos os dias para ser purificado. Todos os meses lá residirá por três dias, longe das preocupações e dos assuntos deste mundo, para ouvir a palavra dos deuses e fazer calar em você qualquer veleidade de revolta contra Maat. Promete, pela sua vida e pela do faraó, respeitar esses deveres?

— Prometo, Majestade.

Quando a frota núbia se aproximou de Napata, Otoku pensou no esgotante trabalho administrativo que o aguardava. Como o prometido, Piankhy enviara ouro, prata, cobre, tecidos preciosos e essências raras destinadas ao templo de Amon. Precisava inventariar essas riquezas sob o olhar atento de Kapa, e o obeso sabia que o decano do grande conselho não toleraria a mínima imprecisão. Se Cabeça-Fria pudesse cuidar daquelas formalidades... Otoku não confiava em nenhum outro escriba e preferia encarregar-se pessoalmente da pesada tarefa.

Toda a população de Napata se amontoara no cais para receber os soldados que tinham a sorte de regressar à Núbia, enquanto os seus companheiros permaneceriam no Egito, quer em Mênfis quer em Tebas, sob as ordens dos generais Puarma e Lamerskeny.

As pessoas cantavam, se abraçavam, aclamavam o nome de Piankhy, cobriam de folhas de palmeira os marinheiros que, antes de desembarcar, haviam oferecido um sacrifício ao suave vento do norte.

— Kapa...

— O que é, Otoku? — resmungou o velho, que se sentia importunado pelas suas manifestações ruidosas.

— É... é o Cabeça-Fria!

— A minha vista já não é muito boa... Tem certeza?

— Está descendo a passarela correndo!

A multidão se afastava à passagem do anão cuja reputação de grande dignitário era mais do que reconhecida.

Otoku deveria ter se regozijado, mas a estupefação lhe cortava a respiração.

— Olhe, Kapa, olhe bem!

— Acabei de dizer que a minha vista está ruim.

— Na proa da nau capitânia, é Piankhy... Piankhy e a rainha Abilé!

— Você está sonhando, Otoku.

— O faraó está de volta!

Os 160 quilos do gordo se movimentaram e, com a agilidade de um elefante, ele correu para a prancha de desembarque para ser o primeiro a se inclinar diante do casal real, não sem ter esmagado alguns pés.

— Majestade... Sois vós, sois realmente vós?

— Mudei tanto assim?

— Vós... não ficastes em Mênfis?

— Cumpri a minha missão, Otoku. O Egito é de novo uno, as Duas Terras estão em paz, cada província tem o seu chefe, e todos obedecem ao faraó. O meu lugar é aqui, em Napata, junto do meu pai Amon. Foi ele que me guiou, é ele que me protege, era para ele que eu deveria voltar. Atualmente, a lei de Maat reina tanto no Delta como no vale do Nilo, e os dias felizes se escoam ao ritmo das festas e dos rituais. Se, amanhã, o povo do Egito precisar do meu braço para impedir a ditadura da desgraça e da injustiça, partirei de novo.

Enquanto era organizada a festa, Piankhy e a esposa se dirigiram para a montanha santa. O sol dourava a areia do deserto e iluminava as portas do grande templo.

— Só você conhece o meu segredo — disse o rei a Abilé. — Só você sabe que o poder não é o objetivo da minha vida e que a única viagem que desejo realizar é a que foi traçada neste santuário pelos deuses e pelos ancestrais. Nem o ruído das armas nem os louvores em uníssono dos cortesãos poderiam constituir a harmonia da minha vida.

"Você realizou uma obra alquímica ao abrir os corações para fazê-los ver os seus verdadeiros deveres, ao colocar cada um no seu devido lugar. Você não mudou o nosso mundo, mas lhe deu um sentido. Todos os dias faremos oferendas aos deuses e lhes rogaremos que nos permitam enfrentar os inimigos que nos esperam no caminho da velhice."

— Essa luta — prometeu o monarca — nós venceremos.

— Sim, Piankhy, porque a deusa do amor faz dançar de alegria as estrelas do céu, o nosso verdadeiro país.

Juntos, o faraó e a grande esposa real passaram pela porta monumental do templo, "o céu na Terra", onde as trevas se transformavam em luz.

Piankhy foi um dos faraós da XXV dinastia e reinou pouco mais de trinta anos (747-715). É difícil datar com exatidão a reconquista do Egito: por volta de 730 ou no fim do seu reinado?

A sua prodigiosa aventura é relatada numa estela de grandes dimensões (1,80 metros de altura, 1,84 metros de largura), conservada no Museu do Cairo (Registro de entrada 48862, completado pelos fragmentos JE 47086-47089). Descoberta em 1862, no sítio do Gebel Barkal, "a Montanha Pura", essa estela foi exposta por Mariette no Museu de Boulaq, de sua propriedade, antes de ser transferida para o atual Museu das Antiguidades, e objeto de várias traduções e de numerosos estudos do todo e dos detalhes, dos quais cito algumas referências:

E. de Rougé, "Inscription historique du roi Pianchi-Meriamoun", in *Revue archéologique*, tomo VIII, 1863, p. 94 seg.; *Chrestomathie égyptienne*, fasc. IV, 1876.

F. J. Lauth, "*Die Pianchi-Stele*", in *Abhandlungen der königlichen Akademie der Wissenschaften*, XII (1871), p. 241-314.

H. Schäfer, *Urkunden der älteren Aethiopenkönige*, I (*Urkunden*, III), 1905, p. 1-56.

J. H. Breasted, *Ancient Records of Egypt*, vol. IV, 1906, p. 406-444.

N.-C. Grimal, *La Stèle triomphale de Pi(ankh)y au musée du Caire*, Cairo, 1981.

M. Lichtheim, Ancient Egyptian Literature, vol. III, 1980, p. 66-84.

C. Lalouette, *Textes sacrés et textes profanes de l'ancienne Égypte*, vol. I, 1984, p. 124 seg.

Alguns egiptólogos acham que o nome desse faraó deve ser lido como *Peye* (e não Piankhy), de acordo com o dialeto núbio, mas o sentido continua a ser o mesmo: "o Vivo".